CHARLES DUHIGG

Charles Duhigg es un periodista de investigación galardonado con el Premio Pulitzer y autor del bestseller mundial *El poder de los hábitos* y de *Más agudo, más rápido y mejor*. Licenciado por la Universidad de Harvard y el Yale College, su trayectoria ha sido reconocida con varios premios, entre ellos el de la National Academy of Sciences, el Premio Nacional de Periodismo y el George Polk. Actualmente escribe para *The New Yorker*, entre otros medios, ha sido editor senior del *New York Times* y ocasionalmente presenta el podcast *How To!*

charlesduhigg.com
@cduhigg

Supercomunicadores

Cómo desbloquear el lenguaje secreto de la conexión

Charles Duhigg

Traducción de
Andrea Montero

VINTAGE ESPAÑOL

Título original: *Supercommunicators*

Primera edición: marzo de 2024

Impreso en Colombia / *Printed in Colombia*

ISBN: 979-88-909808-0-9

24 25 26 27 28 10 9 8 7 6 5 4 3 2 1

A John Duhigg, Susan Kamil,
y Harry, Oli y Liz

ÍNDICE

PRÓLOGO

Si había algo que todo el mundo sabía acerca de Felix Sigala, era que resultaba fácil hablar con él. Extraordinariamente fácil. A la gente le encantaba conversar con él, porque siempre se iba de su lado sintiéndose más lista, más divertida, más interesante. Aunque no tuvieras nada en común con Felix —cosa rara, porque era inevitable que la conversación revelara todo tipo de opiniones, experiencias o amigos compartidos—, te sentías escuchado, como si tuvierais alguna clase de vínculo.[1]

Por eso le habían buscado los científicos.

Felix llevaba dos décadas en el FBI. Había entrado después de la universidad y una temporada en el ejército, y luego había pasado varios años como agente de campo. Era ahí donde sus superiores habían advertido ese trato fácil con los demás. No tardó en recibir una serie de ascensos y finalmente acabó en un cargo directivo con el mandato de actuar como negociador multiusos. Era el tipo que sonsacaba declaraciones a testigos reticentes, convencía a fugitivos de que se entregaran o consolaba a familias en pleno duelo. En una ocasión persuadió a un hombre que se había atrincherado en una habitación con seis cobras, diecinueve serpientes de cascabel y una iguana para que saliera en son de paz e identificara a sus cómplices en una banda de contrabando de animales. «La clave estaba en que él viera las cosas desde la perspectiva de las serpientes —me contó Felix—. El tipo era un poco raro, pero su amor por los animales era genuino».

El FBI tenía una Unidad de Negociación de Crisis para conflictos con rehenes. Cuando las cosas se complicaban sobremanera, llamaban a alguien como Felix.

Había lecciones que él compartía con agentes más jóvenes cuando le pedían consejo: nunca finjas que no eres un poli. Nunca manipules ni amenaces. Haz montones de preguntas y, cuando alguien se emocione, llora o ríe o quéjate o celébralo con él. Pero lo que en el fondo le hacía tan bueno en su trabajo era un misterio, incluso para sus colegas.

Así, en 2014, cuando el Departamento de Defensa asignó a un grupo de psicólogos, sociólogos y otros investigadores la tarea de explorar nuevos métodos para enseñar persuasión y negociación a oficiales del ejército —en esencia, ¿cómo entrenamos a la gente para que mejore en comunicación?—, los científicos buscaron a Felix. Habían oído hablar de él por varios oficiales que, cuando les pedían que nombrasen a los mejores negociadores con los que habían trabajado, mencionaban su nombre una y otra vez.

Muchos de los científicos esperaban que Felix fuese alto y atractivo, con una mirada cálida y una sonora voz de barítono. El tío que se presentó a la entrevista, sin embargo, tenía el aspecto de un padre de mediana edad, con bigote, algo rellenito y un tono suave y ligeramente nasal. Parecía... normal y corriente.

Felix me contó que, tras presentaciones y cumplidos varios, uno de los científicos le explicó la naturaleza de su proyecto, y entonces empezaron con una pregunta general:

—¿Puedes decirnos qué piensas sobre la comunicación?

—Quizá sea mejor que os lo muestre —respondió Felix—. Cuéntame uno de tus recuerdos favoritos.

El científico con el que hablaba Felix se había presentado como el director de un gran laboratorio. Supervisaba millones de dólares en becas y a decenas de personas. No parecía la clase de tipo dado a rememorar ociosamente en pleno día.

El científico se paró a pensar.

—Probablemente la boda de mi hija —dijo por fin—. Estaba toda mi familia, y mi madre murió apenas unos meses después.

Felix formuló algunas preguntas de seguimiento y de vez en cuando compartía algunos recuerdos propios.

—Mi hermana se casó en 2010 —le contó Felix al hombre—. Ahora ha muerto, de cáncer, lo cual fue muy duro, pero aquel día estaba guapísima. Así es como intento recordarla.

Continuaron con esta tónica durante los siguientes cuarenta y cinco minutos. Felix hacía preguntas a los científicos y de tanto en tanto hablaba de sí mismo. Cuando alguien revelaba algo personal, Felix contaba una historia de su propia vida a modo de respuesta. Un científico mencionó que estaba teniendo problemas con una hija adolescente y Felix respondió describiendo a una tía con la que parecía que no era capaz de llevarse bien por mucho que se esforzase. Cuando otro investigador preguntó por la infancia de Felix, les contó que había sido tan tímido que daba pena, pero que su padre era vendedor (y su abuelo, timador) así que, siguiendo sus ejemplos, con el tiempo había aprendido a conectar con otras personas.

Cuando se acercaban al final del tiempo estipulado para la reunión, intervino una profesora de psicología.

—Lo siento —dijo—, esto ha sido maravilloso, pero no me siento más cerca de comprender lo que haces. ¿Por qué piensas que tanta gente nos ha recomendado que hablásemos contigo?

—Es una buena pregunta —respondió Felix—. Antes de contestar, quiero preguntarte: has mencionado que eras madre sola e imagino que tiene que ser difícil compaginar la maternidad con una carrera profesional. Esto puede resultarte extraño, pero me pregunto: ¿qué le dirías a alguien que va a divorciarse?

La mujer se quedó callada un instante.

—Supongo que le acompañaría —dijo—. Tengo muchos consejos. Cuando me separé de mi marido...

Felix la interrumpió con suavidad.

—En realidad, no me hace falta ninguna respuesta. Solo quiero señalar que, en una sala llena de colegas profesionales, y al cabo de menos de una hora de conversación, estás dispuesta a hablar de uno de los aspectos más íntimos de tu vida.

Él explicó que una de las razones por las que se había sentido tan cómoda probablemente fuera el entorno que habían creado juntos, cómo Felix había escuchado con atención, había formulado preguntas que exponían las vulnerabilidades de la gente, cómo habían revelado todos detalles significativos acerca de sí mismos. Felix había alentado a los científicos a que explicaran cómo veían el mundo, y luego les había demostrado que escuchaba lo que decían. Cuando alguien contaba algo emotivo —aun cuando no se daban cuenta de que exhibían sus emociones— Felix le había correspondido expresando sus propios sentimientos. Todas esas pequeñas decisiones que habían tomado, explicó, habían creado una atmósfera de confianza.

—Es un conjunto de habilidades —les indicó a los científicos—. No tiene nada de mágico.

En otras palabras, cualquiera puede aprender a ser un supercomunicador.

¿A quién llamarías si tuvieses un mal día? Si hubieses metido la pata con un trato en el trabajo o hubieses discutido con tu cónyuge o te sintieses frustrado y harto de todo, ¿con quién querrías hablar? Es probable que haya alguien que te haga sentir mejor, que pueda ayudarte a examinar una cuestión espinosa o con quien compartir un momento de pena o alegría.

Ahora pregúntate a ti mismo: ¿es la persona más divertida de tu vida? (Probablemente no, pero si prestases atención, te darías cuenta de que se ríe más que la mayoría). ¿Es la persona más interesante o ingeniosa que conoces? (Lo más probable es que, aunque no digan nada especialmente inteligente, esperas sentirte más ingenioso cuando hablas con ella). ¿Es tu amigo más divertido o seguro de sí mismo? ¿Da los mejores consejos? (Lo más probable: no, no y no, pero cuando cuelgues el teléfono, te sentirás más tranquilo y más centrado, y más cerca de la decisión correcta).

Entonces ¿qué hace esa persona para que te sientas tan bien?

Este libro pretende responder a esa pregunta. A lo largo de las dos últimas décadas, ha surgido un cuerpo de investigación que arroja luz sobre por qué algunas de nuestras conversaciones van tan bien, mientras otras son tan deprimentes. Estas ideas pueden ayudarnos a escuchar de forma más clara y hablar de forma más atractiva. Sabemos que nuestro cerebro ha evolucionado para ansiar la conexión: cuando hacemos «clic» con alguien, a menudo nuestros ojos empiezan a dilatarse en tándem; nuestro pulso coincide; sentimos las mismas emociones y nos acabamos las frases el uno al otro mentalmente. Esto se conoce como «sincronización neuronal», y es maravilloso. A veces ocurre y no tenemos ni idea de por qué; solo nos sentimos afortunados porque la conversación haya ido tan bien. En otras ocasiones, aun cuando estamos desesperados por establecer vínculos con alguien, fracasamos una y otra vez.

Para muchos de nosotros, las conversaciones a veces pueden resultar desconcertantes, incluso aterradoras. «El mayor problema de la comunicación —dijo el dramaturgo George Bernard Shaw— es la ilusión de que ha tenido lugar».[2] Pero los científicos han desentrañado ahora muchos de los secretos de cómo se producen las conversaciones fructuosas. Han descubierto que prestar atención al cuerpo de alguien, además de a su voz, nos ayuda a oírles mejor. Han determinado que *cómo* hacemos preguntas a veces importa más que *qué* preguntamos. Al parecer, salimos beneficiados cuando reconocemos las diferencias sociales, en lugar de fingir que no existen. Toda conversación se ve influida por emociones, da igual lo racional del tema. Al iniciar un diálogo, ayuda pensar en la conversación como en una negociación cuyo premio consiste en averiguar qué quiere todo el mundo.

Y, por encima de todo, el objetivo más importante de cualquier conversación es *conectar*.

Este libro es fruto, en parte, de mis propios fracasos a la hora de comunicarme. Hace unos años, me pidieron que ayudara a dirigir un proyecto de trabajo relativamente complejo. Nunca comandado nada, pero había trabajado para muchos jefes. Además, tenía un sofisticado máster de la escuela de negocios de Harvard y, como periodista, ¡comunicarme era mi profesión! No podía ser tan difícil, ¿no?

Resultó ser muy difícil. Se me daba bien trazar horarios y planificar la logística. Pero, una y otra vez, me costaba conectar. Un día, un compañero me dijo que sentía que ignoraba sus sugerencias, que sus contribuciones no se reconocían.

—Es increíblemente frustrante —me dijo.

Le dije que le había escuchado y empecé a proponer soluciones posibles: ¿quizá deberían dirigir él las reuniones? ¿O tal vez deberíamos elaborar un gráfico de organización formal, en el que explicitásemos las tareas de cada uno? O ¿y si...?

—No me estás escuchando —me interrumpió—. No necesitamos aclarar los roles. Necesitamos respetarnos más.

Él quería hablar de cómo nos tratábamos, pero yo estaba

obsesionado con arreglos prácticos. Me había dicho que necesitaba empatía, pero en lugar de escuchar, yo contestaba con soluciones.

Lo cierto es que en casa a veces se desarrollaba una dinámica similar. Nos íbamos de vacaciones en familia, y yo encontraba algo con lo que obsesionarme —no nos habían dado la habitación de hotel que nos habían prometido; el tío del avión había reclinado su asiento— y mi mujer me escuchaba y me respondía con una sugerencia completamente razonable: ¿por qué no te centras en los aspectos positivos del viaje? Yo, por mi parte, me enfadaba porque me daba la sensación de que ella no entendía que le estaba pidiendo apoyo —¡dime que tengo razón para indignarme!— en lugar de ofrecerme consejos razonables. A veces mis hijos querían hablar y yo, ocupado con el trabajo o alguna otra distracción, me limitaba a escucharles a medias hasta que se marchaban. En retrospectiva, vi que estaba fallando a las personas que más me importaban, pero no sabía cómo arreglarlo. Estos fracasos me confundían de manera especial porque, en calidad de escritor, se supone que me *gano la vida* comunicando. ¿Por qué me costaba tanto conectar —y escucharlos— con la gente que más me importaba?

Tengo la impresión de que no soy el único confundido. Todos hemos cometido errores, a veces, al escuchar a nuestros amigos y colegas, al valorar lo que intentan decirnos, al *prestar atención* a lo que están diciendo. Y todos hemos cometido errores al hablar para que se nos entienda.

Este libro, pues, es un intento de explicar por qué fracasa la comunicación y qué podemos hacer para mejorarla. En esencia se trata de un puñado de ideas clave.

La primera es que muchos diálogos son en realidad tres conversaciones distintas. Hay conversaciones prácticas, para tomar decisiones, que se centran en «¿De qué va esto realmente?». Hay conversaciones emocionales, que preguntan «¿Cómo nos sentimos?». Y hay conversaciones sociales que exploran «¿Quiénes somos?». A menudo entramos y salimos de las tres conversaciones a medida que se desarrolla un diálogo. Sin embargo, si no estamos manteniendo el mismo tipo de conversación que nuestro interlocutor, al mismo tiempo, es poco probable que conectemos el uno con el otro.

Es más, cada tipo de conversación se rige por su propia lógica y requiere su propio conjunto de habilidades, de modo que, para comunicarnos bien, tenemos que saber cómo detectar qué tipo de conversación se está produciendo y comprender cómo funciona.

Las tres conversaciones

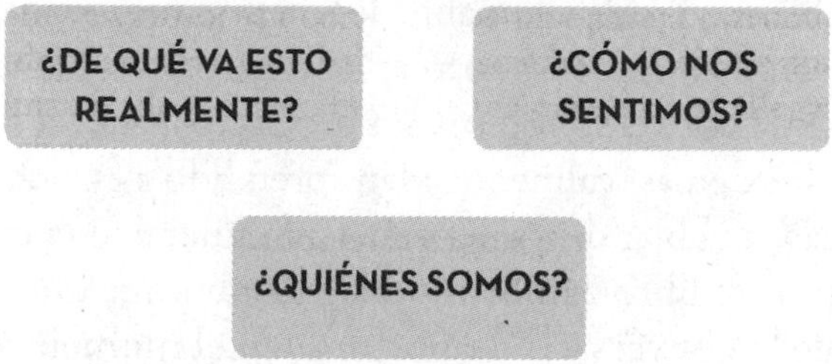

¿DE QUÉ VA ESTO REALMENTE?

¿CÓMO NOS SENTIMOS?

¿QUIÉNES SOMOS?

Lo que me lleva a la segunda idea central de este libro: nuestro objetivo, en los diálogos más significativos, debería ser mantener una «conversación de aprendizaje». En concreto, queremos aprender cómo ve el mundo la gente que nos rodea y, a cambio, ayudarles a comprender nuestra perspectiva.

La última gran idea en realidad no es una idea, sino más bien algo que he aprendido: cualquiera puede convertirse en un supercomunicador y, de hecho, muchos ya lo somos, si aprendemos a desbloquear nuestros instintos. Todos podemos aprender a escuchar con mayor claridad, a conectar a un nivel más profundo. En las páginas que siguen verás como ejecutivos de Netflix, los creadores de *The Big Bang Theory*, espías y cirujanos, psicólogos de la NASA e investigadores del covid han transformado su forma de hablar y escuchar, y como resultado, han conseguido conectar con personas con las que existía grandes diferencias. Y verás cómo se aplican estas lecciones a conversaciones cotidianas: las charlas con compañeros de trabajo, amigos, pareja e hijos, el camarero de la cafetería y esa mujer a la que siempre saludamos en el autobús.

Y eso es importante, porque aprender a mantener conversaciones significativas es, en algunos sentidos, más urgente que nunca. No es ningún secreto que el mundo está cada vez más polarizado, que nos cuesta escuchar y que nos escuchen. Pero si sabemos cómo sentarnos juntos, escucharnos y, aunque no podamos resolver todos los desacuerdos, encontrar formas de oírnos unos a otros y decir lo necesario, podemos coexistir y progresar.

Toda conversación significativa está compuesta de incontables pequeñas elecciones. Hay instantes fugaces en los que la pregunta adecuada, o un reconocimiento vulnerable, o una palabra de empatía puede cambiar por completo un diálogo. Una risa callada, un suspiro apenas audible, una sonrisa amable durante un momento de tensión: algunas personas han aprendido a captar estas oportunidades, a detectar qué clase de conversación se está produciendo, a comprender lo que quieren los demás realmente. Han aprendido a escuchar lo que no se pronuncia y a hablar de forma que otros quieran escucharlos.

Así pues, este libro explora cómo nos comunicamos y conectamos. Porque la conversación oportuna, en el momento oportuno, puede cambiarlo todo.

LOS TRES TIPOS DE CONVERSACIÓN

UNA VISIÓN GENERAL

La conversación es el aire común que respiramos. Nos pasamos el día entero hablando con nuestra familia, con amigos, desconocidos, compañeros de trabajo y a veces mascotas. Nos comunicamos por mensaje de texto, e-mail, posts y redes sociales. Hablamos a través de teclados o dictando textos, a veces por carta manuscrita y, de vez en cuando, mediante gruñidos, sonrisas, muecas y suspiros.

Pero no todas las conversaciones son iguales. Cuando una de ellas es significativa, puede resultar maravillosa, como si se hubiese revelado algo importante. «Al fin y al cabo, el lazo de toda compañía, ya sea en el matrimonio o en la amistad, es la conversación», escribió Oscar Wilde.

Pero las conversaciones significativas, cuando *no* salen bien, pueden resultar terribles. Son frustrantes, decepcionantes, una oportunidad perdida. Podríamos alejarnos confundidos, enfadados, dudando de si alguien ha entendido algo de lo que se estaba diciendo.

¿Cuál es la diferencia?

Como explica el próximo capítulo, nuestro cerebro ha evolucionado para ansiar la conexión. Pero alcanzar el alineamiento con otras personas requiere comprender cómo funciona la comunicación y, lo que es más importante, reconocer que necesitamos estar comprometidos en el mismo *tipo* de conversación, al mismo tiempo, si queremos conectar.

Los supercomunicadores no nacen con habilidades especiales, pero han pensado más en cómo se desarrollan las conversaciones, por qué tienen éxito o fracasan, el número casi infinito de opciones que ofrece cada diálogo que puede acercarnos más o alejarnos del todo. Cuando aprendemos a reconocer estas oportunidades, empezamos a hablar y escuchar de nuevas formas.

1

EL PRINCIPIO DE ENCAJE

Cómo fracasar reclutando espías

Si Jim Lawler se sinceraba consigo mismo, debía reconocer que era malísimo reclutando espías. Tanto, de hecho, que se pasaba la mayoría de las noches preocupado por que le despidieran del único trabajo que le había gustado, el que había conseguido dos años antes como agente de la CIA.[3]

Era 1982 y Lawler tenía treinta años. Había entrado en la CIA tras estudiar Derecho en la Universidad de Texas, donde había sacado unas notas mediocres, y después había pasado por una serie de trabajos aburridos. Un día, sin saber qué hacer con su vida, llamó a un reclutador de la CIA al que había conocido tiempo atrás en el campus. Siguió una entrevista de trabajo, luego una prueba del polígrafo, luego una decena de entrevistas más en distintas ciudades y luego una serie de exámenes que parecían ideados para averiguar todo lo que Lawler *no* sabía. («¿Quién —se preguntó— memoriza los campeones del mundo de rugby?»).

Al final llegó a la última entrevista. No pintaba bien. Sus resultados en los exámenes había sido tirando a regulares. No tenía experiencia fuera del país, ningún conocimiento de lenguas extranjeras, ni formación militar o habilidades especiales. Aun así, el entrevistador advirtió, Lawler había conseguido llegar a Washington D. C., para esa entrevista, pagándoselo de su propio bolsillo; había perseverado en cada examen, incluso cuando era evidente que no tenía ni idea de cómo contestar a la mayoría de las preguntas; había respondido a cada revés con lo que parecía un optimismo admirable, si bien fuera de lugar.

¿Por qué, le preguntó el hombre, tenía tantas ganas de entrar en la CIA?

—Llevo toda mi vida queriendo hacer algo importante —contestó Lawler. Quería servir a su país y «llevar la democracia a naciones anhelantes de libertad». En cuanto las palabras salieron de su boca, se dio cuenta de lo ridículo que sonaba aquello. ¿Quién dice «anhelantes» en una entrevista? De modo que se detuvo, inspiró hondo y soltó lo más sincero que se le ocurrió—: Tengo la sensación de que mi vida está vacía —le dijo al entrevistador—. Quiero formar parte de algo significativo.

Una semana más tarde, la agencia le llamó con una oferta de trabajo. Aceptó de inmediato y se presentó en Camp Peary —«la Granja», como se conocen las instalaciones de entrenamiento de la agencia en Virginia— para recibir adiestramiento en forzar cerraduras, escondites ocultos y vigilancia secreta.

El aspecto más sorprendente del plan de estudios de la Granja, sin embargo, era la dedicación de la agencia al arte de la conversación. En el tiempo que pasó allí, Lawler aprendió que trabajar para la CIA era, en esencia, un empleo de comunicaciones. El mandato de un agente de campo no consistía en escabullirse entre las sombras o susurrar en aparcamientos; consistía en hablar con gente en fiestas, hacer amigos en embajadas, establecer vínculos con agentes extranjeros con la esperanza de que, algún día, pudieran tener una charla tranquila acerca de alguna información crítica. La comunicación es tan importante que una recopilación de métodos de entrenamiento de la CIA la sitúa en el lugar más prominente. «Encuentra formas de conectar —dice—. El objetivo de un oficial de inteligencia debería ser conseguir que un agente en potencia crea, con suerte de forma fundada, que el oficial de inteligencia es una de las pocas personas, quizá la ÚNICA persona, que realmente le entiende».[4]

Lawler acabó la escuela de espías con buenas notas y le mandaron a Europa. Su misión era establecer contacto con burócratas extranjeros, cultivar la amistad con agregados de embajadas y desarrollar otras fuentes que pudieran estar dispuestas a mantener conversaciones sinceras, y por ende, esperaban sus jefes, abrir canales para las conversaciones que hacen un poco más manejables los problemas del mundo.

Los primeros meses de Lawler en el extranjero fueron muy tristes. Se esforzó al máximo por integrarse. Asistía a veladas de etiqueta y tomaba copas en bares cercanos a las embajadas. Nada funcionaba. Hubo un funcionario de la delegación china al que conoció en un evento *après-ski* y al que invitó repetidas veces a comer y a tomar cócteles. Lawler acabó reuniendo el valor para preguntar si ese nuevo amigo, tal vez, quería ganarse un dinero extra transmitiéndole cotilleos que oyese en la embajada. El hombre respondió que su familia era bastante adinerada, gracias, y sus jefes tendían a ejecutar a la gente por cosas como esa. Mejor pasaba.

Luego hubo una recepcionista del consulado soviético que parecía prometedora hasta que uno de los superiores de Lawler se lo llevó aparte y le explicó que ella, en realidad, trabajaba para el KGB y estaba intentando reclutarlo a él.

Al final surgió una oportunidad que salvaría su carrera: un colega de la CIA mencionó que se encontraba de visita una joven de Oriente Próximo que trabajaba en el Ministerio de Asuntos Exteriores de su país. Yasmin estaba de vacaciones, le explicó el colega, y se quedaba con su hermano, que se había mudado a Europa. Unos días más tarde, Lawler se las arregló para «toparse» con ella en un restaurante. Se presentó como un especulador del petróleo. Cuando empezaron a hablar, Yasmin mencionó que su hermano siempre estaba ocupado, nunca disponible para hacer turismo. Se la veía sola.

Lawler la invitó a comer al día siguiente y le preguntó por su vida. ¿Le gustaba su trabajo? ¿Era difícil vivir en un país que hacía poco que había vivido una revolución conservadora? Yasmin le confió que odiaba a los radicales religiosos que habían ascendido al poder. Estaba deseando marcharse de allí, vivir en París o en Nueva York, pero para eso necesitaba dinero, y había tardado meses en ahorrar lo suficiente solo para aquel breve viaje.

Lawler, que presentía una brecha, mencionó que su petrolera estaba buscando a un asesor. Era un trabajo a tiempo parcial, dijo, encargos que podía compaginar con su empleo en el Ministerio de Asuntos Exteriores. Pero podía ofrecerle una prima de enganche. «Pedimos champán y ella estaba tan feliz que creí que iba a echarse a llorar», me contó.

Después de comer, Lawler volvió a toda prisa a la oficina para hablar con su jefe. ¡Por fin había reclutado a su primera espía! «Y él me dice: "Felicidades". En la central van a estar encantados. Ahora tienes que contarle que eres de la CIA y querrás información sobre su Gobierno». Lawler pensó que era una idea malísima. Si se sinceraba con Yasmin, ella no volvería a dirigirle la palabra.

Pero su jefe le explicó que no era justo pedirle a alguien que trabajase para la CIA sin ser franco. Si el Gobierno de Yasmin llegaba a enterarse, la encarcelarían, posiblemente la matarían. Tenía que entender los riesgos.

Así pues, Lawler siguió viéndose con Yasmin, e intentó dar con el momento apropiado para revelar la identidad de su verdadero jefe. A medida que pasaban tiempo juntos, ella se mostraba cada vez más sincera. Le avergonzaba que su Gobierno cerrase periódicos y prohibiera la libertad de expresión, le contó, y despreciaba a los burócratas que habían ilegalizado que las mujeres estudiaran determinadas materias en la universidad y las hubiesen obligado a llevar hiyab en público. Cuando buscó un trabajo para el Gobierno, dijo, nunca había imaginado que las cosas se pondrían tan mal.

Lawler se tomó esto como una señal. Una noche, durante la cena, le explicó que no era un especulador de petróleo, sino un oficial de inteligencia estadounidense. Le dijo que Estados Unidos quería lo mismo que ella: socavar la teocracia de su país, debilitar a sus líderes, detener la represión de las mujeres. Se disculpó por haberle mentido acerca de quién era, pero la oferta de trabajo era real. ¿Consideraría trabajar para la Agencia Central de Inteligencia?

«Mientras hablaba, vi como sus ojos se abrían cada vez más, y empezó a agarrar el mantel, luego negó con la cabeza, no-no-no, y, cuando por fin concluí, rompió a llorar, y supe que había metido la pata —me contó Lawler—. Yasmin me dijo que asesinaban a la gente por eso, y que no pensaba ayudarme de ninguna de las maneras». No hubo forma de convencerla de que considerara la idea. «Lo único que quería era alejarse de mí».

Lawler volvió a su jefe con la mala noticia. «Y me dice: "¡Ya le he dicho a todo el mundo que la has reclutado! Se lo he contado al jefe de división y al jefe de estación, y ellos se lo han contado a D. C. ¿Y ahora quieres que les diga que no puedes cerrar el trato?"».

Lawler no tenía ni idea de qué hacer a continuación. «No había dinero ni promesas suficientes para convencer a Yasmin de que arriesgara su vida», me dijo. Su única salida era convencerla de que podía confiar en él, de que la entendía y la protegería. Pero ¿cómo consigues eso? «En la Granja me enseñaron que, para reclutar a alguien, tienes que convencerle de que te importa, lo que significa que *realmente* tiene que importarte, lo que significa que tienes que conectar de alguna forma. Y yo no tenía ni idea de cómo lograr eso».

¿Cómo creamos una conexión auténtica con otra persona? ¿Cómo animamos a alguien, a través de una conversación, a arriesgarse, abrazar una aventura, aceptar un trabajo o salir con alguien?

Bajemos el listón. Y si estás intentando establecer un vínculo con tu jefe o llegar a conocer a un amigo nuevo: ¿cómo le convences para que baje la guardia? ¿Cómo le demuestras que le escuchas?

A lo largo de las últimas décadas, a medida que surgían nuevos métodos para estudiar nuestro comportamiento y nuestro cerebro, este tipo de preguntas han llevado a los investigadores a examinar prácticamente todos los aspectos de la comunicación. Los científicos han escudriñado cómo absorbe la información nuestra mente, y han descubierto que conectar con otros a través del discurso es más poderoso y a un tiempo más complicado de lo que habíamos constatado nunca. *Cómo* nos comunicamos —las decisiones inconscientes que tomamos al hablar y escuchar, las preguntas que formulamos y las vulnerabilidades que exponemos, incluso nuestro tono de voz— puede influir en quién confiamos, quién nos convence y a quién buscamos como amigo.

Junto con esta nueva comprensión, también se ha producido una oleada de investigaciones que muestran que en el centro de toda conversación se encuentra el potencial de sincronización neurológica, una convergencia de nuestro cuerpo y nuestro cerebro —todo, desde la velocidad a la que respira cada uno, a la carne de gallina— que a menudo pasamos por alto, pero que influye en cómo hablamos, escuchamos y pensamos.[5] A algunas personas les cuesta muchísimo sincronizarse con otras, incluso cuando hablan con amigos cercanos. Otras —llamémoslos «supercomunicadores»— parecen sincronizarse sin esfuerzo prácticamente con cualquiera. La mayoría de nosotros nos encontramos en medio. Pero podemos aprender a conectar de formas más significativas si comprendemos cómo funcionan las conversaciones.

Para Jim Lawler, sin embargo, el camino para establecer una conexión con Yasmin parecía tenebroso. «Sabía que, como mucho, tenía una oportunidad más de hablar con ella —me dijo—. Tenía que calcular cómo abrir una brecha».

Cuando los cerebros se conectan

Cuando Beau Sievers se unió al Darmouth Social Systems Lab en 2012, seguía teniendo el aspecto del músico que había sido unos años antes. Había días en que entraba disparado en el laboratorio después de despertarse, con el pelo rubio en un nimbo encrespado y vestido con la camiseta andrajosa de algún festival de jazz, pasando a la carrera por delante de los polis del campus, que no estaban seguros de si era un estudiante de doctorado o un camello que pasaba marihuana a los universitarios.

Sievers había tomado una ruta sinuosa hacia la Ivy League. Tras el instituto había asistido a un conservatorio en el que estudió percusión y producción musical a expensas de todo lo demás. Sin embargo, no tardó en sospechar que, por mucho que ensayase, no alcanzaría el minoritario estatus de baterías que pueden ganarse la vida tocando. De modo que empezó a explorar otras carreras. Siempre le había fascinado cómo se comunica la gente. En particular, le encantaban los diálogos musicales sin voz que a veces se producían en el escenario. Había momentos en que improvisaba con otros músicos y de pronto todo el mundo hacía clic, como si compartiesen un mismo cerebro. Era como si los intérpretes —además del público, el tío de la tabla de mezclas, incluso el camarero— de pronto estuvieran todos sincronizados. A veces sentía lo mismo durante grandes conversaciones hasta altas horas de la noche o en citas exitosas. De modo que se matriculó en varias asignaturas de psicología y, con el tiempo, presentó solicitud para un programa de doctorado con la doctora Thalia Wheatley, una de las neurocientíficas más destacadas en la investigación de cómo conectan los humanos entre sí.

«Por qué la gente hace clic con algunas personas, pero no con otras, es uno de los grandes misterios sin resolver de la ciencia», escribió Wheatley en la revista *Social and Personality Psychology Compass*.[6] Cuando nos sincronizamos con alguien a través de la conversación, explicó Wheatley, es maravilloso, en parte porque nuestro cerebro ha evolucionado para ansiar este tipo de conexiones. El deseo de conectar ha empujado a la gente a formar comunidades, a proteger a su descendencia, a buscar nuevos amigos y alianzas. Es una de las razones por las que ha sobrevivido nuestra especie. «Los seres humanos tienen la extraña capacidad —escribió— de conectar unos con otros, contra todo pronóstico».[7]

Son muchos más los investigadores fascinados por cómo establecemos conexiones. Cuando Sievers empezó a leer revistas científicas, descubrió que, en 2012, expertos del Instituto Max Planck para el Desarrollo Humano, en Alemania, habían estudiado el cerebro de guitarristas que tocaban la *Sonata en re mayor*, de Scheidler.[8] Cuando los músicos tocaban la guitarra por separado, cada uno concentrado en su partitura, su actividad neuronal era distinta. Pero cuando fluían con suavidad en un dueto, las pulsaciones eléctricas dentro de sus cráneos comenzaban a sincronizarse. A los investigadores les dio la impresión de que las mentes de los guitarristas se fundían en una sola. Es más: esa conexión a menudo fluía a través de sus cuerpos: con frecuencia empezaban a respirar a ritmos similares, sus ojos se dilataban en tándem, el corazón empezaba a latirles siguiendo patrones similares. A menudo incluso los impulsos eléctricos que les recorrían la piel se sincronizaban.[9] Entonces, cuando dejaban de tocar juntos —si sus partituras divergían o iniciaban solos— la «sincronización entre cerebros desaparecía por completo», escribieron los científicos.

Sievers encontró otros estudios que mostraban el mismo fenómeno cuando las personas tarareaban juntas o daban golpecitos con los dedos uno al lado del otro, o resolvían puzles cooperativos o se contaban historias.[10] En un experimento, investigadores de Princeton midieron la actividad neuronal de una decena de personas que escuchaban a una joven que contaba una historia larga y enrevesada sobre su noche de graduación.[11] Mientras monitoreaban el cerebro de la joven junto a los de los oyentes, vieron que las mentes de los oyentes se sincronizaban con la de la narradora, hasta que todos experimentaban idénticas sensaciones de estrés e incomodidad, alegría y humor, al mismo tiempo, como si estuviesen contando la historia juntos. Es más, algunos de los oyentes se sincronizaban de forma muy cercana con la narradora; su cerebro parecía comportarse casi exactamente como el de ella. Cuando les preguntaron después, esos participantes distinguían entre los personajes de la historia con más claridad y recordaban detalles menores. Cuanto más se habían sincronizado los cerebros de los presentes, mejor entendían lo que se decía. La «extensión del acoplamiento neuronal de hablante y oyente predice el éxito de la comunicación», escribieron los investigadores en *Proceedings of the National Academy of Sciences* en 2010.[12]

SUPERCOMUNICADORES

Estos y otros estudios evidencian una verdad fundamental: para comunicarnos con alguien, debemos conectar con él.[13] Cuando asimilamos lo que está diciendo alguien, y esa persona comprende lo que decimos nosotros, es porque, hasta cierto punto, nuestros cerebros se han alineado. En ese momento, nuestros cuerpos —nuestro pulso, expresiones faciales, las emociones que experimentamos, el hormigueo en la nuca y en los brazos— a menudo empiezan a sincronizarse también.[14] Hay algo en la simultaneidad neuronal que ayuda a escuchar con más atención y a hablar con más claridad.[15]

A veces esta conexión se produce con una sola persona más. En otras ocasiones, ocurre dentro de un grupo o un público amplio. Pero, independientemente de lo que suceda, nuestros cerebros y nuestros cuerpos se asemejan porque estamos, en el lenguaje de los neurocientíficos, «acoplados neuronalmente».

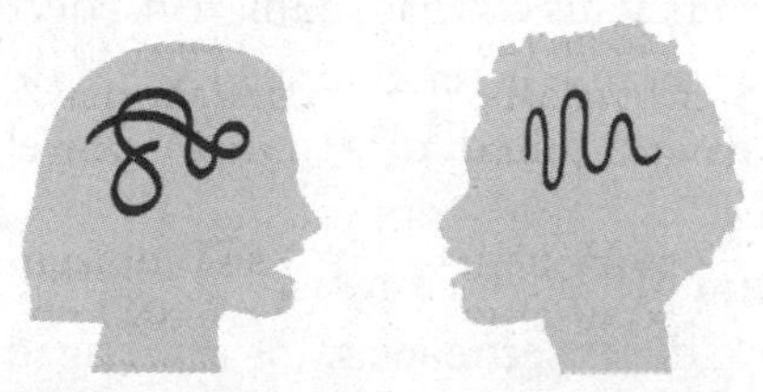

Cuando no estamos alineados neuronalmente tenemos problemas para comunicarnos.

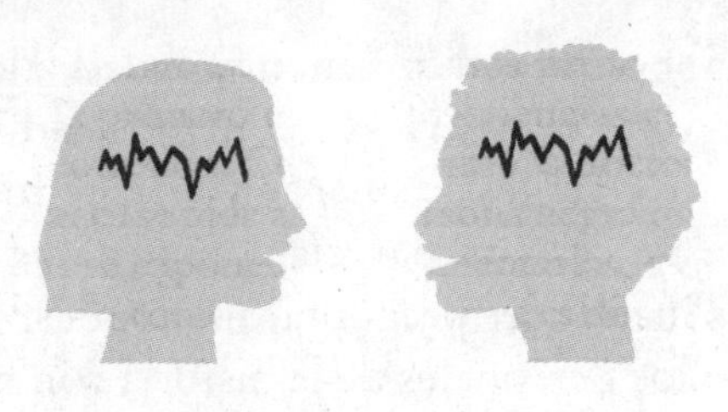

Pero cuando empezamos a pensar de un modo similar, nos comprendemos unos a otros.

Los científicos han analizado cómo se produce la sincronización y han descubierto que algunas personas están especialmente dotadas para este tipo de acoplamiento. A algunos individuos se les da sistemáticamente mejor conectar.

Científicos como Sievers no llaman a estas personas supercomunicadores —prefieren términos como «participante de alta centralidad» o «proveedor de información fundamental»—, pero Sievers sabía cuál era el aspecto de este tipo de personas: los amigos a los que todo el mundo llama en busca de consejo; los colegas de trabajo elegidos para puestos de liderazgo; los compañeros a los que todo el mundo acogía en una conversación porque la hacían más divertida. Sievers había compartido escenario con supercomunicadores, los había buscado en fiestas, les había votado. A veces, incluso él mismo había alcanzado momentos de supercomunicación, por lo general sin saber cómo exactamente.[16]

No obstante, ninguno de los estudios que leía Sievers parecía explicar por qué algunas personas tenían mayor facilidad para sincronizar que otras. De modo que decidió llevar a cabo un experimento para tratar de averiguarlo.[17]

Para empezar, Sievers y sus colegas reunieron a decenas de voluntarios y les pidieron que vieran una serie de secuencias de película diseñadas para ser difíciles de comprender.[18] Algunas, por ejemplo, estaban en una lengua extranjera. Otras eran escenas breves de la parte central de una película, completamente fuera de contexto. Para dificultar aún más el seguimiento de las secuencias, los investigadores habían retirado todo audio y subtítulos, de modo que lo que veían los participantes eran actuaciones confusas y silenciosas: un calvo iracundo en una conversación tensa con un hombre rubio y fornido. ¿Son amigos o enemigos? En otra, un vaquero se da un baño mientras otro hombre lo mira desde el umbral de la puerta. ¿Es su hermano? ¿Un amante?

Se observó el cerebro de los voluntarios mientras veían estas secuencias, y los investigadores advirtieron que cada persona reaccionaba de un modo ligeramente distinto. Algunas estaban confundidas. Otras entretenidas. Pero no hubo dos cerebros con el mismo escáner.

Entonces, a cada participante se le asignó un pequeño grupo y se les pidió que respondiesen juntos a algunas preguntas: «¿El hombre calvo está enfadado con el rubio?», «¿El hombre del umbral se siente atraído sexualmente por el de la bañera?».

Después de que los grupos se pasaran una hora hablando de sus respuestas, volvieron a someterlos a los escáneres cerebrales y les mostraron las mismas secuencias.

Esta vez, los investigadores vieron que los impulsos neuronales de los participantes se habían sincronizado con los de sus compañeros de grupo. Participar en una conversación —debatir sobre lo que habían visto, comentar detalles de la trama— había hecho que sus cerebros se alinearan.

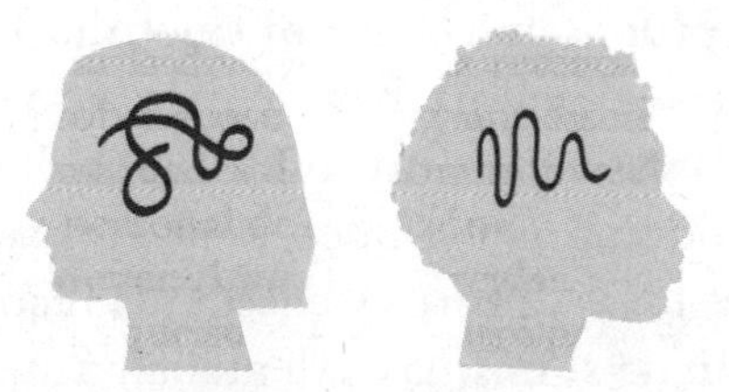

Cuando las personas hacen cosas como ver películas por separado, piensan de modos distintos.

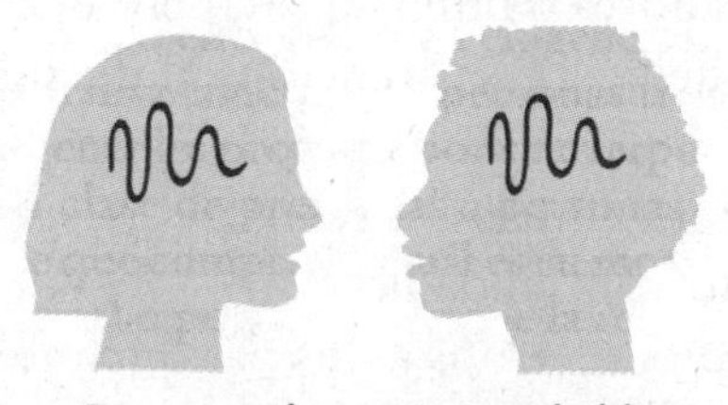

Pero cuando empiezan a hablar, sus pensamientos se alinean.

Sin embargo, se produjo un segundo descubrimiento, aún más interesante: algunos grupos se habían sincronizado mucho más. El cerebro de estos participantes guardaba un parecido impresionante durante el segundo escáner, como si hubiesen acordado pensar igual.

Sievers sospechaba que esos grupos incluían a alguien especial, el tipo de persona que facilitaba que todo el mundo se alinease. Pero ¿quiénes eran? Su primera hipótesis era que tener un líder fuerte facilitaba la sincronización. En efecto, en algunos grupos había una persona que había tomado el mando desde el principio.

—Creo que acaba bien —dijo uno de esos líderes, conocido como Participante 4 del Grupo D, a sus compañeros de equipo en referencia a una secuencia de un niño que parecía buscar a sus padres.

El Participante 4 era hablador y directo. Asignó papeles a sus compañeros de equipo y mantuvo a todo el mundo ocupado. ¿Quizá el Participante 4, además de líder, también fuera supercomunicador?

Pero cuando Sievers observó los datos, descubrió que los líderes fuertes no ayudaban a la gente a alinearse. De hecho, los grupos con un líder dominante eran los que presentaban una *menor* sincronía neuronal. El Participante 4 dificultaba que sus compañeros de grupo se sincronizaran. Cuando se imponía en la conversación, empujaba a todos los demás hacia sus propios pensamientos.[19]

Antes bien, los grupos con la mayor sincronía contaban con una o dos personas que se comportaban de un modo muy distinto del Participante 4. Estas personas tendían a hablar menos que los líderes dominantes y, cuando abrían la boca, solía ser para formular preguntas. Repetían las ideas de otros y enseguida reconocían su propia confusión o se reían de sí mismas. Alentaban a sus compañeros de grupo («¡Eso es muy ingenioso! ¡Dame más detalles de lo que piensas!») y se reían con las bromas de los demás. No sobresalían como especialmente habladores o inteligentes, pero cuando participaban, todo el mundo escuchaba con atención. Y, de algún modo, hacían más fácil que intervinieran otras personas. Hacían que fluyera la conversación. Sievers empezó a referirse a estas personas como «participantes de alta centralidad».

Aquí, por ejemplo, tenemos a dos participantes de alta centralidad hablando acerca de la escena de la bañera, en la que aparecían los actores Brad Pitt y Casey Affleck:[20]

Participante de Alta Centralidad 1: ¿Qué pasa en esta escena?[21]

Participante de Alta Centralidad 2: No tengo ni idea. No he entendido nada. *[Risas].*

Participante 3: Casey está viendo a Brad en la bañera. Por la duración de la mirada, creemos que Casey se siente atraído por Brad. *[Risas del grupo].* Amor no reciprocado.

Participante de Alta Centralidad 2: ¡Ah, eso me gusta! No sé lo que significa «no reciprocado», pero ¡sí!

Participante 3: Es como no correspondido.

Participante de Alta Centralidad 2: Ah, vale, sí.

Participante de Alta Centralidad 1: ¿Qué crees que ocurrirá en la próxima escena?

Participante 3: Me da que van a robar un banco. *[Risas].*

Participante de Alta Centralidad 1: ¡Me gusta! ¡Me gusta!

Participante de Alta Centralidad 2: Sí. Yo me esperaba otra epifanía. *[Risas].*

Los participantes de alta centralidad tendían a formular entre *diez y veinte veces* más preguntas que el resto. Cuando un grupo se quedaba atascado, facilitaban que todo el mundo hiciera una breve pausa sacando un nuevo tema o rompiendo un silencio incómodo con una broma.

Pero la diferencia más importante entre los participantes de alta centralidad y todos los demás era que los primeros no paraban de encajar su forma de comunicarse para que se correspondiera con la de sus compañeros.[22] Reflejaban cambios sutiles que se producían en el humor y la actitud de otras personas. Cuando alguien se ponía serio, igualaban esa seriedad. Cuando una conversación se volvía ligera, eran los primeros en seguir la corriente. Cambiaban de opinión con frecuencia y se dejaban influenciar por sus compañeros de grupo.

En una conversación, cuando un participante lanzaba una idea inesperadamente seria —habían abandonado a un personaje de una secuencia, y el tono del participante apuntaba a que quizá comprendiera el abandono en persona— el tono del participante de alta centralidad se correspondía de inmediato con ese tono:

PARTICIPANTE 2: ¿Cómo crees que acaba la película?
PARTICIPANTE 6: No creo que tenga un final feliz.
PARTICIPANTE DE ALTA CENTRALIDAD: ¿No crees que tenga un final feliz?
PARTICIPANTE 6: No.
PARTICIPANTE DE ALTA CENTRALIDAD: ¿Por qué no?
Participante 6: No lo sé. Esta película parece más oscura que... *[Silencio].*
...
PARTICIPANTE DE ALTA CENTRALIDAD: ¿Cómo acabará?
...
PARTICIPANTE 6: Podría ser el sobrino, y los padres murieron o algo así, y...
PARTICIPANTE 3: Acaban de abandonarle.
PARTICIPANTE DE ALTA CENTRALIDAD: Sí, lo han abandonado por esa noche. Sí.[23]

En apenas unos momentos de esta parte de la conversación, el grupo entero se puso serio y empezó a hablar acerca de las sensaciones que producía el abandono. Dejaron espacio para que el Participante 6 hablara de sus emociones y experiencias. El Participante de Alta Centralidad igualó la gravedad del Participante 6, lo que impulsó a los demás a hacerlo también.

Los Participantes de Alta Centralidad, escribieron Sievers y sus coautores en sus resultados, eran mucho más «proclives a encajar su propia actividad cerebral con la del grupo», «y jugaban un papel muy importante al crear convergencia grupal facilitando la conversación».[24] Pero no se limitaban a ser un reflejo de otros, más bien, guiaban a las personas con suavidad, impulsándolas a escucharse unas a otras, o a explicarse con mayor claridad. Se acoplaban al estilo de conversación de sus compañeros de grupo, dejando espacio para la seriedad o la risa, e invitaban a los demás a encajar a su vez. Y ejercían una influencia enorme en cómo acababa respondiendo la gente a las preguntas que les habían asignado. De hecho, fuera cual fuera la opinión que aprobaban los participantes de alta centralidad normalmente se convertía en la respuesta consensuada del grupo. Pero esa influencia era casi invisible. Cuando se les sondeaba posteriormente, pocas personas se daban cuenta de cuánto habían influido en sus elecciones los participantes de alta centralidad. No todos los grupos contaban con alguien así, pero los que lo hacían parecían más unidos después, y sus escáneres cerebrales mostraban que estaban más alineados.

Cuando Sievers indagó en la vida de los participantes de alta centralidad, descubrió que se apartaban de la norma en otros aspectos. Tenían redes sociales mucho mayores que la media y era mucho más probable que los escogieran para cargos de autoridad o les confiaran poder. Otras personas acudían a ellos en busca de consejo o cuando necesitaban hablar de temas serios.[25] «Y eso tiene sentido —me dijo Sievers—. Porque si eres el tipo de persona con el que resulta fácil hablar, entonces montones de personas van a querer hablar contigo».

En otras palabras, los participantes de alta centralidad eran supercomunicadores.

Tres mentalidades

Así pues, para convertirnos en supercomunicadores, lo único que necesitamos es escuchar con atención lo que se dice y lo que no se dice, formular las preguntas apropiadas, reconocer y acoplarnos al humor de los demás, y hacer que nuestros sentimientos se perciban con facilidad.

Sencillo, ¿no?

Bueno, no, claro que no. Cada una de estas tareas es difícil por sí sola. Juntas, pueden parecer imposibles.

Para comprender cómo los supercomunicadores hacen lo que hacen, resulta útil explorar lo que ocurre dentro de nuestro cerebro cuando mantenemos una conversación. Los investigadores han estudiado el funcionamiento de nuestra mente durante distintos tipos de conversaciones y han descubierto que varias redes neuronales y estructuras cerebrales se activan durante distintos tipos de diálogo. Simplificándolo enormemente, existen tres *tipos* de conversación que se imponen en la mayoría de los diálogos.

Las tres conversaciones

¿DE QUÉ VA ESTO REALMENTE?

¿CÓMO NOS SENTIMOS?

¿QUIÉNES SOMOS?

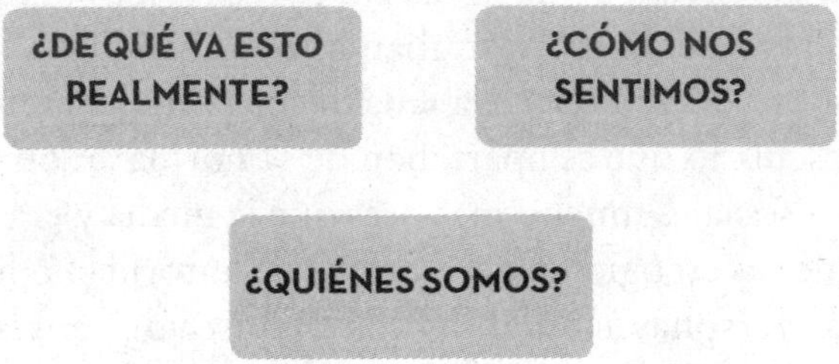

Estas tres conversaciones —que se corresponden con conversaciones prácticas para tomar decisiones, conversaciones emocionales y conversaciones sobre identidad— quedan mejor plasmadas en estas tres preguntas: «¿De qué va esto realmente?», «¿Cómo nos sentimos?» y «¿Quiénes somos?». Cada una de estas conversaciones, como veremos, recurre a un tipo de mentalidad y procesamiento mental. Cuando mantenemos una conversación sobre, pongamos por caso, una elección —una conversación «¿De qué va esto realmente?»— estamos activando distintas partes de nuestro cerebro desde las cuales expresamos nuestros sentimientos —el diálogo «¿Cómo nos sentimos?»— y, si nuestra mente no se alinea con los cerebros de nuestros interlocutores, todos sentiremos que no nos entendemos unos a otros por completo.[26]

La primera mentalidad —la de la toma de decisiones— se asocia a la conversación «¿De qué va esto realmente?», y está activa siempre que pensamos en cuestiones prácticas, como tomar decisiones o analizar planes. Cuando alguien dice «¿Qué vamos a hacer en relación con las notas de Sam?», la red de control frontal del cerebro, el centro de mando de nuestros pensamientos y acciones, se activa. Tenemos que tomar una serie de decisiones, a menudo inconscientemente, para evaluar las palabras que oímos, pero también para considerar qué motivos o deseos pueden subyacer a ellas. «¿Esta conversación es seria o en broma?». «¿Debería ofrecer una solución o limitarme a escuchar?». La conversación «¿De qué va esto realmente?» es esencial para pensar en el futuro, negociar opciones, debatir conceptos intelectuales y decidir de qué queremos hablar, nuestros objetivos para esta conversación y *cómo* deberíamos mantenerla.

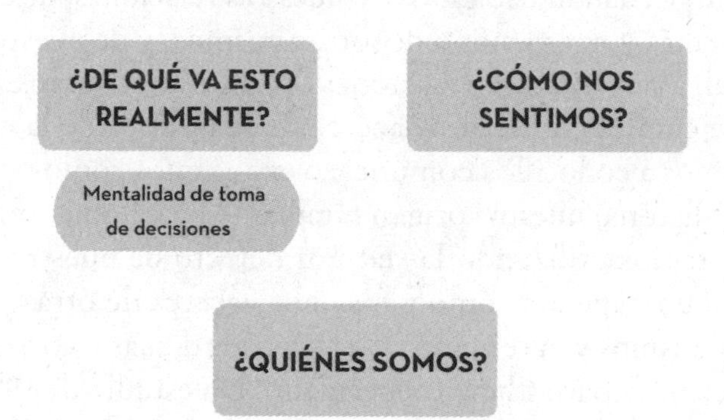

La segunda mentalidad —la «mentalidad emocional»— surge cuando hablemos de «¿Cómo nos sentimos?» y recurre a estructuras neuronales —el núcleo accumbens, la amígdala y el hipocampo, entre otros— que ayudan a configurar nuestras creencias, emociones y recuerdos. Cuando contamos una historia divertida, o discutimos con nuestro cónyuge, o experimentamos un subidón de orgullo o pena durante una conversación, se trata de la mentalidad emocional en marcha. Cuando un amigo se queja de su jefe, y sentimos que nos pide empatía en lugar de consejo, es porque estamos sensibilizados con «¿Cómo nos sentimos?».[27]

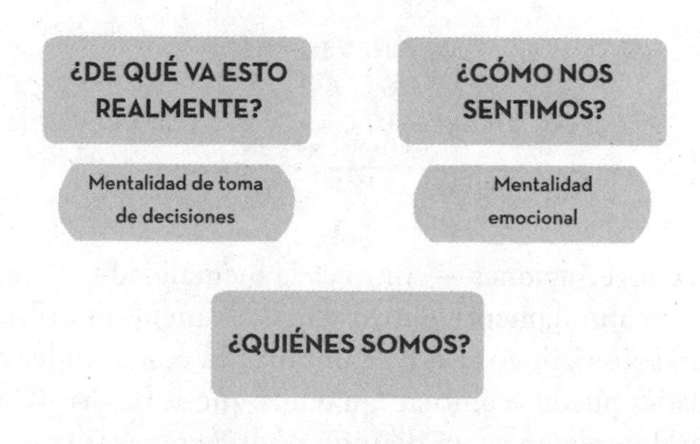

La tercera mentalidad conversacional —la «mentalidad social»— surge cuando hablamos de nuestras relaciones, de cómo nos ven los demás y nos vemos a nosotros mismos, y de nuestra identidad social. Estas son conversaciones de «¿Quiénes somos?». Cuando, por ejemplo, cotilleamos acerca de la política de la oficina, o descubrimos a conocidos comunes, o explicamos cómo nos influye nuestra religión o nuestro origen familiar —o cualquier otra identidad—, estamos utilizando la red por defecto de nuestro cerebro, que juega un papel en cómo pensamos «acerca de otras personas, nosotros mismos y la relación con todos los demás», como escribió el neurocientífico Matthew Lieberman.[28] Un estudio de 1997 publicado en la revista *Human Nature* mostró que el 70 por ciento de nuestras conversaciones son de índole social.[29] Durante estos diálogos, la mentalidad social está configurando constantemente cómo escuchamos y qué decimos.

Las tres conversaciones

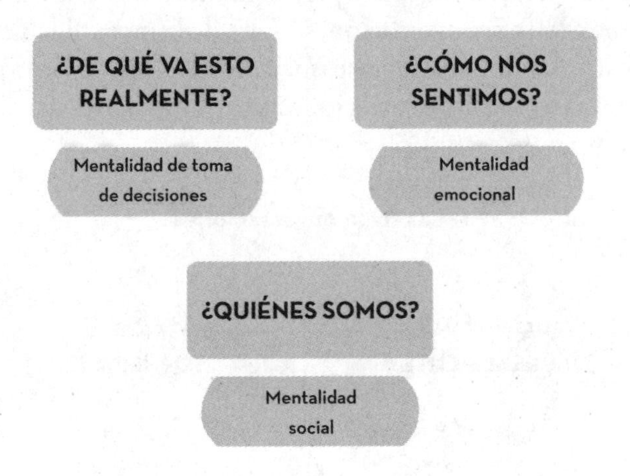

Estas conversaciones —como cada mentalidad— se hallan, por supuesto, profundamente entrelazadas. A menudo utilizamos las tres en un solo diálogo. Lo que importa es comprender que estas mentalidades pueden cambiar a medida que se desarrolla una conversación. Por ejemplo, un diálogo podría empezar con un amigo que nos pide ayuda con un problema del trabajo («¿De qué va esto realmente?») y luego procede a reconocer que está estresado («¿Cómo nos sentimos?») antes de centrarse en cómo reaccionarán otras personas cuando se enteren de lo que ocurre («¿Quiénes somos?»).

Si pudiésemos asomarnos al interior de la cabeza de nuestro amigo durante esta conversación, veríamos —y aquí estoy simplificando mucho— que al principio se impone la mentalidad de la toma de decisiones, luego prima la mentalidad emocional y después la mentalidad social hace valer su influencia.[30]

La mala comunicación se produce cuando la gente mantiene distintos tipos de conversación. Si tú estás hablando emocionalmente, mientras yo lo hago en términos prácticos, estamos, en esencia, utilizando diferentes lenguajes cognitivos. (Esto explica por qué, cuando te quejas acerca de tu jefe —¡«Jim me está volviendo loco!»— y tu pareja te responde con una sugerencia práctica —«¿Y si le invitas a comer sin más?»— esto tiende más a crear conflicto que conexión: «¡No te estoy pidiendo que resuelvas esto! Solo quiero algo de empatía»).

Los supercomunicadores saben cómo evocar la sincronización alentando a la gente a encajar cómo se comunican. Los psicólogos que estudian los matrimonios, por ejemplo, han descubierto que las parejas más felices a menudo reflejan el estilo del otro al hablar.[31] «El mecanismo subyacente que mantiene la cercanía en el matrimonio es la simetría», escribió un destacado investigador, John Gottman, en *Journal of Communication*.[32] Las parejas felices «comunican conformidad no con el punto de vista o el contenido del que habla, sino con su afecto». Las parejas felices se hacen más preguntas, repiten lo que ha dicho la otra persona, bromean para rebajar la tensión, se ponen serias juntas.[33] La próxima vez que sientas que os desviáis hacia una discusión, prueba a preguntar a tu pareja: «¿Quieres que hablemos de nuestras emociones? ¿O necesitamos tomar una decisión juntos? ¿O esto va de algo más?».

La importancia de esta idea —que la comunicación procede de la conexión y el alineamiento— es tan fundamental que se ha dado a conocer como el «principio de encajar»: la comunicación efectiva requiere reconocer qué *tipo* de conversación se está produciendo y luego *encajar* el uno con el otro. A un nivel muy básico, si alguien parece emocionado, permítete emocionarte también. Si está decidido a tomar decisiones, encaja con esa determinación. Si está preocupado por implicaciones sociales, devuélvele el reflejo de su fijación.

El principio de encaje

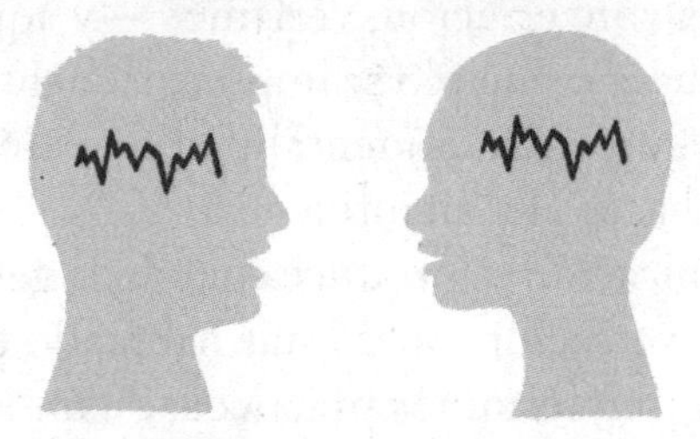

La comunicación exitosa requiere reconocer qué *tipo* de conversación se está produciendo y luego *encajar* el uno con el otro.

Es importante resaltar que encajar no es imitar. Como verás en los próximos capítulos, necesitamos comprender de verdad lo que alguien siente, lo que quiere y quién es. Y luego, para acoplarnos a esa persona, necesitamos saber cómo compartir nosotros también. Cuando nos alineamos, comenzamos a conectar, y es entonces cuando empieza una conversación significativa.

Para reclutar a un espía, conecta

Tras la desastrosa cena en la que le había revelado que trabajaba para la CIA y Yasmin había salido corriendo, Lawler no albergaba muchas esperanzas. Tras prácticamente un año de trabajo, ese era su único reclutamiento en potencia. Lo había estropeado todo y estaba casi seguro de que aquel fracaso le costaría el trabajo. Solo le quedaba una opción: llamar a Yasmin para suplicarle que comieran juntos una última vez. «Llené un cuaderno de ideas sobre qué decirle, pero sabía que era inútil —me contó Lawler—. Nada iba a abrir brecha».

Yasmin accedió a una última cena. Fueron a un restaurante elegante donde ella se pasó toda la comida callada y en tensión. Su ansiedad no se debía únicamente a la propuesta de Lawler, le contó.

Pronto volvería a casa y estaba nerviosa y desalentada. Tenía esperanzas de que ese viaje le hubiera revelado algo, le mostrase cómo llevar una vida más plena. Pero allí estaba, a punto de volver a casa, y todo seguía igual. Sentía que se había decepcionado a sí misma.

«Estaba muy triste —me dijo Lawler—. Así que intenté animarla; ya sabes, con bromitas, historias divertidas».

Lawler le habló de un casero que no paraba de olvidar su nombre y recordó las visitas que habían hecho juntos. Yasmin continuó abatida. Finalmente llegó el momento de pedir el postre. Se fue haciendo el silencio. Lawler se preguntó si debía intentar convencerla una vez más. ¿Debía ofrecerle un visado a Estados Unidos por su cooperación? Demasiado arriesgado, era posible que Yasmin se levantase y se marchase.

El silencio se prolongó. Lawler no tenía ni idea de qué decir. La última vez que se había sentido tan perdido fue antes de entrar en la CIA, cuando trabajada para su padre vendiendo componentes de acero en Dallas. «Antes de eso, no había vendido nada en mi vida —me contó—. Se me daba fatal». Hubo un día en concreto, tras meses de visitas desalentadoras, que había ido a ver a una clienta en potencia —una mujer que dirigía una pequeña empresa de construcción en el oeste del Texas—, quien estaba al teléfono cuando llegó, mientras su hijo de cinco años jugaba con unos cubos junto a su escritorio. Cuando la mujer colgó, escuchó el rollo de Lawler acerca de las vigas de acero y le dio las gracias por pasarse. Luego empezó a hablar de los retos de compaginar el trabajo con la maternidad. Era una lucha constante, dijo. Siempre sentía que estaba decepcionando a alguien, al tener que escoger entre ser una buena mujer de negocios o una buena madre.

Por aquel entonces Lawler contaba poco más de veinte años y no tenía hijos. No tenía nada en común con aquella mujer y ni idea de cómo responder. Pero debía decir algo. De modo que empezó a divagar sobre su propia familia. Le resultaba difícil trabajar con su padre. Su hermano era mejor vendedor, y esto había provocado tensiones. «Ella se había sincerado conmigo, así que le devolví la sinceridad —me contó Lawler—. Me sentó bien decir la verdad». Acabó compartiendo más de lo que pretendía, más de lo que parecía apropiado. Pero a ella no pareció importarle.[34]

Entonces Lawler retomó el discurso de vendedor, y «ella me dijo que no necesitaba componentes, pero que agradecía la conversación. Y me fui pensando, bueno, ahí va otra metedura de pata».

Dos meses después, la mujer llamó e hizo un pedido enorme. «Le dije: "No estoy seguro de que pueda hacerte el precio que esperas"», así de malo era como vendedor —me explicó Lawler—. Y ella me dijo: "No pasa nada, siento que tenemos una conexión"».

Esa experiencia reconfiguró el enfoque de Lawler de las ventas. Desde entonces, cada vez que hablaba con clientes, prestaba mucha atención a su estado de humor, preocupaciones e intereses, e intentaba identificarse con ellos, para mostrar que entendía, al menos un poco, lo que sentían. Poco a poco se convirtió en mejor vendedor. No genial, pero mejor. «Aprendí que, si escuchas la verdad de alguien, y pones la tuya al lado, es posible que llegues a él». Su objetivo, durante las ventas, se convirtió simplemente en conectar. No trataba de presionar ni impresionar a clientes. Se limitaba a intentar encontrar algo que compartiesen. «No funcionaba siempre —dijo—. Pero sí lo suficiente».

Mientras se tomaba el postre con Yasmin, a Lawler se le ocurrió que había olvidado esa lección. Había pensado que reclutar a espías era muy distinto de vender acero. Pero, a cierto nivel, eran la misma actividad básica. En ambas situaciones, necesitaba conectar con alguien, lo que significaba que tenía que mostrarles que estaba escuchando lo que intentaban decirle.

Pero se dio cuenta de que no lo había hecho con Yasmin de un modo sincero, no como lo había hecho con la madre del oeste de Texas. No había demostrado que percibía las ansiedades y esperanzas de Yasmin, no había sido auténtico. No había compartido con ella como lo había hecho ella con él.

Así pues, cuando retiraron los platos, Lawler empezó a hablar acerca de cómo se sentía. Le contó a Yasmin que le preocupaba no estar hecho para esa vida. Había trabajado mucho para entrar en la CIA, pero había descubierto que le faltaba algo, alguna clase de seguridad que advertía en sus colegas. Le habló de todas las veces que se había acercado con torpeza a funcionarios extranjeros, cuánto le aterraba que lo denunciaran y lo deportaran. Describió la vergüenza que había pasado cuando un compañero le había explicado que estaba intentando reclutar a una agente del KGB que simultáneamente pretendía reclutarlo a él. Le dijo que le preocupaba ser un fracaso solo por reconocer todo aquello ante ella, pero entendía, un poco, lo que ella sentía cuando pensaba en volver a casa. Se había sentido igual en Texas, cuando estaba desesperado por una vida que importase.

En lugar de intentar animar a Yasmin, habló sobre sus propias frustraciones y decepciones, igual que ella. Parecía lo más honesto que podía hacer. «No estaba intentando manipularla —me contó Lawler—. Ella ya me había rechazado y yo sabía que no iba a hacerle cambiar de opinión. Así que dejé de intentarlo. Me sentaba bien no fingir que tenía todas las respuestas».

Yasmin le escuchaba. Le dijo a Lawler que lo entendía. La peor parte, dijo, era que sentía como si estuviese traicionándose a sí misma. Quería hacer algo, pero se sentía impotente. Se echó a llorar.

—Lo siento —se disculpó Lawler—. No quería ponerte triste.

«Ha sido un error —pensó—. Debería haberla dejado tranquila». Tendría que informar de aquella conversación, en detalle, a la agencia. Sería un bochorno final para rematar a un año humillante.

Entonces Yasmin se recompuso.

—Puedo hacerlo —susurró.

—¿A qué te refieres? —preguntó Lawler.

—Puedo ayudarte —contestó.

—¡No es necesario! —dijo. Le había cogido tan desprevenido que soltó lo primero que se le pasó por la cabeza—. ¡No tenemos que volver a vernos! Te prometo que te dejaré en paz.

—Quiero hacer algo importante —dijo—. Y esto lo es. Puedo hacerlo. Sé que puedo.

Dos días después, Yasmin pasó la prueba del polígrafo y recibió adiestramiento en métodos de comunicación segura en un piso franco de la CIA. «Nunca has visto a nadie tan nervioso —me aseguró Lawler—. Pero perseveró. En ningún momento dijo que se lo estuviera pensando mejor». Una vez de vuelta en su país, Yasmin empezó a enviar mensajes a Lawler en los que le detallaba las circulares que había visto, los funcionarios a los que había hospedado el ministro de Asuntos Exteriores, los rumores que había oído. «Se convirtió en una de las mejores fuentes de la región —dijo Lawler—. Era una mina de oro». Durante las dos décadas siguientes, mientras la carrera de Yasmin en el ministerio prosperaba, se comunicaba regularmente con la CIA, ayudándoles a entender lo que estaba ocurriendo entre bambalinas, poniendo contexto en torno a declaraciones gubernamentales, haciendo discretas presentaciones. Las autoridades nunca descubrieron su ayuda.

Lawler continúa sin tener una idea real de por qué Yasmin cambió de opinión aquella noche. En los años que siguieron, le pidió que se lo explicara numerosas veces, pero incluso a ella le costaba razonar qué había causado el cambio. Le dijo que de algún modo, durante la cena, cuando había quedado claro que los dos estaban muy inseguros, de pronto se sintió a salvo con él. Se entendían el uno al otro. Pudo oír, por primera vez, lo que él había estado intentando contarle: esto podría ser importante. Podrías marcar una diferencia. Y se sintió escuchada de verdad. Habían acordado confiar el uno en el otro.

Cuando nos acoplamos a la mentalidad de alguien, se concede un permiso: para entrar en la cabeza de otra persona, para ver el mundo a través de sus ojos, para comprender qué le importa y qué necesita. Y le damos permiso para comprendernos —y oírnos— a su vez. «Las conversaciones son lo más poderoso que existe en la tierra», me dijo Lawler.

Pero el encaje también es difícil. Limitarse a reflejar los gestos, o el humor, o el tono de voz de otra persona, no forja una conexión real. Ceder a los deseos y preocupaciones de otras personas tampoco funciona. No son verdaderas conversaciones. Son duelos de monólogos.

En lugar de eso, tenemos que aprender a distinguir una conversación de toma de decisiones de una conversación emocional o de una conversación social. Debemos entender qué tipos de preguntas y vulnerabilidades son poderosas, y cómo hacer nuestros propios sentimientos más visibles y fáciles de interpretar. Necesitamos demostrar a los demás que estamos prestando mucha atención. Cuando Lawler logró conectar con Yasmin en la cena, fue más suerte que otra cosa. Después pasaría años intentando repetir aquel éxito en vano, hasta que pulió sus habilidades y comprendió cómo establecer conexiones auténticas.

Finalmente Lawler se convirtió en uno de los reclutadores de activos extranjeros más exitosos de la CIA. Para cuando se retiró, en 2005, había convencido a decenas de funcionarios extranjero de que participaran en conversaciones delicadas. Entonces empezó a enseñar sus métodos a otros oficiales de inteligencia. Hoy, las técnicas de Lawler aparecen intercaladas en los materiales de adiestramiento de la agencia. Como aduce un documento sobre el reclutamiento de agentes extranjeros: «Un oficial de inteligencia crea una relación cada vez más profunda a lo largo del proceso, desde convertirse en "colega", luego "amigo" en las fases de asesoramiento, hasta adoptar luego al papel de "orientador" y "confidente" cuando el desarrollo pasa al reclutamiento [...] El agente puede entonces contar los días para cada reunión como una oportunidad de pasar tiempo de calidad con un camarada al que puede confiarle su vida».[35]

En otras palabras, a los reclutadores de la CIA se les enseña a sincronizarse. «Una vez comprendes cómo funciona, puede aprenderse perfectamente —me contó una agente formada por Lawler—. Siembre he sido introvertida, así que no había pensado mucho en la comunicación antes de empezar el adiestramiento. Pero una vez que alguien te muestra cómo funciona una conversación, cómo prestar atención a lo que está ocurriendo, empiezas a notar todas esas cosas que antes pasabas por alto». No son solo habilidades que usa en el trabajo, me dijo esa agente. Las utiliza con sus padres, su novio, la gente con la que se encuentra en el supermercado. Se da cuenta cuando sus compañeros de trabajo emplean ese entrenamiento en las reuniones diarias: animándose para alinearse mejor, escuchar con más atención, hablar de formas que facilitan que otros lo entiendan. «Desde fuera, parece un truco mental de jedis, pero es solo algo que aprendes, y luego practicas, y luego haces», me dijo.

En otras palabras, es un conjunto de habilidades que puede utilizar todo el mundo. Los capítulos siguientes explican cómo.

UNA GUÍA PARA UTILIZAR ESTAS IDEAS

PRIMERA PARTE

Las cuatro reglas para una conversación significativa

Matrimonios felices, negociadores de éxito, políticos persuasivos, ejecutivos influyentes y otros tipos de supercomunicadores suelen tener unos cuantos comportamientos en común. Les interesa averiguar qué *tipo* de conversación quiere todo el mundo, además de los *temas* que esperan tratar. Formulan más *preguntas* acerca de los sentimientos de los demás y su entorno. Hablan de sus propios *objetivos* y *emociones*, y no tardan en expresar sus vulnerabilidades, experiencias y las distintas identidades que poseen, y preguntan a los demás por sus emociones y experiencias. Preguntan cómo ven otras personas el mundo, demuestran que están escuchando y comparten sus puntos de vista a su vez.

En otras palabras, durante las conversaciones más significativas, los mejores comunicadores se centran en cuatro reglas básicas que crean una «conversación de aprendizaje»:

LA CONVERSACIÓN DE APRENDIZAJE

Regla 1:
Presta atención al tipo de conversación que se produce.
Regla 2:
Comparte objetivos y pregunta qué persiguen los demás.
Regla 3:
Pregunta por los sentimientos de los demás y comparte los tuyos.
Regla 4:
Explora si las identidades tienen importancia en esta conversación.

A lo largo del libro se explorará cada una de estas reglas mediante una serie de guías. Por ahora centrémonos en la primera, que se sustenta en lo que hemos aprendido acerca del principio de encaje.

Primera regla:
Presta atención al tipo de conversación que se produce.

Los comunicadores más efectivos se paran antes de hablar y se preguntan a sí mismos: ¿por qué voy a abrir la boca?

A menos que sepamos el tipo de conversación que esperamos —y que quieren nuestros acompañantes— estamos en desventaja. Como explicaba el último capítulo, podríamos querer comentar aspectos prácticos mientras nuestro interlocutor desea compartir sus sentimientos. Quizá queramos cotillear mientras la otra persona aspira a hacer planes. Si no mantenemos el mismo tipo de conversación, es poco probable que conectemos.

De modo que el primer objetivo en una conversación de aprendizaje es identificar qué tipo de diálogo buscamos y luego buscar pistas acerca de lo que quieren las otras partes.

Puede ser tan sencillo como tomarte un momento para aclarar, tú solo, qué esperas decir y cómo quieres decirlo: «Mi objetivo es preguntar a Maria si quiere que nos vayamos juntos de vacaciones, pero de un modo que le facilite decir que no». O quizá consista en preguntar a un cónyuge, cuando describe un día duro: «¿Quieres que te proponga soluciones o solo necesitas desahogarte?».

En un proyecto que examinaba cómo se comunicaba un grupo de banqueros de inversión entre ellos dentro de una firma, los investigadores probaron un método sencillo para facilitar las discusiones cotidianas.[36] En esta empresa, las competiciones de gritos se producían con frecuencia, y los compañeros competían por tratos y bonificaciones. Los desacuerdos a veces llevaban a peleas prolongadas, y las reuniones eran a menudo tensas. Pero los investigadores creían que podían aligerar la ferocidad de estas batallas pidiendo a todo el mundo que escribiera una sola frase, justo antes de cada reunión, en la que explicase sus objetivos para la inminente conversación. Así, durante una semana, antes de cada reunión, todos los asistentes garabateaban un objetivo: «Es para escoger un presupuesto con el que todo el mundo esté de acuerdo» o «Es para airear nuestras quejas y escucharnos unos a otros». El ejercicio nunca duraba más de unos minutos. Algunas personas compartían lo que escribían al comienzo de la reunión; otras, no.

Luego, durante cada reunión, los investigadores estudiaban lo que había escrito la gente y tomaban notas acerca de lo que decían todos. Advirtieron dos cosas: primero, las frases que habían escrito normalmente indicaban qué tipo de conversación buscaban, además del estado de ánimo que esperaban establecer. Por lo general especificaban un objetivo («airear nuestras quejas») y una mentalidad («escucharnos unos a otros»). En segundo lugar, si todo el mundo garabateaba sus objetivos antes, las discusiones verbales declinaban de manera significativa. Los presentes seguían sin estar de acuerdo. Seguían mostrándose competitivos y molestos. Pero tenían más probabilidades de dejar una reunión satisfechos, sintiendo que se les había escuchado y habían comprendido lo que otros estaban diciendo. Como habían decidido qué tipo de conversación querían, podían expresar sus intenciones con más claridad y escuchar mientras los otros declaraban sus propios objetivos.

Antes de llamar a un amigo o chatear con un cónyuge, no necesitamos anotar una frase sobre nuestros objetivos, por supuesto, pero si se trata de una conversación importante, tomarnos un momento para formular lo que esperamos decir, y cómo esperamos decirlo, es una buena idea. Luego, durante el diálogo, intenta observar a tus compañeros: ¿se muestran emocionales? ¿Parecen prácticos? ¿Se empeñan en mencionar a otras personas o temas sociales?

Todos enviamos pistas, mientras hablamos y escuchamos, acerca del tipo de conversación que queremos mantener. Los supercomunicadores captan esas pistas y piensan un poco más en cómo esperan que se desarrolle una conversación.

Advierte:

¿Tus compañeros parecen sentimentales,
prácticos o centrados en temas sociales?
¿Ha establecido la gente su objetivo para esta conversación? ¿Y tú?
Pregunta a los demás: ¿de qué quieres hablar?

Algunas escuelas han formado a los maestros para que formulen a los alumnos preguntas diseñadas para averiguar sus objetivos, porque esto ayuda a todo el mundo a comunicar lo que quiere y lo que necesita. Cuando un estudiante se acerca alterado a un profesor, por ejemplo, este podría preguntar: «¿Necesitas ayuda, un abrazo, que te escuche?». Diferentes necesidades requieren distintos tipos de comunicación, y estas diversas clases de interacción —*ayudar*, *abrazar*, *escuchar*— se corresponden con un tipo de conversación diferente cada uno.

¿Quieres...

ayuda?

Una conversación práctica «¿De qué va esto realmente?».

un abrazo?

Una conversación emocional «¿Cómo nos sentimos?».

que te escuche?

Una conversación más social «¿Quiénes somos?».

Cuando un profesor —o cualquiera— hace una pregunta como: «¿Quieres ayuda, un abrazo o que te escuche?», lo que en realidad está preguntando es: «¿Qué tipo de conversación estás buscando?». Con solo preguntar a alguien qué necesita, alentamos una conversación de aprendizaje, un diálogo que nos ayuda a descubrir lo que más quiere todo el mundo.

La mayor parte del tiempo, cuando hablamos con amigos íntimos o familiares cercanos, entablamos este tipo de conversaciones de aprendizaje sin pensarlo siquiera. No necesitamos preguntar qué quiere alguien, porque intuimos a qué tipo de conversación aspiran. Nos resulta natural preguntar a las personas cómo se sienten, y darles un abrazo o consejo o limitarnos a escuchar.

Pero no todas las conversaciones son tan fáciles. De hecho, las más importantes rara vez lo son.

En una conversación de aprendizaje, nuestro objetivo es comprender lo que ocurre en la cabeza de otras personas y compartir lo que está pasando en la nuestra. Una conversación de aprendizaje nos impulsa a prestar más atención, a escuchar más, a hablar de forma más abierta y expresar lo que de otro modo quizá no diríamos. Suscita la sincronización convenciendo a todo el mundo de que todos queremos comprendernos unos a otros, y revelando formas de conectar.

LA CONVERSACIÓN «¿DE QUÉ VA ESTO REALMENTE?»

UNA VISIÓN GENERAL

El inicio de una conversación es con frecuencia tenso e incómodo. Necesitamos tomar una decisión tras otra, a gran velocidad («¿Cuál es el tono apropiado?», «¿Está bien interrumpir?», «¿Debería contar un chiste?», «¿Qué piensa esta persona de mí?»), y hay un montón de ocasiones en las que pasar algo por alto o no advertir lo que no se pronuncia en voz alta.

Es entonces cuando puede empezar la conversación «¿De qué va esto realmente?», la cual tiene dos objetivos: el primero es determinar sobre qué temas queremos hablar, lo que todo el mundo necesita de este diálogo. El segundo consiste en averiguar cómo se desarrollará esta conversación, qué reglas y normas tácitas hemos acordado, y cómo tomaremos decisiones juntos.

«¿De qué va esto realmente?» a menudo se produce al comienzo de una conversación. Pero también puede surgir en pleno diálogo, en especial cuando nos centramos en tomar decisiones, considerar planes o pensar de forma práctica en costes y beneficios. Como explora el capítulo siguiente, en toda conversación hay una negociación silenciosa, cuyo premio no consiste en ganar, sino en decidir qué *quiere* todo el mundo, para que pueda ocurrir algo significativo.

Si no se produce la conversación «¿De qué va esto realmente?», lo que sigue puede resultar frustrante y no conducir a ninguna parte. Es probable que hayas abandonado discusiones sintiéndote así: «Hablábamos de cosas completamente distintas todo el tiempo» o «Lo único que hacíamos era dedicarnos monólogos». La solución es aprender a reconocer cuándo ha empezado una conversación «¿De qué va esto realmente?», y luego saber negociar cómo se desarrollará.

2

TODA CONVERSACIÓN ES UNA NEGOCIACIÓN

El juicio de Leroy Reed

—De acuerdo, damas y caballeros —dice el alguacil a las doce personas sentadas en torno a la mesa. Señala una montaña de papeles—. Estas son las instrucciones que les ha leído el juez —señala otra montaña— y estos son los impresos del veredicto.

La sala alberga a siete hombres y cinco mujeres con poco en común salvo que todos viven en Wisconsin y han comparecido en este tribunal, como se les ha ordenado, una fría mañana de noviembre de 1985. Ahora son un jurado, encargado de decidir el destino de un hombre llamado Leroy Reed.[37]

Durante los dos días anteriores, lo han averiguado todo de Reed, un exconvicto de cuarenta y dos años. Lo habían liberado de la penitenciaría estatal nueve años antes y, desde entonces, había llevado una vida tranquila en una zona deteriorada de Milwaukee. No habían vuelto a detenerlo ni había faltado a las reuniones de la condicional. Ni peleas ni quejas de vecinos. Según todos los testimonios, era un ciudadano modelo, hasta, claro está, que lo detuvieron por posesión de arma de fuego. Dado que Reed era un exconvicto, era ilegal que poseyera un arma.

Al inicio del juicio, el abogado de Reed había reconocido que las pruebas contra su cliente eran convincentes.

—Lo primero se lo diré inmediatamente —anunció al jurado—, Leroy Reed es un exconvicto. Y el 7 de diciembre del año pasado, hace once meses, compró un arma. Se lo diré desde el principio. Nadie va a ponerlo en duda.

Según la ley 941.29 de Wisconsin, eso significaba que Reed debía ir a la cárcel hasta diez años. Pero «deberían absolverlo de todos modos», continuó el abogado, porque Reed tenía una discapacidad mental grave que, combinada con las extrañas circunstancias de su detención, apuntaba a que no tenía ninguna intención de cometer un crimen. Un psicólogo testificó que el nivel de lectura de Reed era el de un niño de segundo curso y su inteligencia estaba «sustancialmente por debajo de la media». Cuando, más de una década antes, lo habían condenado por actuar sin saberlo como conductor en la huida de un amigo que había robado en una tienda, lo liberaron antes, en parte, porque las autoridades sospechaban que, aun después de ser condenado, Reed no había entendido que se había cometido un delito.

Ahora, en ese juicio, el jurado iba a enterarse de los extraños acontecimientos que condujeron al último arresto de Reed. Reed llevaba siete años intentando conseguir un trabajo estable cuando, un día, vio un anuncio en una revista de un curso de detective privado por correspondencia. Envió los veinte dólares que pedían y, a cambio, recibió un sobre grueso que contenía una placa de estaño e instrucciones que le decían que, entre otras cosas, hiciese ejercicio regular y se comprase una pistola. Reed siguió las instrucciones al pie de la letra. Salía a correr casi todas las mañanas y, alrededor de una semana después de recibir el sobre, cogió el autobús hasta una tienda de artículos de deporte, rellenó el papeleo correspondiente y salió de allí con un arma del calibre .22.

Después de eso se fue a casa y guardó el arma, aún en la caja, en su armario. Que nadie supiera, no volvió a tocarla nunca.

La compra del arma habría pasado desapercibida salvo porque, un día, rondaba el juzgado, esperando a que quizá le contratasen para resolver un crimen, cuando un agente de policía le pidió la documentación. Reed le entregó lo único que llevaba en el bolsillo con su nombre: el tíquet de compra de la tienda de artículos deportivos.

—¿Lleva esta arma encima? —le preguntó el agente.

—Está en casa —respondió Reed.

El poli le dijo que llevase el arma, en la caja, a la oficina del sheriff. Cuando Reed llegó, un agente introdujo su nombre en la base de datos de exconvictos y lo detuvo en el acto.

Ahora estaba siendo juzgado para determinar si debía volver a la cárcel. El fiscal ofrecía un simple argumento para la condena:

independientemente de las limitaciones mentales de Reed, «el desconocimiento de la ley no constituye ninguna defensa», dijo. Era posible que el jurado deseara que la ley fuese diferente, pero Reed había, de hecho, reconocido su culpa. Debía ir a la cárcel.

El juez parecía estar de acuerdo. Indicó al jurado, antes de mandarlos a deliberar, que el estatuto 941.29 dictaba que había tres preguntas que necesitaban respuesta:

¿Reed era un exconvicto?

¿Había adquirido un arma?

¿Sabía que había adquirido un arma?

Si la respuesta a las tres era sí, entonces Reed era culpable.

El deber del jurado, les dijo el juez, era «no dejarse influir por la compasión, los prejuicios o la pasión... Solo deben decidir si el acusado es culpable o no culpable del delito».[38] Si se requería clemencia, el juez podría aplicarla después, durante la sentencia.

Sin embargo, ya en la sala de deliberaciones, los miembros del jurado parecen no estar seguros de cómo empezar.

—Escojamos a un presidente del jurado —dice uno.

—Tú mismo —responde otro.

Nadie tendrá permiso para abandonar la sala, salvo durante breves pausas para ir al lavabo, hasta que alcancen un veredicto unánime. Si las deliberaciones se alargan hasta tarde, empezarán de nuevo a la mañana siguiente. Nadie tendrá permiso para retirarse de la conversación, o permanecer en silencio, o aplazar el debate simplemente porque esté cansado de hablar. Tendrán que discutir los hechos y las teorías, e intentar convencerse unos a otros, hasta que todo el mundo está de acuerdo.

Pero primero necesitan averiguar cómo empezar la conversación. Necesitan negociar las normas tácitas de cómo hablarán y escucharán, y decidir lo que todo el mundo quiere y necesita. Esto es una negociación en la que todos participamos cuando se inicia una conversación, tanto si nos damos cuenta como si no. Y es más complicada de lo que pensamos.

¿CÓMO DECIDIMOS DE QUÉ HABLAR?

Intenta recordar la última conversación significativa que has mantenido. Quizá tu pareja y tú estabais hablando de cómo repartir las tareas de la casa. O quizá fuera una reunión de trabajo sobre el presupuesto del año que viene. Posiblemente estabas debatiendo con amigos acerca de quién debería ser el siguiente presidente, o cotilleando sobre si tus vecinos Pablo y Zach van a romper.

Cuando empezó la conversación, ¿cómo sabías lo que todos querían discutir? ¿Alguien anunció un tema («Tenemos que decidir quién lleva a Aimee al cole mañana») o surgió poco a poco («Eh, solo me preguntaba, ¿anoche a Pablo se le veía distraído?»)?

Una vez que averiguaste de qué hablar, ¿cómo intuiste el tono de la conversación? ¿Cómo sabías si debías hablar en tono informal? ¿Si era apropiado bromear? ¿No pasaba nada por interrumpir?

Es probable que no te planteases esas preguntas y, aun así, todas recibieran respuesta de alguna manera. Cuando los investigadores han estudiado las conversaciones, han encontrado una danza delicada, casi subconsciente, que normalmente se produce al inicio de un diálogo. Ese tira y afloja surge a través de nuestro tono de voz, de nuestra postura, nuestros incisos, suspiros y risas. Pero hasta que lleguemos a un consenso sobre cómo debería desarrollarse un diálogo, la verdadera conversación no puede empezar.

Ocasionalmente, los objetivos de una conversación se declaran de manera explícita («Estamos aquí para hablar de las proyecciones de este trimestre») hasta que nos damos cuenta, en pleno proceso, de que las preocupaciones reales de la gente yacen en otra parte («Lo que en realidad nos inquieta es si va a haber despidos»). A veces pasamos por varios comienzos —alguien cuenta un chiste; alguien más se pone demasiado formal; se produce un silencio incómodo hasta que una tercera persona toma la iniciativa— y, con el tiempo, se acuerda de forma tácita el centro de la conversación.

Algunos investigadores llaman a este proceso «negociación silenciosa»: un sutil toma y daca sobre temas en los que ahondaremos y que esquivaremos; las normas sobre cómo hablaremos y escucharemos.

El primer objetivo de esta negociación es determinar qué *quiere* todo el mundo de una conversación. Esos deseos a menudo se revelan a través de una serie de ofertas y contraofertas, invitaciones y rechazos, que son casi subconscientes pero revelan si la gente está dispuesta a seguir el juego. Este trasiego puede llevar apenas unos minutos o durar tanto como la conversación misma. Y sirve a un propósito crucial: ayudarnos a encontrar un conjunto de asuntos que estamos dispuestos a tratar.

El segundo objetivo de esta negociación es descubrir las reglas de cómo hablaremos, escucharemos y tomaremos decisiones juntos. No siempre declaramos estas reglas de forma explícita en voz alta. En lugar de eso, llevamos a cabo experimentos para ver qué normas prevalecen. Presentamos nuevos temas, enviamos señales a través de nuestro tono de voz y nuestras expresiones, reaccionamos a lo que dice la gente, proyectamos distintos estados de humor y prestamos atención a cómo responden los demás.

Sin embargo, al margen de cómo se desarrolle esta negociación silenciosa, los objetivos son los mismos: primero, decidir *qué* necesitamos todos de esta conversación. Segundo, determinar *cómo* hablaremos y tomaremos decisiones. O, dicho de otra forma, averiguar qué *quiere* todo el mundo. ¿Y cómo tomaremos decisiones *juntos*?

Las tres conversaciones

¿DE QUÉ VA ESTO REALMENTE?

¿CÓMO NOS SENTIMOS?

¿Qué quiere todo el mundo?
¿Cómo tomaremos decisiones juntos?

¿QUIÉNES SOMOS?

La conversación «¿De qué va esto realmente?» con frecuencia surge cuando afrontamos decisiones. A veces estas giran en torno a la conversación en sí: ¿es lícito discrepar de forma abierta o deberíamos endulzar nuestras diferencias? ¿Esto es una charla amistosa o una conversación seria? Otras decisiones nos exigen que pensemos de manera práctica («¿Deberíamos hacer una oferta por la casa?»), demos una opinión («¿Qué piensas del trabajo de Zoe?») o analicemos una elección («¿Quieres que vaya a comprar o a recoger a los niños?»).

Bajo todas estas decisiones claras yacen otras, potencialmente más serias: si discrepamos de forma abierta, ¿podemos seguir siendo amigos? ¿Podemos permitirnos pagar tanto por una casa? ¿Es justo que recoja yo a los niños cuando tengo tanto trabajo que hacer? A menos que lleguemos a un acuerdo básico acerca de lo que realmente estamos hablando, y cómo deberíamos tratarlo, cuesta hacer progresos.

Pero, una vez que sabemos lo que todo el mundo quiere de una conversación, y cómo tomaremos decisiones juntos, puede surgir un diálogo más significativo.

Cómo aprendió a comunicarse un cirujano

En 2014, un destacado cirujano neoyorquino del centro contra el cáncer Memorial Sloan Kettering —alguien admirado por su amabilidad y su agudeza médica— se dio cuenta de que llevaba años comunicándose mal con los pacientes.

El doctor Behfar Ehdaie se había especializado en el tratamiento del cáncer de próstata. Cada año, cientos de hombres buscaban su consejo tras recibir la aterradora noticia de que les han detectado un tumor en los genitales. Y cada año, muchos de esos pacientes, a pesar de todos los esfuerzos de Ehdaie, eran incapaces de oír lo que él intentaba desesperadamente transmitirles en referencia a su enfermedad.[39]

Tratar el cáncer de próstata conlleva un sacrificio complicado: el curso de acción más seguro es la cirugía o la radiación para evitar que el cáncer se extienda. Pero dado que la glándula prostática está situada a lo largo de nervios implicados en la orina y la función sexual, algunos pacientes, tras el tratamiento, experimentan incontinencia e impotencia, a veces durante el resto de su vida.

Así, para la mayoría de las personas con tumores de próstata, los doctores desaconsejan la cirugía o cualquier otra forma de tratamiento.[40] A los pacientes de bajo riesgo, en cambio, se les aconseja que elijan «supervisión activa»: análisis de sangre cada seis meses y una biopsia de próstata cada dos años para comprobar si el tumor está creciendo. Pero, si no, nada de cirugía, radiación o ninguna otra cosa. La supervisión activa comporta sus propios riesgos, por supuesto: el tumor podría metastatizar. Pero el cáncer de próstata suele crecer muy despacio; de hecho, hay un dicho entre médicos sobre que los pacientes mayores normalmente morirán de viejos antes de que el cáncer de próstata los mate.[41]

Casi todos los días, un nuevo paciente entraba en la consulta de Ehdaie, abrumado por un diagnóstico reciente, y se enfrentaba a una elección difícil: ¿someterse a la cirugía y afrontar una vida potencial de incontinencia y disfunción sexual? ¿O dejarlo y esperar que, si el cáncer crece, las pruebas lo detecten a tiempo?

Ehdaie creía que esos pacientes habían acudido a él en busca de consejo médico práctico, así que seguía lo que, para él, parecía un guion lógico: para la gran mayoría, sentía que la supervisión activa era la decisión correcta y les proporcionaba pruebas que sustentaban lo acertado de ese enfoque.[42] Por lo general, empezaba a mostrarles datos de pacientes que indicaban que, para el 97 por ciento de los hombres que optan por la supervisión activa, el riesgo de que el cáncer se extienda es más o menos el mismo que para aquellos que se someten a tratamientos invasivos, de modo que salen beneficiados con un enfoque de espera cautelosa. Les entregaba estudios —con las frases importantes destacadas en amarillo— que explicaban que los riesgos de esperar eran ínfimos, mientras que las desventajas de la cirugía podían cambiarles la vida. Ehdaie tiende a hablar en párrafos enteros, como un libro de texto médico encarnado, pero mantenía estas conversaciones breves y dulces: la elección correcta era la supervisión activa. «Pensé que serían algunas de las conversaciones más fáciles de mi vida —me dijo—. Imaginaba que estarían encantados de oír que podían evitar la cirugía».

Sin embargo, una y otra vez, sus pacientes eran incapaces de escuchar lo que estaba diciendo. Ehdaie hablaba de opciones de tratamiento, pero por la mente de los pacientes pasaban cuestiones de índole muy distinta: «¿Cómo reaccionará mi familia a esta noticia?», «¿Estoy dispuesto a arriesgarme a morir para seguir disfrutando de mi vida?», «¿Estoy listo para afrontar mi mortalidad?».

Como resultado, los pacientes, en lugar de mirar los gráficos y estudios y experimentar alivio, inevitablemente empezaban a formular preguntas: ¿qué hay del tres por ciento de pacientes que *no* se habían beneficiado de la supervisión activa? ¿Habían muerto? ¿Sus muertes fueron dolorosas? «Nos pasábamos toda la reunión hablando del tres por ciento —dijo Ehdaie—. Y luego, cuando volvíamos a reunirnos, lo único que recordaban era el tres por ciento y decían que querían la cirugía».

Era desconcertante. Ehdaie se había pasado la vida entera perfeccionando su conocimiento de los tumores de próstata —¡de hecho, esos pacientes habían acudido a él porque era un experto!— y aun así, por más que les decía que no necesitaban cirugía, muchos insistían en someterse a su bisturí. A veces los pacientes se llevaban los estudios subrayados a casa y empezaban a buscar online pruebas en contra, sumergiéndose en revistas poco conocidas y sumarios de artículos médicos hasta que se habían convencido de que los datos era todos contradictorios o de que los médicos no sabían de qué estaban hablando.

«Luego volvían con recelo —me explicó Ehdaie—. Decían "¿Eres el tipo de la supervisión activa? ¿Por eso sugieres esto?"». Otros pacientes se limitaban a ignorar su consejo. «Decían: "Tengo un amigo que sufrió cáncer de próstata y me dijo que la cirugía le fue bien"». O: «Tengo una vecina que sufrió cáncer cerebral y murió al cabo de dos meses, así que es demasiado arriesgado esperar».

Este problema no se limitaba a Ehdaie. Hay estudios[43] que indican que, aun hoy, en torno a un 40 por ciento de los pacientes con cáncer de próstata optan por cirugías innecesarias. Eso es más de cincuenta mil personas, cada año, que no escuchan —o deciden ignorar— el consejo que les dan sus médicos.[44]

«Cuando ocurre una y otra vez, empiezas a darte cuenta: esto no es un problema de mis pacientes —me dijo Ehdaie—. Es un problema mío. Estoy haciendo algo mal. Estoy fracasando en esta conversación».

Ehdaie empezó a pedir consejo a amigos y, con el tiempo, un colega le recomendó que hablase con un profesor de la escuela de negocios de Harvard llamado Deepak Malhotra. Ehdaie le envió un largo e-mail en el que le preguntaba si podían hablar.

Malhotra formaba parte de un grupo de profesores que estudiaban cómo se producen las negociaciones en el mundo real. En 2016, un colega suyo había ayudado al presidente de Colombia a negociar un acuerdo de paz para poner fin a una guerra civil que se había prolongado cincuenta y dos años y había matado a más de doscientas mil personas.[45] Tras el cierre patronal de la liga estadounidense de hockey de 2004, que canceló media temporada, Malhotra analizó por qué se habían roto las negociaciones entre jugadores y propietarios de equipos y qué hacía falta para volver a encauzarlas.[46]

Cuando recibió el e-mail de Ehdaie, Malhotra se sintió intrigado. Su investigación a veces describe negociaciones formales en las que, pongamos, líderes sindicales y gerentes batallan en torno a una mesa de conferencias.[47] Pero la situación de Ehdaie era distinta: el doctor y sus pacientes tomaban parte en negociaciones de alto riesgo; solo que, la mayor parte del tiempo, nadie reconocía que estaban negociando entre ellos.

Cómo averiguar de qué va esto realmente

Primero, reconoce que esto es una negociación.

Malhotra voló al Sloan Kettering para recabar más información y, mientras seguía de cerca a Ehdaie, detectó oportunidades para mejorar estas conversaciones. «Un paso importante en cualquier negociación es clarificar lo que quieren todos los participantes», me dijo Malhotra. A menudo lo que desea la gente de una negociación no resulta evidente al principio. A veces una líder sindical podría decir que su objetivo es una subida salarial. Pero luego, con el tiempo, se revelan otros objetivos: también quiere quedar bien ante los miembros del sindicato, o una facción espera quitarle poder de otra, o los trabajadores valoran la autonomía a la par que sueldos más altos, pero no saben cómo expresarlo en la mesa de negociaciones. Puede llevar tiempo, y las exigencias correctas, ayudar a definir los deseos de la gente. Así que una tarea importante en cualquier negociación es hacer montones de preguntas.[48]

Pero cuando Ehdaie interactuaba con pacientes, no formulaba las cuestiones más importantes. No preguntaba a los pacientes qué les importaba. No les preguntaba si querían extender sus vidas si el tratamiento les arrebataba cosas como los viajes y el sexo. ¿Querrías cinco años extra de vida a costa de un dolor constante? ¿Qué parte de la decisión de alguien dependía de sus propios deseos frente a lo que quería su familia? ¿El paciente esperaba en secreto que el médico solo le dijera qué hacer?

El mayor error de Ehdaie era asumir, al inicio de una conversación, que sabía lo que quería el paciente: consejo médico objetivo, una visión general de opciones para hacer una elección informada.

—Pero no quieres empezar una negociación dando por sentado que sabes los deseos del otro lado —dijo Malhotra.

Esta es la primera parte de la conversación «¿Dé qué va esto realmente?»: averiguar de qué quiere hablar todo el mundo. El método más sencillo para descubrirlo, por supuesto, es preguntar sin más «¿Qué quieres?». Pero ese enfoque puede fallar si la gente no lo sabe, o le avergüenza decirlo, o no está segura de cómo expresar sus deseos, o le preocupa que revelar demasiado los deje en desventaja.

Cómo averiguar de qué va esto realmente

Primero, reconoce que esto es una negociación.

A continuación determina: ¿qué quiere todo el mundo?

Así que Malhotra sugirió que Ehdaie adoptara un enfoque distinto. En lugar de iniciar la conversación presentando a los pacientes una visión general de opciones, debía formular preguntas de respuesta abierta diseñadas para hacerles hablar de sus valores y de lo que querían de la vida.

—¿Qué significa este diagnóstico de cáncer para ti? —preguntó Ehdaie a un paciente de sesenta y seis años unas semanas más tarde.[49]

—Bueno —dijo el hombre—, me hace pensar en mi padre, porque murió cuando yo era joven, lo cual fue duro para mi madre. Odiaría hacer pasar por eso a mi familia.

El hombre le habló de sus hijos y de que no quería traumatizarles. Habló de sus inquietudes en relación con el mundo que iban a heredar sus nietos, con el cambio climático y todo.

Ehdaie había esperado que el hombre le hablara sobre sus preocupaciones médicas o su mortalidad, o que le hiciera preguntas acerca del dolor. En lugar de eso, sus inquietudes se centraban en su familia. Lo que realmente quería saber era qué tratamiento haría que su mujer y sus hijos se preocupasen menos. No le importaban los datos. Quería hablar de cómo evitar disgustar a la gente a la que amaba.

En otras conversaciones surgió un patrón similar. Ehdaie empezaba con una pregunta general —«¿Qué te dijo tu mujer cuando le comentaste el diagnóstico?»— y, en lugar de hablar de la enfermedad, los pacientes lo hacían de su matrimonio, de recuerdos de la enfermedad de un progenitor, o acerca de traumas no médicos como divorcios o bancarrotas. Algunos hablaban del futuro, de cómo esperaban pasar la jubilación, de lo que querían dejar como legado. Empezaban a calcular cómo encajar la *idea* del cáncer en sus vidas, debatiendo sobre lo que *significa* esta enfermedad. Así es como funciona una negociación silenciosa: es un proceso en el que las personas decidimos, juntas, de qué temas hablaremos y cómo. Es un intento de averiguar lo que todos queremos de una conversación, aun cuando ni nosotros mismos estemos seguros al principio.

Las preguntas de Ehdaie revelaron que algunos pacientes tenían miedo y querían apoyo emocional. Otros deseaban sentir que seguían con el control. Algunos —que buscaban pruebas sociales de que no estaban tomando riesgos inusuales— necesitaban oír que otras personas habían tomado aquella decisión. Otros querían los tratamientos más avanzados.

A menudo, Ehdaie solo conseguía averiguar de qué quería hablar un paciente haciéndole las mismas preguntas básicas, una y otra vez, de formas distintas.

«Al final decían algo que revelaba lo que les importaba», me contó.

Esto explicaba por qué Ehdaie había sido incapaz de comunicarse con tantos pacientes a lo largo de los años: no había estado haciendo las preguntas correctas. No había inquirido acerca de sus deseos y necesidades, qué querían de aquella conversación. Había dado por sentado que ya lo sabía. Y como no se había molestado en averiguar lo que importaba, había abrumado a pacientes con información que les daba lo mismo. Decidió cambiar cómo se comunicaba: dejó de aleccionar y empezó a formular mejores preguntas, para comenzar a tener diálogos como es debido.

Menos de seis meses después de que Ehdaie adoptara este enfoque más inclusivo, el número de sus pacientes que optaban por la cirugía descendió un 30 por ciento. En la actualidad forma a otros cirujanos para negociar sobre temas como el uso de opioides, tratamientos para el cáncer de mama y decisiones sobre el final de la vida.[50] Se trata de un enfoque que podemos utilizar todos, incluso en conversaciones menos extremas, cuando hablamos con un amigo de, pongamos por caso, su vida amorosa, o con un compañero de trabajo sobre un proyecto inminente, o con nuestra pareja acerca de cómo deberíamos criar a nuestros hijos. En numerosas conversaciones hay un tema superficial, pero también uno más profundo y significativo que, cuando lo sacamos a la luz, revela lo que más quiere todo el mundo de la conversación.

—Es importante preguntar lo que quieren —me dijo Ehdaie—. Es una invitación a que la gente te cuente quién es.[51]

El supercomunicador en la sala del jurado

—Sé que algunos jurados votan de inmediato —dice el presidente recién nombrado al resto de los miembros del jurado. Pero tal vez, sugiere, podrían evitar adoptar posiciones de inmediato y, en lugar de eso, dar una vuelta por la sala y transmitir sus impresiones generales del juicio.

Su objetivo es evidentemente eludir reacciones instintivas, pero algunos miembros del jurado no pueden evitar tomar bando. Uno, un bombero llamado Karl, dice que en su mente está clarísimo que Leroy Reed es culpable.

—Para mí, lo han probado más allá de toda duda razonable —le dice—. Las circunstancias atenuantes, en lo relativo a cuál era su intención, su consciencia de la ley, su capacidad de lectura y comprensión, no debemos determinarlas nosotros, en lo que respecta a su culpabilidad o inocencia. Eso debe considerarlo el juez cuando dicte sentencia.

Recuerda a todo el mundo las tres preguntas que el juez les ha ordenado que respondan: ¿Reed era un exconvicto? ¿Había adquirido un arma? ¿Sabía que había adquirido un arma?

—En lo que a mí respecta, cumple con los tres puntos, la carga de las pruebas —dice Karl.

Dos miembros más del jurado enseguida se muestran de acuerdo con Karl: Leroy Reed es culpable.

Otros, sin embargo, no están tan convencidos.

—Me da la impresión de que el acusado es culpable de los tres cargos técnicamente, pero supongo que siento que también deberíamos considerar el hecho de que tiene dificultades para leer —interviene una maestra de escuela llamada Lorraine.

Otro miembro del jurado, Henry, se muestra también inseguro.

—Técnicamente, el hombre es culpable, está clarísimo —dice—. Pero quiero exculpar a Leroy porque no creo que fuera del todo consciente de las reglas.

Después de que hablen todos, parece que hay tres personas seguras de que quieren condenar a Reed, dos que se decantan claramente por la absolución y siete indecisos.

—Tenemos un debate muy filosófico entre manos —dice una de los indecisos, una psicóloga llamada Barbara—. ¿Estamos obligados, como jurado, a seguir la ley al pie de la letra y declararle culpable? ¿O estamos obligados, como jurado, a utilizar a nuestro nivel de consciencia especial?

Si, en este punto, pidiésemos a un observador instruido que formulase una conjetura acerca de cómo acabaría esto, la respuesta sería fácil: Leroy Reed va a ir a la cárcel. Numerosos estudios han concluido que los jurados, con independencia de las inseguridades iniciales, normalmente acaban votando por condenar, en especial si el acusado tiene antecedentes delictivos.[52]

Sin embargo, hay algo distinto en este jurado. Al principio resulta imperceptible, pero poco a poco sale a la luz cuando toma la palabra un hombre en la treintena llamado John Boly. Boly parece entender que todos los miembros del jurado participan en una negociación. También reconoce que el primer paso de ella es descubrir lo que todo el mundo *quiere* de esta conversación.

—La verdad es que yo no estoy nada seguro de lo que pienso o siento en este caso —dice Boly a los demás cuando le llega el turno de hablar—. No hay duda de que este hombre es un exconvicto ni tampoco de que compró un arma de fuego. —Su tono es algo formal—. Este tipo lee revistas y vive en un mundo de fantasía —continúa—. No estoy seguro... —empieza—. Quiero escuchar a otras personas y quiero que hablemos y dilucidemos esto juntos a medida que avanzamos.[53]

El resto del jurado parece algo desconcertado por Boly. Algunos van vestidos con vaqueros mientras que él lleva traje. Algunos han indicado que están jubilados, o trabajan en fábricas o son padres que se quedan en casa. Boly es profesor de Literatura contemporánea en la Universidad de Marquette, donde su especialidad es Jacques Derrida. Como más tarde me dijo un miembro del jurado: «En un momento dado, cuando se puso a hablar de Kafka y de juicios, yo me puse en plan ¿de qué estás hablando, tío? ¿De qué planeta has salido?».

Sin embargo, Boly también es distinto en otro sentido, uno menos evidente: es un supercomunicador. Sabe que debe averiguar lo que cada miembro del jurado quiere de esta conversación, lo que necesita, y sabe que eso requiere, como primer paso, formular un montón de preguntas. De modo que empieza a hacerlas a medida que la conversación se mantiene activa por la sala: «¿Qué opinas de las pistolas?», «¿Qué pensaste cuando Leroy se confundió?», «¿Tienes algún arma?», ¿«Podemos hablar de lo que significa "posesión"?», «¿Qué es la justicia?».

Para el resto de los miembros del jurado, estas preguntas parecen inocentes, casi como incisos informales. Pero Boly está prestando mucha atención a cómo responde la gente, catalogando a todos los miembros del jurado en su mente, intentando averiguar los objetivos en la conversación de cada persona. Algunos quieren hablar de moralidad y justicia («No me importa lo que diga la ley. ¿Se ha hecho justicia?») o de autonomía («No soy un ordenador [...] Quiero sentarme aquí y hablar de ello y pensar en ello y no decir sin más, de inmediato, que se le imputan los tres cargos, por lo que es culpable») o sencillamente se aburren («Podemos debatir sobre semántica y quedarnos así para siempre»).

Mientras Boly escucha, elabora una lista mental de lo que busca cada persona: Henry busca orientación. Barbara quiere compasión. Karl desea seguir las reglas. Él está ocupado en la primera parte de la conversación «¿De qué va esto realmente?»: averiguar qué quiere todo el mundo.

Pero también hay una segunda parte de «¿De qué va esto realmente?»: decidir cómo hablaremos unos con otros y cooperar para tomar decisiones. Hay montones de decisiones que se producen durante cada conversación, que van desde las poco importantes («¿Nos interrumpiremos?») hasta las cruciales («¿Deberíamos enviar a este hombre a la cárcel?»). Así, en plena negociación, también debemos averiguar cómo tomaremos decisiones juntos.

Cómo averiguar de qué va esto realmente

Primero, reconoce que esto es una negociación.

A continuación determina: ¿qué quiere todo el mundo?

Luego, ¿cómo tomaremos decisiones juntos?

El objetivo de un negociador es agrandar el pastel

Nuestro entendimiento de esta segunda parte de la conversación «¿De qué va esto realmente?» —«¿cómo tomaremos decisiones juntos?»— se ha transformado en los últimos cuarenta años.

En 1979, un grupo de profesores ahora famoso —Roger Fisher, William Ury y Bruce Patton— fundó el Proyecto de Negociación de Harvard. Su objetivo era «mejorar la teoría y la práctica de la negociación y la resolución de conflictos», que, hasta ese momento, apenas habían recibido atención especializada. Dos años después, publicaron un libro basado en su investigación, *Obtenga el sí*, que puso patas arriba el entendimiento popular de las negociaciones.[54]

Hasta entonces, muchas personas habían dado por sentado que las negociaciones eran juegos de suma cero: cada vez que yo ganaba algo en la mesa de negociaciones, tú perdías.

«Hace una generación —se lee en *Obtenga el sí*—, al contemplar una negociación, la pregunta habitual en la mente de la gente era: "¿Quién va a ganar y quién va a perder?"». Pero Fisher, profesor de Derecho en Harvard, pensó que ese enfoque era del todo equivocado.[55] De joven, había colaborado en la implementación del Plan Marshall en Europa y, más tarde, ayudó a buscar formas de poner fin a la guerra de Vietnam. Había trabajado en los acuerdos de Camp David en 1978 y en garantizar la liberación de cincuenta y dos rehenes norteamericanos de Irán en 1981.

En esas y otras negociaciones, Fisher vio algo distinto en acción: los mejores negociadores no batallaban sobre quién debía llevarse la mayor parte del pastel. Más bien, se centraban en agrandar el pastel, buscando soluciones en las que todo el mundo ganaba y se marchaba más contento que antes. La idea de que ambas partes podían «ganar» en una negociación, escribieron Fisher y sus colegas, podía parecer imposible, pero «cada vez se reconoce más que hay formas cooperativas de negociar nuestras diferencias y que, incluso si no puede encontrarse una solución con la que ganan todos, a menudo sigue siendo posible alcanzar un acuerdo que beneficie a ambas partes».[56]

Desde que *Obtenga el sí* se publicó por primera vez, cientos de estudios han hallado pruebas más que suficientes para respaldar esta idea. Diplomáticos de élite han explicado que su objetivo en una mesa de negociaciones no es hacerse con la victoria, sino más bien convencer a la parte contraria de que se conviertan en colaboradores para descubrir nuevas soluciones en las que nadie ha pensado antes. La negociación, entre sus practicantes más destacados, no es una batalla. Es un acto de creatividad.

Este enfoque se ha dado a conocer como «negociación basada en intereses» y el primer paso se asemeja mucho a lo que hizo Boly en la sala del jurado o a lo que hizo el doctor Ehdaie con sus pacientes en el Sloan Kettering: formular preguntas abiertas y escuchar con atención. Hacer que la gente hable sobre cómo ve el mundo y lo que más valora. Aunque no descubras, de inmediato, lo que buscan otros —es posible que no lo sepan ni ellos—, al menos les inspirarás para escuchar a su vez. «Si quieres que el otro lado valore tus intereses —escribió Fisher—, empieza por demostrar que aprecias los suyos».

Escuchar, no obstante, es solo el primer paso. La siguiente tarea es abordar la segunda pregunta inherente a una conversación «¿De qué va esto realmente?»: ¿cómo tomaremos decisiones juntos? ¿Cuáles son las reglas de este diálogo?

Con frecuencia, la mejor forma de desentrañar esas reglas consiste en probar distintos enfoques conversacionales y ver cómo reaccionan los demás. Por ejemplo, los negociadores a menudo llevan a cabo experimentos —«primero te interrumpiré, y luego seré educado, y luego sacaré un tema nuevo o haré una concesión inesperada, y veré lo que haces tú»— hasta que todos deciden, juntos, qué reglas se aceptan y cómo debería desarrollarse esa conversación. Estos experimentos pueden tomar la forma de proposiciones o soluciones, o sugerencias inesperadas o nuevos temas que se introducen de pronto. En cada caso, el objetivo es el mismo: comprobar si este sondeo revela un camino abierto. «Los grandes negociadores son artistas —afirmó Michele Gelfand, profesora de la escuela de negocios de Stanford—. Llevan las conversaciones hacia direcciones inesperadas».

Entre los métodos más efectivos para desencadenar este tipo de experimentación está introducir nuevos temas y preguntas en una conversación, añadiendo elementos a la mesa hasta que esta ha cambiado lo suficiente para que se revelen nuevas posibilidades. «Si estáis negociando sueldos, por ejemplo, y estáis atascados —dijo Gelfand—, entonces cuela algo nuevo: "Nos hemos centrado en el salario, pero ¿y si, en lugar de subir el sueldo, damos más días de ausencia por asuntos personales? ¿Y si dejamos que trabajen desde casa?"».

«El reto no es eliminar el conflicto —escribió Fisher en *Obtenga el sí*—, sino transformarlo». Todos llevamos a cabo este tipo de experimentos en nuestras conversaciones cotidianas, a menudo sin darnos cuenta. Cuando bromeamos, o hacemos una pregunta de tanteo, o de repente nos ponemos serios o tontos, en cierto modo, estamos llevando a cabo una prueba para ver si nuestros interlocutores aceptarán nuestra invitación, si nos seguirán el juego.

Como la negociación basada en intereses, la conversación «¿De qué va esto realmente?» resulta fructífera al transformar una conversación de una lucha en una colaboración, un experimento de grupo, cuyo objetivo es descubrir lo que todo el mundo busca y los objetivos y valores que todos compartimos. Para un observador externo, es posible que parezca que simplemente estamos hablando sobre quién recogerá a los niños y la compra. Pero nosotros —la gente que participa en esta negociación silenciosa— somos conscientes de subtextos y trasfondos, de los experimentos en marcha. Formulamos preguntas de respuesta abierta («¿Hago lo suficiente para ayudar?») y añadimos elementos a la mesa («¿Y si yo recojo la compra y friego los platos, y tú vas a buscar a los niños y doblas la ropa?») hasta que la conversación ha cambiado lo suficiente para dejar claro lo que todo el mundo quiere realmente y las reglas que hemos acordado todos: «Quiero respetar tu tiempo, y el trabajo es importante, así que ¿y si compro comida para llevar y le pido al tío Arvind que recoja a los niños, para que los dos podamos volver tarde a casa?».

La conversación «¿De qué va esto realmente?» es una negociación, solo que el objetivo no es ganar, sino ayudar a todos a acordar los temas que trataremos y cómo tomaremos decisiones juntos.

De vuelta en la sala del jurado, Boly ha concluido la primera parte de «¿De qué va esto realmente?». Ha formulado preguntas y se ha esforzado en entender lo que quiere cada uno de los miembros del jurado.

Parte de lo que oye Boly indica que cada vez es más probable que el veredicto sea de culpabilidad. El presidente dice que tiene intención de condenar, y luego otro miembro del jurado, que previamente estaba indeciso, se muestra de acuerdo con él. Karl, el bombero, interviene para apoyarles. Leroy Reed esta vez no ha hecho daño a nadie, dice, pero ¿y la próxima?

—Por eso está ahí la ley, para que los exconvictos no puedan poseer armas —dice Karl. Otros asienten—. ¿Y si el señor Reed hubiese matado a algún transeúnte inocente por el camino tras comprar el arma?

Según distintos estudios en torno a la dinámica de los juzgados, este es el momento en que a menudo empieza a consolidarse el veredicto de un jurado. Es entonces —cuando uno o dos miembros del jurado adoptan una posición fuerte, y otros, por indecisión o flexibilidad, se suben al carro— en que se vuelve inevitable un veredicto de culpabilidad.

Pero Barbara, la psicóloga escolar, no está del todo lista.

—Me pregunto si podríamos contemplar la posibilidad —dice— de que quizá no *supiera*, en el sentido estricto de la palabra, que era un exconvicto, y tampoco *supiera*, en el sentido estricto de la palabra, que poseía un arma de fuego.

—Lo único que me preocupa —replica el presidente— es que el juez ha dicho algo al efecto de que la ignorancia no es una excusa.

La conversación se está acalorando. Se alzan algunas voces.

Es en este punto cuando Boly vuelve a tomar la palabra, pero de un modo distinto al de antes. Ha acabado de hacer preguntas. Ha llegado el momento de la segunda parte de una conversación «¿De qué va esto realmente?»: descubrir cómo tomarán decisiones juntos.

Empieza presentando algo nuevo en la conversación e imaginando cómo es ser Leroy Reed.

—Una de las cosas que he notado —dice Boly, interrumpiendo la tensión creciente con un tono ligero— es algo acerca del arma de Reed. Si la miras bien —dice— parece de juguete. —Este comentario surge de la nada. Los demás le miran confundidos—. Bueno, estaría dispuesto a apostar a que, si yo me comprase un arma —continúa— y me dieran una funda con ella, lo primero que querría hacer sería ponérmela aquí —se lleva la mano al cinturón— e ir por Milwaukee y, ya sabéis, cada vez que cruzo ese puente o por debajo de ese paso subterráneo, o algo así, no tengo que preocuparme por lo que vaya a salirme de detrás de una farola. ¡Mido tres metros! ¡Llevo una pipa!

Sus compañeros del jurado están confundidos. ¿Qué está pasando? ¿Qué es una «pipa»? Lo único que todos saben seguro es que Boly nunca debería hacerse con un arma.

Pero Boly no está hablando de pistolas en realidad, sino de algo más importante. Está llevando a cabo un experimento.

—Bueno —continúa—, el hecho de que, ya sabéis, la maneje casi como si fuese un objeto sacramental, y la guarde en una caja y la meta en un armario y cierre la puerta —es un detalle importante, les dice—. No la mete en la funda ni se la guarda en el bolsillo o la lleva en la cadera ni nada parecido.

Otro miembro del jurado —alguien que, hasta el momento, parecía dispuesto a dejarse llevar por el impulso del veredicto de culpabilidad— retoma el hilo.

—Es verdad —dice—, no la sacó de la caja.

Interviene otro miembro del jurado:

—Ni siquiera podemos decir que supiera utilizar un arma.

Esto son puras conjeturas. Durante el juicio no se han presentado pruebas de que Leroy Reed no sepa cómo usar un arma de fuego. Pero los miembros del jurado están erigiendo una historia en su mente: «Tal vez no sepa cargar un arma. Tal vez ni siquiera se dé cuenta de que una pistola necesita balas». En apenas unos minutos se ha materializado una versión completamente nueva de Leroy Reed: alguien que, aunque se hallara en posesión de un arma, quizá no hubiera entendido que la poseía. En cuyo caso, la tercera pregunta del juez —«¿Sabía que había adquirido un arma?»— ha cobrado una nueva dimensión.

Boly ha alterado la conversación. Ha dado un nuevo marco a esta conversación experimentando con una idea, invitando al jurado a imaginar nuevas posibilidades, soñando con distintas formas de analizar las preguntas que les ocupan. Están negociando cómo tomarán juntos una decisión.

El impulso hacia un veredicto de culpabilidad se ha ralentizado, pero siguen lejos de alcanzar una elección unánime.

Cómo se produce la persuasión

Las conversaciones «¿De qué va esto realmente?» tienden a entrar en una de dos categorías. Hay algunos diálogos en que las personas señalan que están en una mentalidad práctica: quieren resolver un problema o pensar en una idea. Quieren decidir cuánto ofrecer por esa casa (¿y qué significa eso acerca de nuestra vida juntos?) o a quién contratar para el trabajo que han estado anunciando (¿y de verdad necesitamos a otro empleado?). Estas conversaciones exigen análisis y razonamiento lúcido. Los psicólogos se refieren a este tipo de pensamiento como «lógica de costes y beneficios».[57] Cuando la gente abraza un razonamiento lógico y cálculos prácticos —cuando acuerdan que la toma de decisiones racional es el método más persuasivo para una elección juntos— está acordando contrastar costes potenciales con beneficios deseados.

Pero en otras conversaciones «¿De qué va esto realmente?», el objetivo es distinto. A veces las personas quieren tomar decisiones juntas que quizá no se alineen con la lógica y la razón. Quieren explorar temas más allá de la fría racionalidad. Quieren aplicar su compasión, hablar de valores, tratar el bien y el mal al tomar decisiones conjuntas. Quieren recurrir a sus experiencias, aun cuando no coincidan exactamente con la situación que les ocupa.

En este tipo de conversaciones, los hechos son menos convincentes. Si alguien dice algo acerca de sus sentimientos, su pareja no se pone a debatir con él. En lugar de eso, comprenden, se ríen, comparten una sensación de indignación u orgullo. En general, en este tipo de conversaciones, tomamos decisiones no analizando costes y beneficios, sino observando nuestras experiencias pasadas y preguntándonos: «¿Qué suele hacer alguien como yo en una situación como esta?». Estamos aplicando lo que los psicólogos llaman la «lógica de similitudes». Este tipo de lógica es importante porque, sin ella, no sentiríamos mucha compasión cuando alguien describe la tristeza y la decepción, o no sabríamos cómo calmar una situación tensa, o decir si alguien habla en serio o está bromeando. Esta lógica nos dice cuándo empatizar.

¿Qué tipo de lógica estamos utilizando?

{La lógica de costes y beneficios} {La lógica de similitudes}

Estos dos tipos de lógica coexisten en nuestro cerebro.[58] Pero a menudo son contradictorios o mutuamente exclusivos. Así que, cuando negociamos cómo se desarrollará una conversación —cómo tomaremos decisiones juntos— una de las preguntas que hacemos es: ¿qué clase de lógica encuentra convincente todo el mundo?

Para el doctor Ehdaie, comprender la diferencia entre la práctica «lógica de costes y beneficios» y la empática «lógica de similitudes» era crucial. Algunos pacientes llegaban con preguntas analíticas y pedían datos. Estaban claramente en una mentalidad práctica, analítica; y así sabía que les convencería a través de pruebas: estudios y datos.

¿Esto es una conversación práctica?

↓

Respáldate en datos y razonamiento.

Pero otros pacientes contaban a Ehdaie historias sobre su pasado y sus ansiedades. Hablaban de sus valores y creencias. Estos pacientes tenían una mentalidad empática. Así que Ehdaie sabía que debía convencerles a través de compasión e historias. Entonces les decía que él —un cirujano que amaba la cirugía— aconsejaría a su propio padre que evitase ese tipo de operación. Les decía lo que habían hecho otros pacientes, porque en una mentalidad empática nos vemos influenciados por narrativas. «Las historias evitan el instinto del cerebro de buscar razones para recelar», dijo Emily Falk, profesora de la Universidad de Pennsylvania. Nos vemos atraídos hacia las historias por que nos cuadran.

Aquí tenemos una lección: el primer paso de una negociación silenciosa es averiguar qué quiere la gente de una conversación. El segundo paso es determinar cómo vamos a tomar decisiones juntos, y eso significa decidir si esto es una conversación racional o una empática. ¿Vamos a tomar decisiones a través del análisis y la razón, o a través de la empatía y las narrativas?

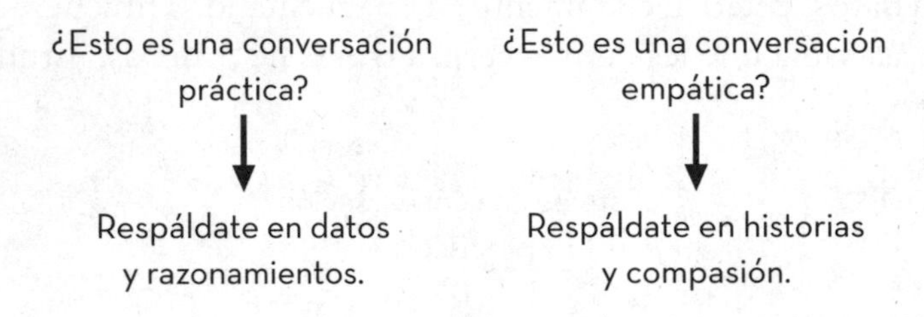

Es fácil entenderlo mal. De hecho, esto me ha pasado muchas veces. Cuando un primo mío empezó a hablar de disparatadas teorías de la conspiración («¡Las tiendas de colchones son tapaderas de lavado de dinero!»), intenté convencerle de que se confundía utilizando datos y hechos («En realidad, la mayoría cotizan en bolsa, así que puedes ver las finanzas online»). Entonces me sorprendió cuando dijo que me habían lavado el cerebro. Estaba utilizando una lógica que recurría a historias que había oído sobre élites que se aprovechaban de otras personas, una «lógica de similitudes» que afirmaba que debíamos sospechar de las corporaciones porque habían mentido antes. Mis argumentos, razonables, y mi «lógica de costes y beneficios» no le convencían en absoluto.

O digamos que has llamado a un servicio de atención al cliente con una queja. Podrías dar por sentado que el operador quiere oír tu historia («Mi hijo estaba jugando con mi móvil y de alguna forma se las ha arreglado para pedir Legos por valor de mil dólares»), pero enseguida descubres que le da igual («Señor, por favor, solo deme la fecha de la transacción»). No necesita la historia de fondo. Ha adoptado una mentalidad práctica, y solo quiere encontrar una solución y pasar a la siguiente llamada.

Cuando John Boly oyó que sus compañeros del jurado contaban historias acerca de su vida y hablaban de conceptos como la justicia y la ética, sintió que algunos estaban buscando una conversación que fuese más allá del análisis y el razonamiento. Estaban de un talante empático. Boly respondió hablando de qué se *sentiría* al llevar un arma, imaginando lo que pensaba Leroy Reed. Empezó a contar historias: «La maneja casi como si fuese un objeto sacramental». No se trataba de historias profundas o elaboradas, solo briznas de una narrativa, pero basta para incitar a otros a empezar a imaginar cómo es ser Reed, empezar a contar sus propios relatos.

—Ni siquiera podemos decir —comenta un miembro del jurado— que supiera utilizar un arma.

Boly ha cambiado, de un modo levísimo, su forma de hablar y la lógica que emplea, y eso basta para convencer a sus compañeros de que esta conversación no ha terminado.

La negociación concluye

Los miembros del jurado llevan algo más de una hora en la sala cuando uno sugiere que ha llegado el momento de una votación formal. Cada persona garabatea su veredicto en un trozo de papel. El presidente del jurado cuenta los votos. Las opiniones han cambiado: ahora están en nueve votos a favor de la absolución y tres en contra.[59]

Pero un veredicto, por supuesto, debe ser unánime. Cualquier otra cosa motiva un juicio nulo. Estudios de deliberaciones de jurado indican que momentos como este —cuando un pequeño grupo se ha comprometido de forma expresiva con un veredicto específico— son peligrosos. Una vez que personas como Karl y el presidente apuestan por una fuerte declaración de culpabilidad, es difícil para ellos cambiar de opinión. Con un solo miembro del jurado inflexible, seguro de que el acusado debería ir a la cárcel, puede declararse un juicio nulo.

En esta sala, aún hay tres personas que piensan que Leroy Reed es culpable.

Pero las historias reverberan en la mente de todos.

El presidente carraspea.

—Tengo algo que decir —anuncia.

Él había votado culpable, continúa. Pero, al escuchar al resto de los miembros del jurado, empezó a ponerse en la piel de Leroy. En especial, me contó después, recordó un momento en que le habían parado para ponerle una multa por exceso de velocidad. «Cuando el poli me hizo señas para que me detuviera, le dije que no estaba bien que me pusiese una multa, que no era justo, porque no estaba poniendo en peligro a nadie más por ir unos kilómetros por encima del límite de velocidad».[60]

Esa lógica había tenido sentido para él en aquel momento. Y ahora, en la sala del jurado, se le ocurre que Leroy Reed está en la misma posición, acusado de un crimen que no puso a nadie en peligro. Si compras un arma y la escondes en tu armario, es posible que técnicamente hayas quebrantado la ley, pero ¿significa eso que deberían castigarte? ¿Se alinea eso con las historias que nos contamos a nosotros mismos acerca de la justicia y la ecuanimidad?

—Veo un motivo de duda en cierto modo, por pequeño que sea —dice el presidente a los demás.

Está cambiando de opinión.

Otro miembro del jurado ha cambiado de opinión también. Mirar los hechos desde el punto de vista de Reed, dice, le hizo volver a pensarse las cosas.

A veces, las historias que oímos bastan para ayudarnos a ver una situación a través de los ojos de otra persona, a enfatizar y reconsiderarla. En otras ocasiones, un razonamiento desapasionado nos asegura el éxito. Pero solo podemos tomar decisiones juntos si estamos todos de acuerdo en qué *tipo* de lógica es más convincente. Una vez que estamos alineados, nuestras mentes se vuelven más abiertas a lo que los demás tengan que decir.

Ya solo queda un voto de culpable. Una última negociación y el trabajo del jurado habrá concluido.

Pero ese voto es Karl e, incluso tras todo este trasiego, sigue estando convencido de que habría que condenar a Reed.

—Estamos ahondando demasiado en sus pensamientos psicológicos —les ha dicho a sus compañeros del jurado—. Estamos imaginando lo que pensaba, lo que sabía, lo que no sabía.

Leroy Reed era un exconvicto que había comprado un arma. Esa es toda la historia que necesita Karl.

A lo largo de esta deliberación, Karl no ha contado ninguna historia sobre sí mismo. Otros miembros del jurado han salpicado sus comentarios de incisos —anécdotas de su vida, revelaciones de su pasado—, pero no Karl. El hijo de Karl me dijo que su padre, que murió en 2000, era el bombero ideal, «la clase de tío que seguía las normas y respetaba la cadena de mando de verdad». Karl había aprendido a confiar en la lógica de costes y beneficios, práctica y analítica, porque, durante una emergencia, ese tipo de pensamiento salva vidas.

De modo que Boly se lanza a otro tipo de negociación.

Empieza cuando un miembro del jurado plantea una pregunta a Karl, una de respuesta abierta:

—A mí me parece que tu decisión de que este hombre es culpable es muy importante y completa en tu mente. Comparte más detalles con nosotros, por favor.

Karl se revuelve en su asiento.

—No puedo... —Hace una pausa—. No tengo la educación ni la formación para incluirme en vuestra clase en cuanto a la capacidad de comprender la mente humana y cómo funciona y lo que piensa la gente —añade—. Suena muy frío y simplista mirar las tres razones y decir, sí, esta y esta se cumplen. —Pero, para Karl, ese es el caso entero.

—Deja que te haga una pregunta rápida —dice otro miembro del jurado—. ¿Crees que existe algún caso en el que puedan hacerse excepciones?

—Claro —responde Karl—. Veo al señor Reed ahí fuera y lo miro, y para mí no es alguien que vaya a hacer daño a nadie. No creo que tenga ninguna mala intención. No siento que sea una amenaza para la sociedad.

Pero Karl explica que hay que considerar un tema más importante, un elemento de compensación entre costes y beneficios. Si los miembros del jurado dejan de hacer cumplir las leyes, eso es anarquía. Exculpar a Leroy Reed podría empujar a otras personas a la ilegalidad.

Si fuese de ayuda para la seguridad pública, dice Karl, podría verse a sí mismo haciendo una excepción y dejando libre a alguien. Pero en el caso de Leroy Reed no puede ver tal beneficio.

Acaba de ocurrir algo importante: Karl ha revelado su más profundo deseo. Valora la seguridad pública por encima de todo lo demás. Por eso presiona en busca de un veredicto de culpabilidad; en su mentalidad práctica, este tipo de veredicto preserva la ley y el orden, mantiene a la gente protegida.

Boly reconoce esto como una oportunidad de añadir algo nuevo a la mesa, de experimentar con un enfoque distinto. Por ejemplo, ¿y si un veredicto de *inocencia* proporciona aún mayor seguridad a la gente?

—¿Sabéis? —dice, dirigiendo sus palabras a la sala, aunque el público al que van destinadas es Karl—, creo que es una buena ley, y no quiero decir o hacer nada que sugiera que no me la tomo en serio. —Aun así, está frustrado—. Parte de lo que me motiva es que tengo muchas cosas más que hacer. Es la semana de los finales —y tiene mucho trabajo en la universidad. Es más—, mis alumnos han sido víctimas de delitos. Hace una semana, una de mis estudiantes venía caminando a mi clase, y la asaltaron [...] Otra alumna de una de mis clases que daba fue asaltada. Le dieron una paliza y la violaron.

»Entonces, quiero decir, me gustaría cumplir con mi deber cívico —continúa—. Tengo un montón de cosas más que hacer. Vengo aquí, al juzgado, y el fiscal del distrito me da este caso, y a pesar de esta sala increíble, y estas personas muy serias, y a pesar de esta pantomima, y el galimatías legal, yo me quedo un poco pensando, esto es Mickey Mouse. Quiero decir, no siento realmente que este gasto de mi tiempo esté justificado.

Podrían estar metiendo entre rejas a un ladrón, o a un violador o a un asesino. En lugar de eso, están debatiendo si Leroy Reed —alguien que no supone ninguna amenaza real para la seguridad pública— debería ir a la cárcel.

—Estoy pensando en un mensaje que me gustaría enviar al despacho del fiscal. Creedme, me encantaría mandárselo y el mensaje sería: maldita sea, ¡me da miedo caminar hasta mi coche en el aparcamiento! Tengo alumnas a las que atracan, a las que golpean, a las que violan. Lo mismo les está ocurriendo a mis alumnos. Les atracan. Y vosotros me dais a Leroy.

Si absuelven a Reed, dice Boly a la sala, están enviando un mensaje a la policía y al fiscal: centraos en los criminales de verdad. Centraos en mantener a la gente protegida de verdad. Al encontrar inocente a Reed, en realidad están colaborando con la seguridad pública. Es una visión creativa de la situación, claro, pero está aplicando la razón, comparando desventajas potenciales con beneficios esperados. Está utilizando la lógica práctica y analítica para incorporar nuevas opciones a la conversación. Está alineándose con Karl y, argumentando que si les preocupa detener la delincuencia, la elección racional es dejar libre a Reed.

—Decididamente, no debería estar aquí —dice Karl.

Sin embargo, sigue sin estar del todo convencido.

De modo que Boly ofrece un último regateo:

—Tengo un respeto enorme por tu sentido de la importancia de la ley —le dice a Karl—. Tu sentido de la importancia de interpretarla bien y tu dedicación a la integridad del proceso judicial.

Cambiar de opinión tiene un coste, Boly lo sabe, un gasto que paga nuestro ego. Pero también existe un beneficio: el amor propio y el respeto por uno mismo que surgen de hacer lo correcto.

A medida que prosigue la conversación, no está claro cómo procesa todo esto Karl. Pero está pensando.

—Entonces ¿lo votamos? —pregunta el presidente cuando se acercan a las dos horas y media de deliberación.

Cada miembro del jurado toma un trozo de papel y garabatea su veredicto:

No culpable. No culpable. No culpable. No culpable. No culpable. No culpable. No culpable. No culpable. No culpable. No culpable. No culpable.

Leroy Reed saldrá libre.

¿Cómo conectamos durante una conversación «¿De qué va esto realmente?».

El primer paso es intentar averiguar qué quiere cada uno de nosotros de una conversación, lo que buscamos de este diálogo. Así es como llegamos a las cuestiones más profundas bajo la superficie.

Boly conectó con los demás miembros del jurado comprendiendo que cada persona quería algo diferente. Algunos querían hablar de justicia; otros deseaban centrarse en la ley y el orden. Algunos querían hechos; otros ansiaban empatía. El doctor Ehdaie conectaba con sus pacientes preguntándoles por lo que más les importaba. Sacamos a la luz este tipo de deseos tomándonos el tiempo de preguntar «¿De qué va esto realmente?».

Cuando alguien dice: «¿Podemos hablar de la reunión inminente?» o «Esa circular era una locura, ¿no?», o se preocupa en voz alta: «No estoy seguro de que él pueda hacer el trabajo», nos está invitando a una conversación «¿De qué va esto realmente?», señalando que hay algo más profundo que quiere tratar. Boly sabía prestar atención a esas señales y el doctor Ehdaie aprendió a buscarlas.

A continuación, una vez que sabemos lo que quiere la gente de una conversación, necesitamos averiguar cómo dárselo —cómo entablar una negociación silenciosa— para suplir sus necesidades, además de las nuestras. Eso requiere llevar a cabo experimentos para revelar cómo tomaremos decisiones juntos. Es el principio de encaje en acción, reconociendo qué clase de conversación se produce y luego alineándonos con los demás, e invitándolos a alinearse con nosotros. Boly y Ehdaie entendían que ese encaje no es imitación; no es limitarse a parecer preocupado y repetir lo que han dicho otros.

En lugar de eso, el encaje es comprender la *mentalidad* de alguien —qué clase de lógica encuentra convincente, qué tono y enfoque tiene sentido para esa persona— y luego hablar su lengua. Y esto requiere explicar con claridad cómo pensamos y tomamos decisiones para que otros puedan encajar con nosotros a su vez. Cuando alguien describe un problema personal contando una historia, está señalando que quiere nuestra compasión, no una solución. Cuando despliega todos los hechos analíticamente, indica que está más interesado en una conversación racional que en una emocional. Todos podemos aprender a mejorar al advertir estas pistas y llevar a cabo los experimentos que las revelan.

El regalo más profundo de la conversación «¿De qué va esto realmente?» es una oportunidad de averiguar de qué quieren hablar otros, qué necesitan de una conversación, e invitar a todo el mundo a tomar decisiones juntos. Es entonces cuando empezamos a entendernos unos a otros y comenzamos a hallar soluciones que superan cualquier cosa que pudiéramos imaginar por nuestra cuenta.

UNA GUÍA PARA UTILIZAR ESTAS IDEAS

SEGUNDA PARTE

Formular preguntas y captar pistas

En 2018, investigadores de Harvard empezaron a grabar a cientos de personas manteniendo conversaciones con amigos, desconocidos y compañeros de trabajo, con la esperanza de arrojar luz sobre una pregunta: ¿cómo señala la gente de qué quiere hablar? ¿Cómo, en otras palabras, decidimos «De qué va esto realmente»?[61]

Los participantes en el experimento hablaban cara a cara y mediante videollamadas. Les sugirieron algunos temas para empezar —«¿A qué te dedicas?», «¿Eres una persona religiosa?»—, pero les permitieron divagar entre temas. Después, les preguntaron si disfrutaban de la conversación.

La respuesta, para muchos, era en esencia «No». La gente había intentado cambiar de tema, había insinuado que quería hablar de algo nuevo, había indicado que se aburría, había introducido nuevos temas. Habían experimentado con distintos enfoques. Pero sus interlocutores no se habían dado cuenta.

Los investigadores descubrieron que las pistas de que alguien quería algo distinto de una conversación eran evidentes, una vez que la gente sabía qué buscar. Pero con las prisas por hablar, esas pistas también son fáciles de pasar por alto. Cuando alguien dice algo y a continuación se ríe —aunque no haya tenido gracia— da a entender que está disfrutando de la conversación. Cuando alguien emite sonidos mientras escucha («Sí», «Ajá», «Interesante»), es una señal de que prestan atención, lo que los lingüistas llaman «canalización inversa». Cuando alguien formula preguntas de seguimiento («¿Qué quieres decir?», «¿Por qué crees que ha dicho eso?»), es una pista de que está interesado, mientras que declaraciones que cambian de tema

(«Deja que te pregunte sobre algo distinto») son indicios de que está listo para pasar a otra cosa.

«Aunque la gente llenaba su discurso de información sobre sus preferencias temáticas —escribieron más tarde los investigadores—, los interlocutores humanos no captaban muchas de esas señales (o las ignoraron) y tardaban en reaccionar a las mismas. En conjunto, nuestros resultados sugieren que hay mucho espacio para la mejora».

Estos hallazgos no son precisamente sorprendentes, por supuesto. Todos lo hemos experimentado antes. A veces las personas no perciben las señales que intentamos enviar, porque no se han formado para prestar atención. No han aprendido a experimentar con distintos temas y enfoques conversacionales.

Pero aprender a captar esas pistas y llevar a cabo este tipo de experimentos es importante porque nos llevan a la segunda regla de una conversación de aprendizaje.

Segunda regla:
Comparte tus objetivos
y pregunta qué buscan los demás.

Esto lo conseguimos de cuatro maneras: preparándonos antes de una conversación; haciendo preguntas; captando pistas durante una conversación; y experimentando y añadiendo elementos a la mesa.

Prepararse para una conversación

Una conversación «¿De qué va esto realmente?» a menudo se produce al inicio del intercambio, de modo que estamos todos bien abastecidos para prepararnos un poco antes de que empiece un diálogo.

Investigadores de Harvard y otras universidades han observado qué tipo de preparación resulta de ayuda exactamente. Se solicitó a los participantes en un estudio que anotaran algunos temas sobre los que les gustaría hablar antes de que empezase una conversación.[62] Este ejercicio no llevó más que unos treinta segundos; con frecuencia los temas anotados nunca surgían una vez iniciada el diálogo.[63]

Pero el mero hecho de elaborar una lista, encontraron los investigadores, mejoraba el desarrollo de las conversaciones. Se producían menos pausas incómodas, menos ansiedad y, después, la gente decía sentirse más concentrada. De modo que, en los momentos previos a la conversación, resulta útil describir para ti mismo:

- ¿De qué dos temas podrías hablar? (Algo general está bien: el partido de anoche y los programas de la tele que te gustan).
- ¿Qué cosa en concreto esperas decir?
- ¿Qué pregunta en concreto harás?

Prepárate para la conversación

Habla del partido de anoche.
Menciona un nuevo trabajo.
¿Dónde pasar las vacaciones?

Anota algunos temas para tratar.

El beneficio de este ejercicio consiste en que, aunque nunca hables de estos temas, los tendrás a mano si te quedas atascado. Y por el mero hecho de anticipar aquello de lo que hablarás, es probable que te sientas más seguro.

Una vez que este ejercicio se vuelve automático —y enseguida será así—, puedes hacer tu preparación aún más sólida:

- ¿Sobre qué dos temas quieres hablar más?
- ¿Qué cosa esperas decir que muestre de qué quieres hablar?
- ¿Qué pregunta harás que revele lo que quieren los demás?

Hacer preguntas

Hay una negociación silenciosa en el centro de la conversación «¿De qué va esto realmente?» que surge cuando necesitamos tomar una decisión o establecer un plan. A veces es rápida; un amigo dice: «Tenemos que hablar del horario del sábado», y tú contestas: «¡Vale!», y la negociación está hecha.

Para conversaciones más significativas y complejas, sin embargo, esa negociación es más larga y sutil. Podríamos empezar con comentarios amables, luego pasar a un tema fácil —el tiempo o un amigo en común— y finalmente llegar a lo que de verdad queremos hablar: «Me preguntaba si considerarías invertir en mi nueva empresa».

Independientemente de cómo se desarrolle esta negociación, hay un formato común: alguien extenderá una invitación y su compañero la *aceptará* o hará *contrainvitaciones*.

A veces queremos que otros vayan primero. La forma más fácil de hacerlo es formulando preguntas de respuesta abierta, como hacía el doctor Ehdaie con sus pacientes. Y las preguntas de respuesta abierta son fáciles de encontrar, si te centras en:

- Preguntar por las creencias y valores de alguien («¿Cómo decidiste convertirte en profesor?»).
- Preguntar a alguien para hacer un juicio («¿Te alegras de haber estudiado Derecho?»).
- Preguntar por las experiencias de alguien («¿Cómo fue viajar por Europa?»).

Este tipo de preguntas no resultan intrusivas —preguntar «¿Cómo decidiste ser profesor?» no parece excesivamente personal— sino que son una invitación para que alguien comparta sus creencias acerca de la educación y lo que valora en un trabajo. «¿Te alegras de haber estudiado Derecho?» invita a alguien a reflexionar sobre sus elecciones, en lugar de limitarse a describir su trabajo. Las preguntas de respuesta abierta pueden ser profundas o superficiales. Pero, como explica el próximo capítulo, preguntas sobre valores, creencias, opiniones y experiencias son sumamente poderosas, y más fáciles de formular de lo que pensamos.

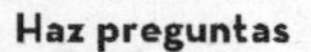

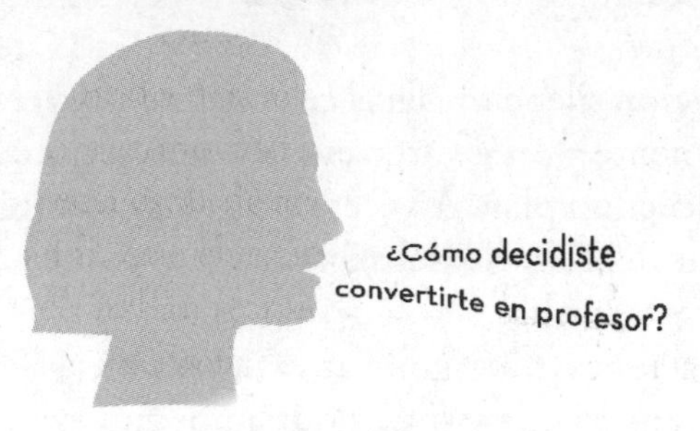

Pregunta por creencias, valores, opiniones y experiencias.

Capta las pistas durante las conversaciones

En otras conversaciones, en lugar de esperar a que nuestros interlocutores expresen sus necesidades y objetivos, quizá podamos procurar verbalizar los nuestros primero. En esos momentos, cuando extendemos una invitación —«Tenemos que hablar del horario del sábado» o «Me preguntaba si invertirías en mi empresa»—, es importante cómo responde la otra persona, de modo que tenemos que prepararnos para advertir lo que podría no decirse.

Algunas cosas importantes a las que prestar importancia:

- **¿Tus compañeros se inclinan hacia ti, establecen contacto visual, sonríen, intercalan respuestas («Interesante», «Hum») o te interrumpen?**

Estas son señales de que quieren aceptar tu invitación. (Las interrupciones, contrariamente a lo que se espera, normalmente significan que la gente quiere añadir algo).

- **¿Se quedan callados, con expresión pasiva, la mirada clavada en algún punto al margen de tu cara? ¿Parecen demasiado contemplativos? ¿Aceptan tus comentarios sin añadir pensamientos propios?**

La gente a menudo confunde estas respuestas con escuchar. Pero los interlocutores no suelen estar haciéndolo. (De hecho, como explican los próximos capítulos, escuchar es un proceso mucho más activo). Estas son señales de que alguien está declinando nuestra invitación y quiere hablar de otra cosa, en cuyo caso tienes que seguir buscando, y experimentando, para averiguar lo que quiere todo el mundo.

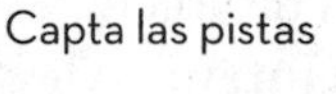

Capta las pistas

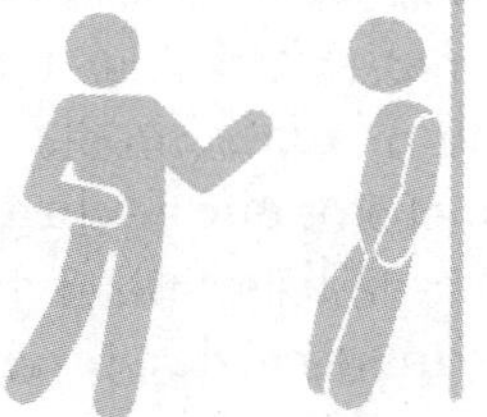

¿Se inclinan hacia ti y muestran interés?
¿O apartan la vista y son pasivos?

Es fácil pasar por alto estas reacciones, en parte porque hablar acapara gran parte de nuestro ancho de banda mental. Pero si nos entrenamos para advertir estas pistas, nos ayuda responder a «¿De qué va esto realmente?».

Experimenta añadiendo elementos a la mesa

Cuando alguien declina nuestra invitación, es posible que nos sintamos estancados. En momentos así resulta útil recordar la lección de la negociación basada en intereses: ponte creativo. Empieza experimentando con nuevos temas y enfoques hasta que se revele un camino, del mismo modo que John Boly introdujo una nueva forma de pensar en la seguridad pública para atraer a Karl.

Podemos averiguar qué nuevos temas y enfoques podrían ser productivos prestando atención a:

- **¿Alguien ha contado una historia o un chiste?** De ser así, es posible que estén en una mentalidad empática de lógica de similitudes. En ella, la gente no busca debatir o analizar elecciones; quiere compartir, relatar y empatizar.

- **¿O está hablando de planes y decisiones, o valorando opciones?** ¿Ha sacado la política o la economía, o la elección de lugar para las próximas vacaciones? («¿Es mejor Maine o Florida en junio?»). De ser así, es posible que esté en una mentalidad más práctica de lógica de costes y beneficios, y será mejor que te pongas analítico tú también.
- **Presta atención a los intentos de cambiar de tema.** Las personas nos dicen de qué quieren hablar a través de sus incongruencias, incisos y cambios repentinos, o, dicho de otro modo, a través de los experimentos que llevan a cabo. Si alguien pregunta lo mismo de maneras distintas, o si introduce un tema nuevo con brusquedad, es una señal de que quiere añadir algo a la mesa y mejor sería que le dejásemos proceder.
- **Finalmente, experimenta.** Cuenta un chiste. Haz una pregunta inesperada. Introduce una nueva idea. Prueba a interrumpir, y luego a no hacerlo. Observa para comprobar si tus compañeros te siguen el juego. Si lo hacen, están dando pistas de cómo quieren tomar decisiones juntos, las reglas y las normas que aceptan. Señalan cómo les gustaría que se desarrollase esta conversación.

Añade elementos a la mesa

¿La gente cuenta historias o hace planes? ¿Cambia de tema?

Es probable que ya poseas estos instintos, pero son fáciles de olvidar. Y no tenemos que abrazar todas estas tácticas a un tiempo. Podemos hacer que formen parte de nuestras conversaciones poco a poco hasta que, al final, negociar «¿De qué va esto realmente?» nos resulte natural.

LA CONVERSACIÓN SOBRE CÓMO NOS SENTIMOS

UNA VISIÓN GENERAL

Las emociones configuran todas las conversaciones. Gobiernan lo que decimos y cómo escuchamos, a menudo de maneras que no advertimos. Toda conversación trata, en algún aspecto, sobre «¿Cómo nos sentimos?».

Dado que este tipo de diálogo es tan importante, los próximos tres capítulos están dedicados a conversaciones emocionales. En lo que respecta a hablar sobre emociones, escuchar es esencial. Necesitamos prestar atención a las vulnerabilidades y escuchar lo que no se dice, y, del mismo modo, debemos mostrar que estamos escuchando. Escuchar bien, cuando funciona, revela nuevos mundos bajo la superficie de las palabras de la gente.

El capítulo 3 explica cómo escuchar con más atención y qué hacer cuando oímos que alguien dice algo significativo. El capítulo 4 examina cómo podemos mejorar al escuchar emociones que no se verbalizan, cómo nuestros cuerpos, nuestros tonos vocales, nuestros gestos y nuestras expresiones dicen tanto como nuestras palabras. El capítulo 5 explora cómo las emociones pueden alimentar conflictos o ayudar a resolverlos, y cómo crear entornos más seguros para hablar de desacuerdos, tanto online como offline.

La conversación «¿Cómo nos sentimos?» es fundamental para la conexión. Estos tres próximos capítulos exploran cómo expresar —y cómo escuchar— lo que sentimos.

3

LA CURA DE LA ESCUCHA

Gestores de fondos de cobertura sentimentales

Los hombres y mujeres que llenan el auditorio del fondo de cobertura de Connecticut parecían todos salidos del mismo planeta, uno muy caro. Muchos vestían trajes a medida y otros llevaban relojes que costaban más que algunos coches. Mientras esperaban a que empezara este acontecimiento exclusivo, hablaban de sus recientes adquisiciones de arte y proyectos inmobiliarios, o se quejaban sobre que las Seychelles y Martha's Vineyard estaban atestados. Algunos, en un esfuerzo por demostrar su originalidad, llevaban rosarios de cábala o deportivas de edición limitada. Había uno con perilla.

Pero, a pesar de estos intentos de singularidad, todos ellos —inversores profesionales de decenas de firmas de Wall Street que supervisaban miles de millones de dólares— pasaban sus días de un modo muy similar: hablando con directores ejecutivos y camelándose a banqueros de inversiones, leyendo detenidamente informes económicos y explotando los salones de actos en conferencias de industria, siempre esperando encontrar alguna pepita de información que pudiera ayudarles a predecir qué acciones subirían y cuáles bajarían.

Ese día, sin embargo, era diferente. Ese día estaban ahí para reunirse con un profesor de Psicología de cuarenta y tres años de la Universidad de Chicago, Nicholas Epley, que había volado hasta allí para ofrecer una presentación acerca de cómo escuchar. Todos los asistentes sabían, muchos por experiencia personal, que una escasa habilidad para escuchar podía resultar muy muy costosa. Una persona en la sala se las había arreglado para perder veinte millones de dólares en una sola tarde después de pasar por alto que un corredor de bolsa, que normalmente era alegre e imperturbable, había gritado a un camarero durante una comida con dos martinis y se había excusado repetidas veces para contestar al teléfono. El corredor había ofrecido una explicación válida cada vez que volvía a la mesa, pero el gestor descubrió después que la agencia de este estaba en quiebra y él había pasado las pistas por alto. Un error diminuto —no advertir la vacilación en la voz de alguien durante una reunión, ignorar una respuesta evasiva a una pregunta directa— podía suponer la diferencia entre la victoria y la derrota.

Así pues, los organizadores de este acontecimiento habían traído a Epley para ayudarles a todos a escuchar mejor lo que era fácil pasar por alto. Epley era justo la persona para la tarea, porque había dedicado la mayor parte de su carrera a estudiar por qué nos oímos mal unos a otros. ¿Por qué, por ejemplo, algunas personas eran incapaces de captar las emociones en la voz de los demás? ¿Cómo era posible que dos personas asistieran a la misma reunión y después discreparan por completo de lo que se había dicho?[64]

Muchos en el público dieron por sentado que Epley les pondría un PowerPoint y lanzaría una serie de tácticas de escucha: mantén siempre el contacto visual. Asiente con gesto alentador para mostrar que prestas atención. Sonríe mucho. En otras palabras, el tipo de consejos populares en publirreportajes de madrugada y redes sociales.

Pero la investigación de Epley indicaba que tales métodos, en especial si son forzados, socavan la verdadera comunicación. Asentir no significa que estés escuchando. Las sonrisas constantes y el contacto visual pueden ser un poco... intensos. Además, Epley creía que, todo el mundo sabe escuchar con atención. «No necesitas que nadie te enseñe a escuchar un podcast interesante o un buen chiste —me dijo—. Cuando estás en una gran conversación, nadie tiene problemas para seguirla. Cuando algo es interesante, escuchas sin pensarlo».

Epley quería ayudar a este grupo a explotar sus capacidades de escucha naturales, lo que significaba que necesitaba ayudarles a aprender a mantener conversaciones más interesantes y significativas. Una forma de hacerlo, estaba convencido, era que todo el mundo hablara sobre cosas más íntimas. En concreto, creía que la gente debería hacerlo sobre sus emociones. Cuando hablamos de nuestros sentimientos, ocurre algo mágico: otras personas no pueden evitar escucharnos. Y luego empiezan a revelar emociones propias, lo que nos hace a nuestra vez escuchar con atención. Si el gestor de fondos de cobertura que ha perdido veinte millones de dólares, por ejemplo, le hubiese preguntado cómo se encontraba al otro comensal, le hubiese insistido para que hablara de cuestiones emocionales, es posible que hubiese oído que el hombre estaba estresado. Habría captado pistas de que pasaba algo.

Epley quería empujar a esos gestores de fondos de cobertura a una conversación «¿Cómo nos sentimos?». «Cuando nos abrimos a alguien —me dijo—, captamos su atención».

No obstante, Epley sabía que muchos rehuimos tratar asuntos íntimos o emocionales porque pensamos que será incómodo o poco profesional, o diremos algo inapropiado o la otra persona responderá mal, o estamos demasiado ocupados pensando en qué piensa la otra persona de nosotros.

Epley creía que había encontrado el modo de evitar esta clase de escollos. La clave para empezar una conversación «¿Cómo nos sentimos?» era enseñar a la gente a formular tipos específicos de preguntas, de las que, en la superficie, no parecen emocionales, pero que hacen las emociones más fáciles de reconocer.[65] Epley había pasado la década anterior enseñando a la gente a formular esta clase de preguntas y ahora quería ver si sus técnicas funcionarían con un grupo de gestores de fondos de cobertura, gente que suele ser alérgica a las exhibiciones de sentimientos. De modo que se levantó al frente de la sala y expuso lo que iba a ocurrir: a todos, explicó, se les asignaría un compañero, alguien a quien no conocían. Y durante los siguientes diez minutos entablarían conversación.

Entonces Epley reveló las preguntas que se harían uno al otro. Eran tres. La tercera era: «¿Puedes describir una vez en la que lloraste delante de otra persona?».

—Oh, mierda —soltó alguien en primera fila—. Esto va a ser un horror.

Llega un momento, en muchos diálogos, en el que debes decidir: ¿voy a permitir que esta conversación se vuelva emocional? ¿O la mantendré fría y distante?

Quizá estás comentando planes para el fin de semana con un amigo y, durante una pausa, te dice: «Están pasando algunas cosas con las que es posible que tenga que lidiar». Tal vez te estés poniendo al día con un compañero de trabajo y oigas un suspiro con un dejo de tristeza y problemas. Quizá sea una referencia a una urgencia familiar o una mención de lo orgulloso que está alguien de sus hijos. En esos momentos te enfrentas a una elección: ¿vas a dejar pasar ese comentario sin pedir que se extienda? ¿O vas a aceptar los sentimientos que se han expresado y responder emocionalmente? Aquí es cuando empieza la conversación «¿Cómo nos sentimos?», si permitimos que lo haga.

Independientemente de tu decisión, no hay duda de que las emociones *ya* están influyendo en la conversación. Numerosos estudios muestran que las emociones entran en juego casi cada vez que abrimos la boca o escuchamos lo que alguien dice. Influyen en todo lo que decimos y oímos. Han entrado en el diálogo a través de ese suspiro, o de esa muestra de orgullo, o de un millar de formas diferentes que apenas habrás notado. Ya se han puesto en marcha desde que te has sentado, dando forma a cómo reaccionas, cómo piensas, por qué estás aquí para empezar. Sin embargo, puedes omitir el suspiro, dejar que el orgullo pase sin reconocerlo. Puedes minimizar «¿Cómo nos sentimos?» y permanecer en un territorio más seguro: la capa superficial de la charla intrascendente.

La mayor parte del tiempo, esa es la elección equivocada. Y lo es porque nos niega el acceso a un poderoso proceso neuronal que ha evolucionado a lo largo de millones de años para ayudarnos a establecer vínculos. Dejará a todo el mundo menos satisfecho y hará que una conversación resulte incompleta. Si reconocemos la vulnerabilidad de otra persona y nos volvemos vulnerables a nuestra vez, construimos confianza, comprensión y conexión. Si eliges abrazar la conversación «¿Cómo nos sentimos?», estás aprovechando un proceso neuroquímico que impulsa nuestras relaciones más importantes.

«¿Cómo nos sentimos?» es esencial porque revela lo que está ocurriendo en nuestra mente, y abre un camino a la conexión.

Tiempo atrás, a Nick Epley se le daba fatal escuchar. Tan mal, de hecho, que estuvo a punto de echar su vida a perder. Había crecido en una pequeña localidad de Iowa, era una estrella del fútbol americano en el instituto, todo lo arrogante y seguro de sí mismo que podáis imaginar. Entonces, una noche, durante el penúltimo año de instituto, conducía hacia casa tras una fiesta en la que se bebió mucho, zigzagueando entre carriles, cuando lo pararon por conducir bajo los efectos del alcohol. El policía vio la chaqueta del equipo de Epley, que pareció despertarle lástima por la estupidez de la juventud. Así que, en lugar de esposarle, le soltó un sermón: si no das un giro a tu vida, vas a acabar en un sitio muy desagradable. Luego llamó a los padres de Epley y les dijo que fueran a recoger a su hijo.

Durante los meses siguientes, su madre y su padre le sermonearon sin descanso acerca de los peligros del camino que había tomado. Le dijeron que entendían lo difícil que es ser un adolescente; se daban cuenta de que quería impresionar a sus amigos y tantear sus límites; comprendían su deseo de experimentar. Después de todo, ellos también habían sido adolescentes. Pero les preocupaba que tomara malas decisiones. Epley apenas prestaba atención. «Me resbalaba», me contó. No eran más que adultos diciendo las cosas que se supone que dicen los adultos.

Unos meses más tarde, lo pararon por conducir bajo los efectos del alcohol por segunda vez. Otro policía le soltó un sermón similar y, de nuevo, le dejó marcharse tras llamar a sus padres. Llegados a ese punto, estos decidieron que era hora de buscar ayuda profesional.

Epley empezó a reunirse con una orientadora y se preparó para más críticas y sermones. Pero esta no tenía nada que ver con sus padres, por no mencionar al resto de los adultos que había conocido. No le soltaba discursos ni le decía que tenía que dar un giro a su vida. No le aseguraba que entendía de dónde venía ni le daba consejos. En lugar de eso, se limitó a hacerle preguntas: «¿Por qué estuviste bebiendo?», «¿Cómo habrías reaccionado si hubieses atropellado a alguien?», «¿Qué ocurriría con tu vida si te hubiesen detenido o hubieses resultado herido o hubieses matado a otra persona?».

«Tuve que pararme a pensarlo —me dijo Epley—. No podía fingir que no conocía las respuestas».[66]

Las preguntas en sí no aludían a las emociones de Epley, pero, inevitablemente, él se emocionó al responder. Le empujaban a hablar de sus creencias y valores, cómo se sentía, qué le producía ansiedad, qué temía. Volvía a casa de cada sesión exhausto y avergonzado, asustado y enfadado, y sobre todo confundido, una mezcla complicada de sentimientos que normalmente tardaba días en desenmarañar. Fueron algunas de las conversaciones emocionalmente más intensas de su vida, pese a que la terapeuta nunca le pidió que describiera sus sentimientos.

Esas sesiones también parecieron desbloquear algo. Epley empezó a hablar con sus padres acerca de lo que sentía, y a escuchar, por primera vez, cuando ellos le describían sus propias vidas emocionales. Su padre mencionó un día, unos años antes, en que Epley se había ido de casa por la mañana temprano sin decírselo a sus padres. Fueron al sótano a buscarle y vieron que faltaba un rifle. Entraron en pánico. ¿Iba a suicidarse? Su padre describió el dolor y el terror hasta que Epley volvió a casa, ileso y molesto por la preocupación de sus padres, explicando con malos modos que se había ido de caza con sus amigos. Mientras su padre relataba aquel día, Epley rememoró aquel momento, recordó que su padre estaba alterado, y que no había hecho ni caso del pánico de sus padres porque en aquel entonces le había parecido muy ridículo. No había sido capaz de entender que le querían. Pero el amor comporta las obligaciones de mantenerse a salvo, de decir a otros cuándo te vas o adónde vas, de no hacer caso omiso de las preocupaciones de los padres. «Aquella conversación cambió nuestra relación —me dijo Epley—. Sentí que tenía mucha suerte de poder ser capaz de ver a mi padre al fin como una persona real y compleja».

Tras la segunda sesión con la terapeuta, Epley decidió dejar de beber. Luego empezó a tomarse los estudios en serio. Con el tiempo, se matriculó en el St. Olaf College, donde descubrió la psicología. Después de obtener el título, entró en un programa de doctorado en Cornell.

Mientras estudiaba allí, Epley empezó a pensar más en por qué, después de que estuvieran a punto de detenerle dos veces, se había negado a escuchar. «A veces echas la vista atrás y te preguntas: "¿Por qué hacía oídos sordos de esa forma?"». ¿Por qué no le habían asustado directamente los sermones de los agentes de policía? ¿Por qué le había resultado tan fácil ignorar a sus padres cuando le habían suplicado, adulado e intentado ayudarle de todo corazón?

Para 2005, Epley era profesor en la Universidad de Chicago. Estaba casado, empezaba a tener hijos a su vez y le aterraba que, algún día, se convirtieran en adolescentes que le excluyeran y se negaran a oírle. Quería entender cómo convencerles de que le escucharan.

Por entonces, en psicología imperaba una teoría que afirmaba que, para comprender a otros —y convencerles de que nos escuchasen—, teníamos que adoptar lo que se conoce como «toma de perspectiva»: debíamos intentar ver una situación desde la perspectiva de la otra persona y mostrarle que empatizábamos. Las revistas de psicología apuntaban que «para comunicarnos de forma efectiva, debemos adoptar la perspectiva de otra persona mientras hablamos y mientras escuchamos».[67] Los libros de texto enseñaban que «la toma de perspectiva no solo promueve una comprensión interpersonal mayor», sino que también «constituye una habilidad vital para los negociadores muy poderosos».[68, 69]

Cuando Epley recordaba sus experiencias en el instituto, se daba cuenta de que sus padres, a su propia manera, habían estado intentando adoptar la toma de perspectiva después de que condujera borracho y estuvieran a punto de detenerle. Habían tratado de ponerse en su lugar. Habían intentado forjar una conexión imaginando la presión bajo la que se encontraba. Esperaban que demostrándole su empatía se convencería de que escuchase sus consejos.

Pero, en todo caso, la toma de perspectiva de sus padres le había dejado claro, en ese momento, hasta qué punto no lo comprendían. Cuando intentaban compadecerse de él, cuando compartían historias de sus propios errores de adolescencia, lo único que oía Epley era a adultos que no tenían ni idea de lo que implicaba ser un adolescente en los tiempos que corrían.

Sus padres no habían sido capaces de conectar con él porque no habían comprendido cómo se sentía. Y eso se debía a que nunca se lo habían preguntado. Nunca le habían inquirido por su ira o su incertidumbre, nunca le habían preguntado por qué encontraba tan necesario ponerse a prueba bebiéndose todas aquellas cervezas. Aunque lo hubieran hecho, Epley no habría sabido qué decir. Ni él mismo entendía lo que ocurría dentro de su mente, no hasta que empezó a hablar con la terapeuta y ella, en vez de intentar ponerse en su lugar, se había limitado a hacerle preguntas que suscitaban respuestas emocionales: «¿Por qué tomas estas decisiones?», «¿Es este quien quieres ser?». Luego había escuchado y había formulado hábiles preguntas de seguimiento y eso, de algún modo, había inspirado a Epley a empezar a escucharla, y luego a sí mismo, hasta que se había dado cuenta de que necesitaba un cambio.

Ahora, como adulto, Epley se preguntaba si los libros de psicología lo habían entendido mal.[70] Quizá el enfoque correcto no fuera intentar ponerse en el lugar de alguien. Eso, después de todo, era imposible. Más bien, tal vez lo mejor que puedes hacer sea preguntar. Preguntar por la vida de la gente, por lo que siente, por sus esperanzas y temores, y luego escuchar sus luchas, sus decepciones, alegrías y ambiciones.

Oír a la gente describir su vida emocional es importante porque, cuando hablamos de nuestros sentimientos, estamos describiendo no solo lo que nos ha ocurrido, sino por qué hemos hecho determinadas elecciones y cómo entendemos el mundo. «Cuando describes cómo te sientes, estás dando a alguien un mapa de las cosas que te importan —dijo Epley—. Por eso conecté con mis padres, porque por fin comprendí lo que les importaba. Entendí que tenían miedo y se preocupaban, y solo querían que yo estuviese a salvo».

De ahí que la conversación «¿Cómo nos sentimos?» sea tan crucial. Cada diálogo se ve determinado por nuestras emociones, y cuando sacamos esos sentimientos a la superficie —cuando los compartimos y pedimos a los demás que los compartan con nosotros—, empezamos a ver cómo podríamos alinearnos.

Las tres conversaciones

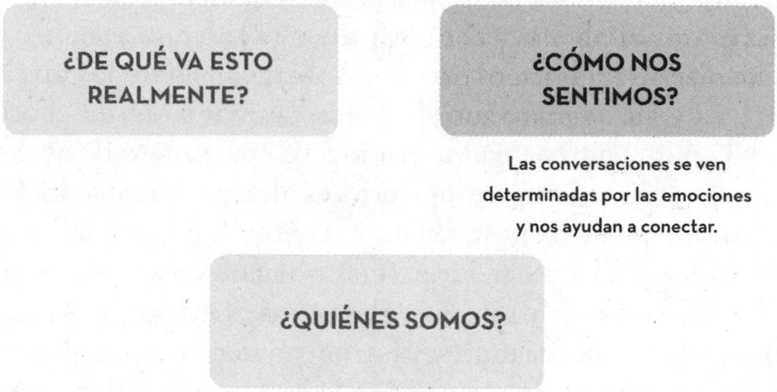

Epley empezó a pensar que debía haber una alternativa a la toma de perspectiva. Tal vez existiera una técnica diferente para ayudar a la gente a hacer el tipo de preguntas que alientan a expresar las emociones? Quizá, en lugar de «tomar» perspectiva, deberíamos centrarnos en «obtener» perspectiva, en pedir a la gente que describa su vida interior, sus valores, creencias y sentimientos, las cosas que más le importan. Epley sentía que había algo en hacer preguntas —las preguntas correctas— que contenía las semillas de la verdadera comprensión.[71]

Pero ¿cuáles eran las preguntas correctas?

Las preguntas correctas

En 1995, Elaine y Arthur Aron, un matrimonio de psicólogos de investigación de la Universidad Estatal de Nueva York-Stony Brook, colocó dos sillas sobre una alfombra de un naranja vivo en una sala sin ventanas e invitó a desconocidos, por parejas, a entrar, sentarse y turnarse para formularse una lista de preguntas. Ninguno de los participantes —que con el tiempo superaron los trescientos— se conocía antes de entrar en la sala, y cada sesión duraba tan solo sesenta minutos. Los investigadores habían seleccionado con anterioridad las preguntas, que iban desde la frivolidad («¿Cuándo fue la última vez que cantaste para ti?») a lo profundo («Si fueses a morir esta noche sin ninguna oportunidad de comunicarte con nadie, ¿qué es lo que más lamentarías no haberle dicho a alguien?»).

Después, cada participante se iba por su lado; no se indicó a nadie que mantuviera el contacto. Sin embargo, cuando los investigadores hicieron el seguimiento siete semanas más tarde, descubrieron que el 57 por ciento habían buscado a su compañero de conversación en los días y semanas posteriores al experimento. El 35 por ciento de los participantes se había encontrado para socializar. Una de las parejas salió a cenar, luego fueron al cine varias veces y empezaron a quedar fines de semana y después de vacaciones. Al cabo de alrededor de un año, cuando se casaron, invitaron a todos los miembros del laboratorio de psicología a la ceremonia. «El impacto iba más allá de todas nuestras expectativas —me dijo Arthur Aron—. Aún hoy me sigue sorprendiendo. No teníamos ni idea de en qué se convertiría esto».

Los Aron habían lanzado su estudio para comprobar si existía «una metodología[72] para crear intimidad», una técnica que pudiera generar conexión. En particular, querían ver si era posible convertir a desconocidos en amigos. Otros experimentos habían revelado una larga lista de factores que no tuvieron ningún impacto. Los investigadores habían descubierto que simplemente porque dos personas tuvieran experiencias o creencias en común —las dos iban a la misma iglesia y fumaban, o las dos eran ateas que odiaban el tabaco—, estas similitudes, por sí solas, no bastaban para fomentar la camaradería. Distintos estudios han demostrado que pedir a la gente que charle, hagan puzles juntos o se cuenten chistes no tiene ninguna efectividad para crear una sensación de intimidad. Limitarse a informar a los participantes en el estudio «Nos hemos esforzado mucho en emparejaros» y «esperamos que tú y tu compañero os gustéis el uno al otro» no significaba necesariamente que las personas fuesen a gustarse en absoluto.[73]

De hecho, solo hubo un método que los Aron probaron que podía ayudar a desconocidos a crear una conexión: una serie de treinta y seis preguntas que, como escribieron Elaine y Arthur Aron más tarde, suscitaba «sinceramiento prolongado, recíproco, personalista».[74] Estas preguntas acabaron conociéndose como el Procedimiento de Amistad Rápida, y se hicieron famosas entre sociólogos, psicólogos y lectores de artículos con títulos como «Las 36 preguntas que llevan al amor».

Lo que resulta especialmente interesante sobre el Procedimiento de Amistad Rápida es que las treinta y seis preguntas se escogieron un poco al azar, al menos al principio. Algunas procedían de un juego llamado The Ungame, que era popular entre porreros y universitarios (un grupo demográfico que incluía a unos cuantos de los ayudantes de investigación de los Aron). Otras preguntas surgieron durante pausas para el café o de quienquiera que estuviera al alcance del oído cuando iban todos a un bar. «No hubo mucho de lo que llamarías "ciencia estricta" en cómo encontramos las preguntas al principio —me contó Ed Melinat, uno de los estudiantes de posgrado de los Aron—. Debimos de dar con, no sé, doscientas, y luego hicimos pruebas hasta que descubrimos cuáles funcionaban mejor».

Los investigadores dieron por sentado que el mejor enfoque consistía en comenzar con preguntas triviales, seguras («¿A quién invitarías a cenar a tu casa?»), y poco a poco llegar a cosas más profundas. «Resultaba extraño pedir a la gente que empezara a desnudar su alma en el acto —dijo Melinat—. Así que decidimos comenzar con algo sencillo».

Para la pregunta siete («¿Tienes alguna corazonada secreta sobre cómo morirás?») a la gente se le pedía que revelase sus inquietudes más profundas. Para la pregunta veinticuatro («¿Qué sientes con respecto a la relación con tu madre?») y veintinueve («Comparte un momento vergonzoso con tu pareja»), se pedía a los participantes que describieran sus relaciones más íntimas y recuerdos más dolorosos. La pregunta treinta y cinco («De todos los miembros de tu familia, ¿la muerte de cuál encontrarías más perturbadora?) resultaba tan personal que los participantes a menudo la formulaban, y la respondían, prácticamente en un susurro. La última pregunta era de respuesta abierta («Comparte un problema personal con tu pareja y pídele consejo») y, para entonces, uno o ambos participantes con frecuencia estaban llorando.

La importancia de la vulnerabilidad

Mientras el equipo de Stony Brook trataba de detectar las mejores preguntas, se quedaron de piedra ante un problema aparentemente sencillo: ¿cómo distingues las preguntas emocionales de las no emocionales?

Había algunas preguntas —como «¿Te gustaría ser famoso?»— que podían ir en ambas direcciones. Para algunas personas, la respuesta era un simple sí o no. Para otras, abría las compuertas de confesiones en las que desnudaban el alma, de sueños pasados y ambiciones frustradas. Así que ¿esa pregunta constituye una invitación fiable al sinceramiento emocional o un ejemplo de charla intrascendente?

Con el tiempo, los investigadores idearon la forma de calibrar si una pregunta tenía visos de provocar una respuesta emocional: preguntas relativas a experiencias cotidianas u opiniones no controvertidas —como «¿Cómo celebraste el último Halloween?» o «¿Cuál es el mejor regalo que te han hecho nunca?»— tendían a brindar respuestas no emocionales.[75]

En contraste, las preguntas que empujaban a la gente a describir sus creencias, valores o experiencias significativas tendían a resultar en respuestas emocionales, aunque las preguntas en sí no lo parecieran. Este tipo de preguntas eran poderosas porque a menudo empujaban a la gente a revelar vulnerabilidades. Cuando alguien pregunta «¿Qué es lo que más valoras en una amistad?» (pregunta dieciséis), quizá no resulte tan penetrante emocionalmente, pero con frecuencia provoca respuestas inesperadamente reveladoras acerca de incidentes pasados de dolor o traición, o expresiones de amor hacia amigos, y otras inquietudes o placeres. Tales preguntas facilitan indagar en seguimientos aún más profundos («¿Qué dijiste después de que rompiera contigo?»).[76]

En otras palabras, la diferencia entre una pregunta trivial y una que crea una oportunidad de conexión emocional es la vulnerabilidad. Y esta es lo que otorga tanto poder a «¿Cómo nos sentimos?».

Contagio emocional

Para los Aron, la idea de que la vulnerabilidad era importante tenía todo el sentido, en parte porque se sustenta en un fenómeno psicológico bien documentado conocido como «contagio emocional».[77] A principios de los años noventa, una serie de experimentos había mostrado que los humanos por lo general «sincronizan sus propias emociones con las expresadas por los que les rodean». Esta sincronización a veces es deliberada, como cuando elegimos empatizar con otra persona; más a menudo es automática, se produce al margen de nuestra consciencia, haciendo que se nos salten las lágrimas, o nos enfademos o nos enorgullezcamos por otra persona, tanto si queremos como si no.

Este contagio se halla en la raíz de la conversación «¿Cómo nos sentimos?» y explica por qué las emociones influyen en nuestros diálogos, incluso cuando no las reconocemos. «El contagio emocional es un proceso bastante primitivo —observó un estudio publicado en 2010—. Los hombres y las mujeres tienden a "coger" expresiones de alegría, amor, ira, miedo y tristeza». El contagio emocional, creen los expertos, evolucionó porque ayudaba a los humanos a establecer vínculos con otras personas. Empieza prácticamente al nacer: según un estudio, «los bebés de diez semanas podían imitar, y lo hacían, las expresiones faciales de felicidad, tristeza e ira de sus madres».[78] Este instinto ha evolucionado en nuestro cerebro para que nos sintamos bien cuando conectamos con otras personas y, por consiguiente, aumenten las probabilidades de que forjemos alianzas y amistades, familias y sociedades.

No obstante, el contagio emocional debe activarse con algo, y uno de los desencadenantes más fiables es la vulnerabilidad. Somos más proclives al contagio emocional cuando oímos a otra persona expresar —o cuando revelamos nosotros mismos— creencias y valores profundamente arraigados, o cuando expresamos algo más que nos expone al juicio de otros. Son los mismos factores que utilizaron los Aron para distinguir las preguntas profundas de las triviales.

En otras palabras, nos volvemos más susceptibles al contagio emocional, y más contagiosos emocionalmente, cuando compartimos algo sin tapujos, algo que otra persona podría juzgar. Es posible que no nos importe que nos juzgue, podríamos olvidarlo en cuanto lo oímos, pero el hecho de exponernos al escrutinio ajeno produce una sensación de intimidad. Para profundizar, tenemos que ofrecer nuestra vulnerabilidad. «Cuanto más fuerte sea una emoción, más probable será el contagio —me dijo Amit Goldenberg, un psicólogo investigador de Harvard—. Y la vulnerabilidad es una de nuestras emociones más fuertes. Estamos programados mentalmente para percibirla».

Esto explica por qué el Procedimiento de Amistad Rápida es tan efectivo y aclara qué tipos de preguntas es más probable que ayuden a la gente a alinearse emocionalmente. Hay un ciclo: formular preguntas profundas sobre sentimientos, valores, creencias y experiencias crea vulnerabilidad. Esta provoca el contagio emocional. Y eso, a su vez, nos ayuda a conectar.

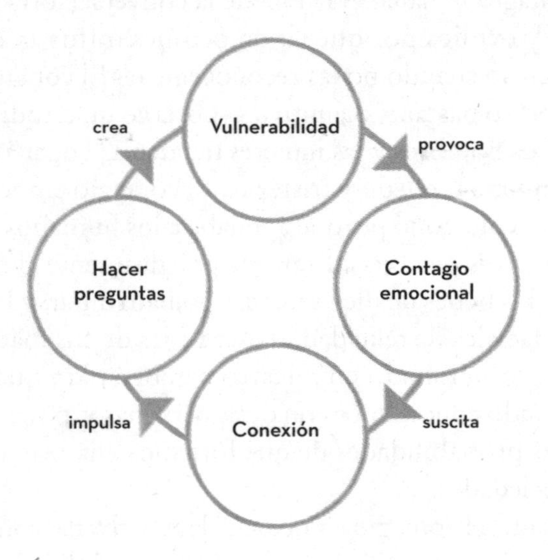

Cuando los Aron continuaron explorando este tipo de fenómenos, descubrieron otro detalle interesante: el Procedimiento de Amistad Rápida funcionaba solo si los participantes se turnaban a la hora de hacerse preguntas. En un experimento aparte, se pidió a cada participante que respondiera a las treinta y seis preguntas del tirón mientras su compañero escuchaba, y a continuación intercambiaron posiciones.[79] Los voluntarios dijeron que la experiencia había sido incómoda y aburrida. Nadie sintió mayor intimidad después. Pero cuando los Aron, en su experimento, dijeron a la gente «comparte tu respuesta con tu compañero, luego déjalo a él o a ella que comparta su respuesta a la misma pregunta contigo», la gente empezó a crear vínculos. «La reciprocidad es esencial —me dijo Arthur Aron—. Es una de las fuerzas más poderosas del mundo. Si no existe reciprocidad, entonces la gente no se adapta a los altibajos emocionales del otro».

De nuevo, es el principio de encaje —que dice que la comunicación requiere reconocer qué tipo de conversación se está produciendo y luego acoplarse a ella— en acción. Esas treinta y seis preguntas son efectivas porque ayudan a la gente a encajar emocionalmente, y el vaivén anima a todo el mundo a ofrecer, y luego reciprocar, vulnerabilidad.[80] Esto también demuestra por qué no basta con la imitación. «La reciprocidad tiene matices», dijo Margaret Clark, profesora de Psicología en Yale.[81] Si alguien revela algo devastador, como un diagnóstico que da miedo o la muerte de un progenitor, no nos une si lo utilizamos como excusa para hablar de nuestra propia salud o de un familiar que falleció hace tiempo. «No quieres exponerte», me explicó Clark. En lugar de eso, la reciprocidad significa pensar en cómo mostrar empatía. A veces requiere simplemente reconocer las emociones de alguien y mostrarle que te importa. «Es ser sensible a las necesidades de otros», dijo Clark.

Es más, la vulnerabilidad puede significar cosas distintas en escenarios diferentes. Por ejemplo, los científicos han encontrado un doble rasero perturbador en algunos lugares de trabajo: cuando los hombres expresan emociones como la ira o la impaciencia, por lo general se percibe como una señal de confianza, incluso de buen liderazgo. Cuando un hombre llora en el trabajo, es una prueba de cuánto le importa. Pero si una mujer expresa emociones como la ira o la tristeza, «es más probable que sufra consecuencias sociales y profesionales negativas —descubrió un estudio de 2016—. Las mujeres sufren castigos sociales y económicos por expresar emociones clasificadas como masculinas [...] Al mismo tiempo, cuando las mujeres expresan emociones clasificadas como femeninas, se las juzga como demasiado sentimentales y carentes de control emocional, lo que en última instancia mina la competencia y la legitimidad profesional de las mujeres». Este tipo de raseros desiguales pueden hacer que algunas muestras de vulnerabilidad resulten arriesgadas.[82]

Sin embargo, a pesar de estas complejidades, las ideas del Procedimiento de Amistad Rápida, unidas a la investigación de Epley, son útiles porque nos proporcionan un marco de conexión emocional: si quieres conectar con alguien, pregúntale cómo se siente y luego revela tus propias emociones. Si otros describen un recuerdo doloroso o un momento de alegría, y revelamos nuestras propias decepciones o lo que nos hace sentir orgullosos, esto nos proporciona una oportunidad de aprovechar los elementos neuroquímicos que han evolucionado para ayudarnos a sentirnos más cercanos. Crea una oportunidad para el contagio emocional.

La conversación «¿Cómo nos sentimos?» es una herramienta que actúa invitando a otros a revelar sus vulnerabilidades, para luego ser vulnerables a nuestra vez.

LA CONEXIÓN EMOCIONAL
se produce al formular preguntas profundas
y reciprocar vulnerabilidad.

Estas ideas son útiles, pero eso no las convierte en consejos prácticos. Después de todo, resulta fácil formular preguntas profundas cuando estás en un laboratorio y un científico te ha entregado una lista a partir de la cual trabajar. Pero ¿cómo profundizas en el mundo real?

PROFUNDIZAR RÁPIDO

Imagina que acabas de conocer a alguien. El amigo de un amigo, o un compañero de trabajo al que acaban de contratar, o quizá tengas una cita a ciegas. Los dos os presentáis, habláis un poco de vosotros. Os quitáis de encima «¿De qué va esto realmente?». Entonces se produce una pausa, un silencio expectante.

¿Qué deberías decir a continuación?

El Procedimiento de Amistad Rápida sugiere que hagas una pregunta. Pero no puedes avanzar por las treinta y seis, no aquí. De modo que quizá pases a la pregunta tres: «Antes de llamar por teléfono, ¿alguna vez ensayas lo que vas a decir?». O, dado que el tiempo es oro, profundiza con la pregunta dieciocho: «¿Cuál es tu recuerdo más terrible?».

No necesitas un doctorado en Psicología para darte cuenta de que no es un gran plan. Formular esta clase de preguntas a un desconocido, fuera de un laboratorio de psicología, te asegurará que pases la noche solo. En el mundo real, las treinta y seis preguntas son de escasa ayuda real.

Entonces ¿qué tipo de preguntas deberíamos hacer?

En 2016, un grupo de científicos de Harvard empezó a preguntarse lo mismo. Analizaron cientos de conversaciones grabadas durante eventos como encuentros de citas rápidas y valoraron cuáles tenían éxito (medida por las personas que decían que querían quedar en una cita real) y cuáles no (si la gente indicaba que no quería ir más allá). Descubrieron que durante las conversaciones exitosas, la gente tendía a hacer el tipo de preguntas que generaban respuestas en las que se expresaban «necesidades, objetivos, creencias [y] emociones», como escribieron más tarde los investigadores. En conversaciones infructuosas, la gente hablaba sobre todo de sí misma o hacía preguntas triviales, del tipo que no revelaban nada de lo que sentía su interlocutor.[83]

En otras palabras, si quieres mantener una conversación fructífera con alguien, no tienes que preguntar por sus peores recuerdos o cómo se preparan para llamar por teléfono. Solo tienes que pedir que te describan cómo se *sienten* en referencia a su vida —más que a los hechos de su vida— y luego hacer un montón de preguntas de seguimiento.

Las preguntas sobre hechos («¿Dónde vives?», «¿A qué universidad fuiste?») a menudo no llevan a ninguna parte. No hacen que afloren valores o experiencias. No invitan a la vulnerabilidad.

Sin embargo, esas mismas preguntas, ligeramente reformuladas («¿Qué te gusta de donde vives?», «¿Cuál era tu parte favorita de la universidad?»), invitan a otros a compartir sus preferencias, creencias y valores, y a describir experiencias que hicieron que crecieran y cambiaran. Esas preguntas generan respuestas emocionales con más facilidad y prácticamente suplican reciprocidad por parte de quien las formula —que revele, a su vez, por qué vive en ese barrio, con qué disfrutó en la universidad— hasta que todos participan, preguntando y respondiendo.

«Puede que parezca difícil reformular preguntas de un modo que resulte vulnerable —me dijo Epley—. Pero en realidad es bastante fácil una vez que empiezas a buscarlo. Como cuando estoy en un tren, hablando con gente que va al trabajo, y quizá pregunto «¿A qué te dedicas?». Y entonces tal vez digo «¿Te gusta ese trabajo?» o «¿Hay algo más que sueñas hacer?». Y justo ahí, con solo dos preguntas, ya has llegado a los sueños de alguien.

PREGUNTAS TRIVIALES... *PUEDEN VOLVERSE PROFUNDAS*

¿Dónde vives?
¿Qué te gusta de tu barrio?

¿Dónde trabajas?
¿Cuál era tu trabajo favorito?

¿A qué universidad fuiste?
¿Cuál era la mejor parte de la universidad?

¿Estás casado?
Háblame de tu familia.

¿Cuánto hace que vives aquí?

¿Tienes algún hobby?
Si pudieses aprender cualquier cosa, ¿qué sería?

¿A qué instituto fuiste?
¿Qué aconsejarías a un estudiante de instituto?

¿De dónde eres?
¿Qué es lo mejor del lugar en el que creciste?

Es más, esa clase de preguntas profundas pueden ayudar a luchar contra las injustas discrepancias entre cómo se permite a hombres y mujeres, además de otros grupos, expresar emociones. En parte, este tipo de preguntas tienen éxito porque permiten respuestas vulnerables sin exigirlas. No parecen avasalladoras o fuera de lugar dentro de, pongamos, una oficina. Pero socavan los dobles raseros, pues empujan a la gente a pensar un poco más cómo responder. «Una razón por la que las mujeres se ven penalizadas por hablar de emociones es porque esto cae dentro de los estereotipos», dijo Madeline Heilman, profesora de Psicología en la Universidad de Nueva York, que estudia el sexo y los sesgos. Los humanos tendemos a ser cognitivamente perezosos: nos basamos en estereotipos y suposiciones porque nos permiten hacer juicios sin pensar demasiado. «De modo que cuando una mujer habla de sus emociones, puede resultar dañino, porque da a los oyentes permiso para asumir que un estereotipo —las mujeres son demasiado emocionales— es cierto». Pero diversos estudios demuestran que cuando las mujeres, al igual que otros grupos infrarrepresentados, formulan preguntas profundas, «es posible que la gente reevalúe cómo te ve», declaró Heilman. Formular una pregunta cargada de significado como «¿Cuál es la mejor parte de trabajar aquí?» empuja al oyente a pensar antes de contestar, y «a veces con eso basta para que empiecen a cuestionar sus suposiciones y a escuchar más», aseguró Heilman.[84]

Se produjo otro hallazgo fundamental en el estudio de Harvard relacionado con las citas rápidas: las preguntas de seguimiento son especialmente poderosas. «El seguimiento es una señal de que estás escuchando, de que quieres saber más», me contó Michael Yeomans, uno de los investigadores.[85] Las preguntas de seguimiento facilitan la reciprocidad («Tu parte favorita de la universidad era el *frisbee* extremo? ¡La mía también! ¿Aún te gusta jugar?»). «Permiten sincerarse sin que parezca que están obsesionados consigo mismos —dijo Yeomans—. Hace que fluya una conversación».

He aquí cómo hacer preguntas emocionales en el mundo real: interpela a alguien sobre cómo se siente acerca de algo y luego prosigue con preguntas que revelen cómo te sientes tú. Se trata del mismo marco para la conexión emocional descrito antes, pero con una apariencia ligeramente distinta: si hacemos preguntas que llevan a la gente a pensar y a hablar de sus valores, creencias y experiencias, y después reciprocamos con emociones propias, no podemos evitar escucharnos unos a otros. «Los que mejor escuchan no se limitan a eso —dijo Margaret Clark, la psicóloga de Yale—.

Están provocando emociones al formular preguntas, expresar sus propias emociones, hacer cosas que empujan a la otra persona a decir algo real».

La alegría de la reciprocidad

«Como he mencionado —contó Epley a la sala de gestores de fondos de cobertura—, se les ha emparejado con alguien a quien no conocen para que mantengan una conversación de diez minutos».

Muchos de los presentes habían viajado en avión para asistir al evento y no se conocían de antes. Epley explicó que estaba llevando a cabo un experimento, y cada persona tendría que preguntar y responder a varias preguntas específicas con su acompañante: «Si una bola de cristal pudiera predecir tu futuro, ¿querrías saberlo?». «¿Por qué te sientes más agradecido?». Y «¿Puedes describir una vez en la que lloraste delante de otra persona?».[86]

Epley podría haber empezado poco a poco —con una pregunta como «¿Adónde fuiste en tus últimas vacaciones?»— antes de profundizar. Los Aron, al crear el Procedimiento de Amistad Rápida, habían dado por supuesto que debían empezar con preguntas más triviales.

Pero Epley sospechaba que esa suposición era errónea.[87] Él barajaba la hipótesis de que las preguntas profundas, vulnerables, eran más fáciles de hacer —y se respondían con mayor placer— de lo que la mayoría de la gente pensaba. En ese momento tenía una oportunidad de poner a prueba esa teoría.[88]

Antes de que empezaran las conversaciones, Epley pidió a todo el mundo que sacara el móvil para hacer una encuesta rápida que calcularía lo incómoda que anticipaban que sería este diálogo. Los datos, a medida que entraban, proporcionaban una clara respuesta: la gente temía este ejercicio. Pensaban «que no les gustaría mucho su compañero, no disfrutarían mucho de la experiencia y sería bastante incómodo», me contó Epley.

A continuación, todo el mundo se dispuso por parejas y empezó a hablar. Epley no podía oír la mayor parte de lo que se decía, pero unos minutos más tarde, vio a alguien que se secaba las lágrimas del rostro. No mucho después, un hombre y una mujer se abrazaron. Al cabo de diez minutos, pidió a todo el mundo que parara. Hicieron caso omiso. Epley lo intentó de nuevo.

—Disculpen —dijo, más alto esta vez—. ¿Podrían concluir sus conversaciones, por favor?

Finalmente, al cabo de veinte minutos, Epley logró imponer silencio en la sala.

Llegados a ese punto, los participantes sacaron el móvil y rellenaron otro cuestionario acerca de lo incómoda que había sido realmente la conversación. Mientras se recogían los datos, Epley les pidió que describieran lo que había ocurrido.

—Ha sido increíble —dijo un participante.

Al principio se había mostrado poco entusiasta acerca del ejercicio, explicó, pero algo había ocurrido una vez formulada la pregunta del llanto: había respondido con toda la sinceridad que había podido describiendo el funeral de un primo cercano. Y entonces su compañero se inclinó hacia él, le agarró el hombro y empezó a consolarle, diciéndole que no pasaba nada, llorando a su vez. Luego, su compañero había empezado a revelar cosas de sí mismo —cosas íntimas, personales— sin presión.

—Ha sido la mejor conversación que he mantenido en meses —aseguró el hombre.

Cuando Epley informó después de esta y otras iteraciones del experimento en el *Journal of Personality and Social Psychology* en 2021, escribió que los participantes «en general esperaban que las conversaciones fuesen más incómodas y llevaran a conexiones más débiles y menos felicidad de lo que fueron en realidad». Ha efectuado versiones de este ejercicio con estudiantes, desconocidos en parques públicos, políticos, abogados, empleados de tecnológicas y gente reclutada online. Cada vez, los resultados son los mismos: los datos muestran que la gente se siente «considerablemente más conectada con su compañero de conversación profunda», después de preguntar y responder solo a algunas preguntas. La sensación de vulnerabilidad procedente de «compartir información personal sobre experiencias pasadas, preferencias o creencias» y decir cosas en voz alta que «dejan a la gente sintiéndose más vulnerable a las evaluaciones de otros», hace que los participantes se sientan «más conectados», «más bondadosos» y que «escuchen con mayor atención». Cuando Epley miró para comprobar si había distinciones en las experiencias de hombres y mujeres, no descubrió diferencias de sexo significativas, me dijo. Desde los financieros más ricos a los desconocidos online más distantes, «todos ansiamos conexiones reales», dijo. Todos queremos mantener conversaciones significativas.[89]

Decenas de estudios más de la Universidad de Utah, la Universidad de Pennsylvania, Emory, y otros lugares han descubierto que las personas que hacen muchas preguntas durante las conversaciones —en especial aquellas que invitan a respuestas vulnerables— son más populares entre los colegas y vistas más a menudo como líderes. Tienen más influencia social y acuden a ellas con más frecuencia en busca de amistad y consejo. Cualquiera de nosotros puede hacer esto en casi cualquier escenario o conversación, ya sea con un compañero de habitación o de trabajo, o con alguien a quien acabamos de conocer. Simplemente necesitamos preguntar a la gente cómo se siente y reciprocar la vulnerabilidad que comparten con nosotros.[90]

En un experimento, los investigadores instruyeron a los participantes para que preguntaran a desconocidos y amigos cosas como «¿Has cometido un delito alguna vez?». Los investigadores descubrieron que «los que preguntaban daban por sentado que hacer preguntas delicadas incomodaría a sus compañeros de conversación y dañaría sus relaciones. Pero, de hecho, no dejamos de ver que se equivocaban en ambos casos». Hacer preguntas profundas es más fácil de lo que la mayoría de la gente cree, y más gratificante de lo que esperamos.[91]

Los diálogos en los que resulta más difícil encajar son los emocionales

La primera vez que llamé a Epley para entrevistarle para este libro, tenía una larga lista de temas que quería abarcar, desde su investigación hasta la última vez que había llorado delante de otra persona. (El día anterior, me dijo. Había estado hablando sobre sus hijos durante la comida).

En unos minutos, sin embargo, redirigió nuestra conversación,

Epley conduciéndola con una pregunta tras otra. Me preguntó por qué había decidido convertirme en periodista, qué había hecho que me interesase en este tema, mis experiencias de vivir en California durante la pandemia. Yo no dejaba de intentar volver a mi lista de preguntas, las directas, prácticas, acerca de su trabajo. Pero él no paraba de preguntar, y luego hacía el seguimiento con preguntas cada vez más profundas, hasta que me descubrí hablándole de mi familia, de mi hermano, que se había visto en problemas legales, de mis esperanzas de que este libro ayudase a las personas a comprenderse unas a otras un poco mejor. Hablé de mí mismo sin parar, lo cual, como periodista, no es lo que se supone que debes hacer.

—Siento preguntar tanto —dijo Epley en un momento dado—. No quiero hacerte perder el tiempo.

Sin embargo, a mí no me parecía una pérdida de tiempo. Encontraba la conversación importante.

Sabemos que resulta crucial comprender qué tipo de conversación estamos manteniendo, y que es necesario, al inicio de una conversación, establecer reglas fundamentales y determinar qué clase de lógica utilizaremos para tomar decisiones juntos.

Pero con eso no basta para crear un vínculo real y duradero. Para eso necesitamos una conexión emocional. Los diálogos emocionales son vitales porque nos ayudan a dilucidar con quién estamos hablando, qué ocurre dentro de su cabeza, qué valora más. Una conversación «¿Cómo nos sentimos?» puede dar la impresión de que produce ansiedad. A veces es posible que parezca más fácil fingir que no percibimos la emoción en la voz de alguien, o hacer caso omiso de una confesión sincera, en lugar de reconocer una vulnerabilidad y revelarnos a nosotros mismos en respuesta. Pero las emociones son nuestra forma de conectar.

Cuando mi padre murió, hace unos años, y conté a la gente que hacía poco que había asistido a su funeral, algunos me ofrecieron sus condolencias. Pero casi nadie me hizo ninguna pregunta. En lugar de eso, enseguida pasaron a otros temas. Lo cierto es que estaba desesperado por hablar acerca de lo que había pasado, acerca de mi padre, acerca de los panegíricos que me habían hecho sentir tan orgulloso y triste, acerca de lo que siento al saber que no seré capaz de llamarle para darle buenas noticias. Su muerte fue uno de los acontecimientos más importantes —más emocionales y profundos— de mi vida. Habría valorado que alguien me preguntase «¿Cómo era tu padre?». Pero aparte de mis amigos más íntimos y familiares, nadie me preguntó nada, ya fuera porque no sabían cómo o porque resultaba maleducado, o ignoraban que yo quería hablar, o porque les preocupaba que, si respondía, no sabrían qué decir a continuación.

«Es más fácil juzgar a un hombre por sus preguntas que por sus respuestas», escribió el pensador del siglo XIX Pierre-Marc-Gaston de Lévis, y aun así guardó silencio acerca de cuáles, exactamente, deberían preguntarse. La ciencia nos ha proporcionado orientación: pregunta a otros por sus creencias y valores. Pregúntales por experiencias y esos momentos que les hicieron cambiar. Pregunta cómo se sienten, en lugar de sobre hechos. Reformula tus cuestiones para que sean más profundas. Haz preguntas de seguimiento. Y a medida que la gente exponga sus vulnerabilidades, revela algo acerca de ti mismo. Será menos incómodo de lo que imaginas. Será más fascinante de lo que crees. Y podría conducir a un momento de verdadera conexión.

Sin embargo, a veces cuesta encontrar el lenguaje para nuestras emociones, así que expresamos nuestros sentimientos no a través de nuestras palabras, sino de nuestros cuerpos, inflexiones vocales, suspiros y risas. ¿Cómo nos convertimos en oyentes emocionalmente inteligentes cuando la gente no habla con claridad? ¿Cómo oímos las vulnerabilidades cuando hablamos de todo *excepto* de cómo nos sentimos?

4

¿CÓMO OYES EMOCIONES QUE NADIE EXPRESA EN VOZ ALTA?

The Big Bang Theory

El primer discurso de venta de *The Big Bang Theory* —que con el tiempo se convertiría en una de las comedias de mayor éxito de la historia— estaba bastante claro: hagamos una serie sobre un grupo de genios torpes que tienen problemas para conectar con otras personas a menos que estas hablen klingon o encuentren graciosos los chistes de mecánica cuántica.

La idea se les ocurrió a los creadores, Bill Prady y Chuck Lorre, durante una lluvia de ideas en 2005. Prady llegó a Hollywood tras seguir un camino enrevesado, pues trabajó como ingeniero de software antes de asociarse con Lorre, un veterano de la televisión conocido como «el rey de las sitcoms». Un día, los dos hombres estaban trazando ideas para nuevos programas cuando Prady empezó a describir a los extraños y fascinantes personajes a los que había conocido cuando trabajaba como programador informático. Había un tío, le contó a Lorre, que era brillante escribiendo código, pero terrible en las interacciones humanas. Cada vez que iban a comer, el hombre tardaba siglos en decidir cuánto dejar de propina a la camarera.[92] «Decía cosas como: "Bueno, me ha sonreído, así que supongo que debería incrementar la propina un dos por ciento, pero solo nos ha vuelto a servir agua una vez, lo que significa que debería deducir un tres por ciento, pero no sé cómo calcular el hecho de que parecía flirtear un poco pero también ha olvidado mi nombre —contó Prady—. Podía llevarle veinte minutos pagar la cuenta. Era incapaz de hacerse a la idea del papel de las personas en todo"».

«Nunca he visto a nadie así en televisión —le dijo Lorre—. ¿Tal vez haya alguna serie ahí detrás?».

Empezaron a esbozar argumentos y personajes. Los programadores informáticos, decidieron, eran demasiado aburridos —lo único que hacen es mirar pantallas—, así que se les ocurrió la idea de un grupo de jóvenes físicos.[93] Serían el tipo de personas capaces de explicar la aproximación de Born-Oppenheimer y el gato de Schrödinger, pero que se ofuscaban con las citas o se venían abajo si alguien se sentaba en su sillón favorito durante *Battlestar Galactica*.[94]

Cada físico tendría su propia clase de torpeza. El personaje principal, Sheldon, sería nervioso, analítico y emocionalmente negado, prácticamente incapaz de leer los sentimientos de los demás o expresar los suyos. El compañero de piso de Sheldon, Leonard, anhelaría una novia, pero sería tan inepto en el plano social que invitaría a una mujer a cenar comida india explicando que «el curry es un laxante natural». Otro personaje, Raj, enmudecería cada vez que hubiera una mujer presente. Un cuarto, Howard, sería ingeniero en lugar de físico —lo que le ganaría el desdén de los demás— pero hablaría klingon y un poco de élfico, y haría gala de todo un repertorio de frases de ligoteo escandalosas. Por encima de todo, los personajes compartirían un rasgo: una incompetencia social general, una tendencia a malinterpretar las emociones de los demás y a comunicar mal sus propios sentimientos. Sería una serie acerca de cómo incluso la gente más inteligente puede pasarlo mal con la parte personal de todo.

Lorre y Prady presentaron la idea a jefes de estudio incluso antes de haber escrito el primer guion. A todo el mundo le encantó. ¡Qué personajes más originales! Encargaron un piloto. Sin embargo, cuando los guionistas empezaron a trazar el episodio inicial, surgió un problema: «Una sitcom solo funciona si sabes qué sienten los personajes», me dijo Prady.

Las comedias van tan rápido, chiste tras chiste y giro tras giro, que, para tener éxito, el público debe comprender el estado emocional de cada personaje en cuanto aparece en pantalla. Es más, «el público debe ver las relaciones emocionales entre los personajes —explicó Prady—. Tiene que saber si dos personas se pelean porque se odian o porque se aman, o si fingen que se odian porque en realidad están enamoradas». Las emociones lo son todo en televisión. «Tienen que ser evidentes», me dijo. En otras palabras, es fundamental que el público «oiga» los sentimientos de un personaje, aun cuando esas emociones no se expresen en voz alta.

Esto suponía un problema, sin embargo, porque los personajes de *The Big BangTheory* estaban *diseñados* para que se les diese mal expresar sus emociones. Sheldon, por ejemplo, las veía como un fastidio, y sentía que el mejor modo de sosegar a un amigo era señalar que «tienes toda una vida de malas decisiones por delante».[95] Leonard era capaz de explicar E=mc2, pero no podía entender por qué alguien se enfadaría por que le leyeran el diario íntimo. Este tipo de malentendidos eran la base del humor de la serie. Pero ¿cómo escribir un guion convincente cuando tus personajes son incapaces de mostrar cómo se sienten?

Una opción era que anunciaran sus sentimientos sin más; que los dijeran, no los mostraran. Aunque este enfoque presenta un problema. «Puedes escribir un diálogo como "¡Estoy enfadado porque llegas tarde a cenar!" —me explicó Prady—. Pero nadie habla así en la vida real». La gente no anuncia sus emociones. Las representa. «Alguien grita "¡Te he hecho la cena, de nada!", y es entonces cuando sabes que está enfadado», dijo Prady. Los psicólogos se refieren a este tipo de comunicación como «expresiones emocionales no verbales», y comprenden una vasta proporción de cómo expresamos nuestros sentimientos en la vida cotidiana. «Rara vez se expresan las emociones en palabras —escribió el psicólogo Daniel Goleman—. La clave para intuir los sentimientos de otra persona es la capacidad de interpretar canales no verbales: tono de voz, gesto, expresiones faciales y similares».[96]

Lorre y Prady se enfrentaban a un problema: no podían hacer que sus personajes anunciaran lo que sentían, porque era poco realista y llevaba a una televisión malísima, y no podían hacerles mostrar lo que sentían, porque, por diseño, se suponía que se les daba mal mostrar sus emociones. De modo que los guionistas intentaron yuxtaponer a los físicos con otros personajes, más hábiles emocionalmente, para establecer contrastes. Crearon a Katie, una vecina descarada que acaba de salir de una ruptura y cuyo amargo pesimismo resalta la alegría de los personajes principales. Para enfatizar el anhelo de compañía de los personajes, se inventaron a una física llamada Gilda, cuya franqueza sexual —una vez tuvo relaciones sexuales en una convención de *Star Trek* mientras estaba disfrazada, anuncia en el piloto— recalca la ingenuidad de los hombres.

Los guionistas acabaron de escribir, hicieron audiciones a actores, rodaron el piloto y lo entregaron a los jefes del estudio, que reclutaron público de prueba para proporcionar retroalimentación.[97] Esto, sin embargo, fue una mera formalidad. Todo el mundo estaba seguro de que al público le encantaría la serie.

El público la odió. Les desagradaban los personajes, en especial Gilda y Katie, a quienes encontraban tóxicas y amenazadoras. Pero, por encima de todo, el público estaba confundido. ¿Qué se suponía que debían sentir por esos personajes? ¿Los físicos eran niños inocentes o adultos sexualizados?[98] ¿Eran prodigios adorables o idiotas simplones? Ninguno de los personajes, decían los espectadores, parecía hacer clic con otros. La serie era emocionalmente desconcertante.

«No puedes hacer una comedia cuyo público no sabe qué sentir —me dijo Prady—. No pueden ser veintidós minutos de bromas sin nada que lo sostenga emocionalmente».

The Big Bang Theory no había logrado despegar. Sin embargo, los jefes del estudio ofrecieron a Lorre y a Prady una cuerda salvavidas: si reescribían el guion, podrían volver a rodar el piloto y probar de nuevo. Cuando recibió la noticia, Lorre se volvió hacia Prady. «Se lo he dicho a Bill: "Tenemos que ahondar en estos brillantes y maravillosos inadaptados y descubrir cómo dejar claro quiénes son realmente"».

Sentimientos de astronauta liofilizados

Desde la infancia, incluso antes de que aprendamos a hablar, asimilamos cómo deducir las emociones de las personas a partir de sus comportamientos: el lenguaje corporal, inflexiones vocales, miradas y muecas, suspiros y risas.[99] A medida que nos hacemos mayores, sin embargo, esta capacidad puede atrofiarse. Empezamos a prestar cada vez más atención a lo que la gente dice en lugar de a lo que hace, hasta el punto de pasar por alto pistas no verbales. El lenguaje hablado está tan lleno de información, resulta tan fiable, que nos lleva a ignorar señales de que alguien podría estar, pongamos, enfadado —brazos cruzados, ceño fruncido, mirada gacha— y en lugar de eso nos centramos en sus palabras cuando dice «No pasa nada. Estoy bien».[100]

Algunas personas, no obstante, tienen talento para detectar emociones, aun cuando no se expresen en voz alta. Exhiben una inteligencia emocional que parece ayudarles a oír lo que no se dice. Todos conocemos a gente así: amigos que parecen intuir cuándo estamos tristes, aunque no hayamos dicho nada; jefes que perciben cuándo se necesita una palabra amable, o un poco de amor duro, para ayudarnos a superar un bache en el trabajo. Es natural dar por sentado que estas personas son excepcionalmente observadoras, o más sensibles de lo normal. A veces lo son. Pero años de investigación apuntan a que se trata de una habilidad que cualquiera puede desarrollar. Podemos aprender a identificar las pistas no verbales que indican las verdaderas emociones de alguien y usar esas pistas para comprender lo que está sintiendo.

En los años ochenta, un psiquiatra de la NASA llamado Terence McGuire pensaba precisamente en esto, se preguntaba si era posible comprobar si alguien —como un candidato a un puesto de trabajo, por ejemplo— poseía las habilidades para captar los sentimientos de los demás.[101] En especial, McGuire quería identificar qué candidatos a astronauta de la NASA tenían talento para la comunicación emocional. McGuire era el psiquiatra jefe de la NASA para vuelos tripulados, a cargo de cribar a los miles de hombres y mujeres que se presentan para ser astronautas cada año. Su trabajo consistía en evaluar su buena disposición psicológica para las tensiones del espacio.

La NASA, en ese momento, se enfrentaba a un nuevo tipo de desafío. Durante la mayor parte de la historia de la agencia, los vuelos tripulados al espacio habían sido relativamente breves, en general de un día o dos, por norma no superaban la semana y media.[102] Pero, en 1984, el presidente Ronald Reagan ordenó a la NASA que empezara a trabajar en una estación espacial internacional en la que la gente pudiera vivir hasta un año.[103] Para McGuire esto significaba que la NASA necesitaba una nueva clase de astronautas y nuevos tipos de evaluaciones psicológicas. «La aparición de la estación espacial, con periodos mínimos de seis meses en un ambiente atestado del que no hay tregua, sugiere la necesidad de mayor atención a factores de personalidad», escribió McGuire a sus superiores en 1987.[104]

La NASA ya contaba con unos parámetros excesivamente altos para los astronautas potenciales: los aspirantes tenían que pasar unas pruebas físicas extenuantes; se les requería una carrera de ciencias o Ingeniería y experiencia como piloto de avión de combate; no podían ser demasiado altos (a cualquiera que superara el metro noventa y cinco de estatura, el traje espacial le quedaría pequeño) ni demasiado bajos (menos de uno cuarenta y seis, y los pies no te tocarían el suelo y podrías escurrirte de las correas de los hombros); debían mostrar que podían conservar la calma —una de las pruebas que se realizaba en ocasiones les exigía que mantuvieran la tensión estable durante maniobras bajo el agua— y manejar las tensiones (y, de manera óptima, evitar vomitar) en un avión que simulase gravedad cero.

Pero McGuire estaba convencido de que la NASA debía empezar a buscar algo más: inteligencia emocional. La idea apenas acababa de ser definida por aquel entonces por dos psicólogos de Yale, que indicaban que existía una forma de «inteligencia social que implica la capacidad para controlar los sentimientos y emociones propios y de los demás».[105] La gente con inteligencia emocional sabía forjar relaciones y empatizar con colegas, además de regular su propia emocionalidad y las emociones de los que los rodeaban. «Estos individuos —escribieron los investigadores de Yale en la revista *Imagination, Cognition and Personality* en 1990— son conscientes de sus propios sentimientos y de los de los demás. Están abiertos a aspectos positivos y negativos de experiencia interna, son capaces de etiquetarlos y, cuando resulta apropiado, comunicarlos [...] A menudo, estar con la persona emocionalmente inteligente es un placer, hace que los demás se sientan mejor. La persona emocionalmente inteligente, sin embargo, no busca el placer sin pensar, sino que más bien espera la emoción en el camino hacia el crecimiento».

Algunos acontecimientos recientes habían evidenciado la importancia de la inteligencia emocional mientras se volaba por el espacio. En 1976 se había cancelado una misión espacial soviética a medio camino después de que la tripulación empezara a experimentar delirios compartidos y a quejarse de un olor extraño que más tarde se determinó que era imaginario. Tanto Estados Unidos como la Unión Soviética habían diagnosticado depresión entre astronautas y cosmonautas durante, y después de, las misiones espaciales, y habían descubierto que ese desánimo podía llevar a riñas, paranoia y actitudes defensivas hacia los colegas.[106]

Pero las mayores preocupaciones de la NASA se centraban en fallos en la comunicación. La agencia seguía turbada por los sucesos de 1968, cuando la tripulación del Apollo 7 empezó a discutir con el centro de control mientras se precipitaba por la atmósfera. Las disputas tenían causas específicas al principio: los tres astronautas se quejaban de que les metían prisa para que completaran tareas y les daban órdenes poco claras. Pero las discusiones poco a poco se transformaron en ira y expresiones de descontento general, hasta que los astronautas discutían incluso por asuntos menores: la calidad de la comida, las órdenes de la NASA de que aparecieran en un programa de televisión próximo, diseños de mala calidad que dificultaban usar el baño, el tono de voz del centro de control.[107] Incitando estas batallas estaba el comandante de a bordo, Wally Schirra, un antiguo piloto de pruebas de la Marina con una carrera ejemplar hasta ese punto. Psicólogos de la NASA sugirieron más tarde que, debido a las tensiones emocional de la misión y el duelo por la muerte reciente de otros tres astronautas en un incendio en la cabina, Schirra se había vuelto combativo a medida que progresaba el vuelo. Tras regresar a la tierra, Schirra y su tripulación nunca volvieron al espacio.

La NASA necesitaba a gente que pudiera controlar sus sentimientos, fuera sensible a las emociones de los demás y capaz de conectar con colegas, aun cuando las tensiones se intensificaran y estuvieran atrapados en una pequeña lata a cientos de kilómetros de la tierra. McGuire llegó a la NASA en torno a la época de la debacle del Apollo 7, y durante los siguientes veinte años entrevistó a candidatos a astronauta, buscando señales de que pudieran tener tendencia a la depresión o la actitud combativa. Pero entonces, cuando se dictó que las misiones espaciales durarían más, sintió que se requería algo más: la NASA debía encontrar astronautas que no solo estuvieran libres de debilidades psicológicas, sino, de hecho, que fuesen lo contrario: gente con suficiente inteligencia emocional para vivir al lado de colegas en el espacio mientras sorteaban las tensiones, el aburrimiento, las discusiones y la ansiedad que provoca estar juntos en un lugar de trabajo pequeño que también hace las veces de espacio vital, rodeados de vacío, durante meses seguidos.

No obstante, McGuire también sabía lo difícil que resultaba cribar a los candidatos con esos rasgos. El mayor problema era que casi todas las evaluaciones psicológicas eran básicamente iguales. Daba igual qué test utilizase, qué preguntas formulase, no podía adentrarse lo suficiente en la mente de los candidatos para averiguar cómo actuarían durante una misión de seis meses o un momento de tensión en el espacio. Todos los aspirantes parecían saber qué se suponía que debían decir en las entrevistas. Habían practicado describiendo sus mayores debilidades y pesares, habían perfeccionado su explicación de cómo gestionaban el estrés. Las cribas psicológicas de McGuire no distinguían a los emocionalmente inteligentes de aquellos que lo fingían realmente bien. «Yo, como mis predecesores, he utilizado una batería formidable de exámenes psicológicos —escribió McGuire a sus superiores de la NASA—. Pero los resultados me han decepcionado».

Así que McGuire empezó a revisar veinte años de grabaciones de sonido de entrevistas de candidatos anteriores, en busca de pistas que hubiese pasado por alto, la clase de señales que distinguen al emocionalmente inteligente de todos los demás. Tenía acceso a informes personales, de modo que sabía, entre aquellos que habían sido seleccionados, qué candidatos habían pasado a convertirse en líderes fuertes y cuáles habían acabado reprobados porque no eran capaces de portarse bien.

Fue durante estas sesiones de revisión, mientras McGuire escuchaba viejas grabaciones de entrevistas, cuando advirtió algo que no había notado antes: algunos candidatos se reían de forma distinta.

Reírse de lo que no tiene gracia

La risa puede parecer un punto extraño en el que buscar la inteligencia emocional, pero, de hecho, es un ejemplo de una verdad básica de la comunicación emocional: lo importante no es oír los sentimientos de otras personas, sino *mostrar* que los hemos oído. La risa es un modo de demostrar que oímos cómo se siente alguien.

A mediados de los ochenta, unos años antes de que McGuire comenzara a buscar nuevas formas de poner a prueba a los aspirantes a astronauta, un psicólogo de la Universidad de Maryland llamado Robert Provine había empezado a ahondar en cuándo —y por qué— se reían las personas.[108] Provine y un grupo de ayudantes habían observado a la gente en centros comerciales, habían escuchado en bares y habían cogido el autobús equipados con grabadoras ocultas. Al final recogieron observaciones de primera mano de mil doscientos ejemplos de «risa humana producida de forma natural».[109]

Al principio, la hipótesis no demasiado sorprendente de Provine era que la gente se reía porque encontraba algo divertido. No tardó en darse cuenta de que se equivocaba. «Contrariamente a nuestras expectativas —informó en la revista *American Scientist*—, descubrimos que la mayor parte de la risa conversacional no es una respuesta a intentos definidos de humor, como chistes o historias. Menos del 20 por ciento de la risa en nuestra muestra era una respuesta a cualquier cosa que se pareciese a un esfuerzo formal de humor».

Más bien, la gente se reía porque quería conectar con la persona con la que estaba hablando. La gran mayoría de las risas, escribió Provine, «parecía seguir a comentarios bastante banales», como «¿Alguien tiene una goma?»; «Ha sido un placer conocerte»; y «Creo que he acabado».

«La alegría mutua, el sentimiento de pertenencia y el tono emocional positivo —no de humor— marcan los escenarios sociales de la risa que se produce de manera más natural», concluyó Provine. La risa es poderosa, escribió, porque es contagiosa, «inmediata e involuntaria, e implica la comunicación más directa posible entre personas: de cerebro a cerebro».[110]

Reímos, en otras palabras, para exponer a alguien que queremos conectar con él, y nuestros compañeros se ríen para demostrar que también quieren conectar con nosotros. Es el mismo tipo de reciprocidad que genera el Procedimiento de Amistad Rápida. Se trata de un ejemplo de contagio emocional. Por consiguiente, exhibimos inteligencia emocional no solo al oír los sentimientos de otra persona, sino mostrando que los hemos oído. La risa, y otras expresiones no verbales como jadeos y suspiros, o sonrisas y ceños fruncidos, son encarnaciones del «principio de encaje», que dice que nos comunicamos alineando nuestro comportamiento hasta que nuestro cerebro se ha acoplado.

Pero *cómo* encajamos con otras personas importa. Mientras revisaba las grabaciones, Provine advirtió algo interesante: si dos personas se reían al mismo tiempo, pero una de ellas lo hacía a carcajadas mientras la otra se limitaba a soltar una risita, normalmente no sentían más intimidad después. Cuando reímos juntos, lo que importa no es solo la risa. Son las intensidades similares —la prueba de un deseo de conectar— lo que es esencial. Si alguien suelta una risa poco entusiasta mientras nosotros estamos doblados de la risa, es probable que sintamos su escaso entusiasmo y lo veamos como una señal de que no estamos alineados, «una señal de dominación/sumisión o aceptación/rechazo», como escribió Provine. Si soltamos una ligera risita por la broma de alguien, mientras esa persona se ríe a carcajadas, los dos lo veremos como una señal de que no estamos sincronizados o, peor, de que uno de nosotros se está esforzando demasiado o el otro no lo hace lo suficiente.

Inteligencia emocional...

viene de *mostrar* a la gente que escuchamos sus emociones.

Esta observación —que la risa resulta útil porque nos ayuda a determinar si los demás quieren conectar de forma auténtica— es importante, ya que nos dice algo sobre cómo funciona el «principio de encaje»: la razón por la que imitar sin más la risa de otra persona, o las palabras que utiliza, o sus expresiones, no nos acerca más porque en realidad no muestra nada. Reflejar a alguien sin más no demuestra que de verdad queramos comprenderle. Si te ríes a carcajadas, y yo me limito a sonreír, no dará la impresión de que quiero establecer un vínculo. Parecerá indiferente o condescendiente. Lo que importa no es hablar y actuar igual, sino encajar el uno con el otro de formas que expresen el *deseo* de alinearse.

En un estudio publicado en 2016, los participantes que escuchaban grabaciones de un segundo de duración de gente riéndose eran capaces de distinguir con precisión entre amigos que se reían juntos y desconocidos que intentaban reírse igual. La risa, como muchas expresiones no verbales, es útil porque cuesta fingirla. Cuando alguien no se ríe de manera auténtica, lo notamos. Los participantes que escuchaban las grabaciones de ese estudio, basándose en un solo segundo de sonido descontextualizado, podían decir cuándo se sentía alineada la gente y cuándo era probable que lo forzasen.[111] Puede que un chiste no tenga gracia, pero si ambos acordamos reír de formas similares, estamos señalándonos el uno al otro que queremos conectar.

Humor y energía

Entonces ¿cómo señalamos a otros que estamos intentando conectar? ¿Cómo mostramos a los demás que estamos escuchando sus sentimientos, y no imitando sin más lo que dicen y cómo actúan?

La respuesta empieza con un sistema que ha evolucionado en nuestro cerebro, una especie de método atropellado para medir la temperatura emocional de otras personas con el que normalmente contamos sin advertirlo de manera consciente. Este sistema cobra vida cuando nos encontramos con otra persona y nos empuja a prestar atención a su «humor», o a lo que los psicólogos se refieren como «valencia», y a su «energía» y «excitación».[112]

Cuando vemos a alguien y exhibe un comportamiento emocional —como una risa, un ceño fruncido o una sonrisa—, lo primero que solemos advertir es su humor («¿esta persona se siente positiva o negativa?») y su nivel de energía («¿tiene mucha o poca energía?»).[113] Por ejemplo, si te encuentras con alguien que frunce el ceño («negativo») y permanece callado («poca energía»), puedes dar por sentado que está triste o frustrado, pero no asumes que supone una amenaza. Tu cerebro no empezará a emitir señales de huida.

Sin embargo, si frunce el ceño («negativo») y grita y mira con furia («mucha energía»), inferirás que está enfadado o violento, y tendrás cautela. Tu cerebro generará una leve ansiedad que te prepara para huir a toda prisa. Lo único que necesitamos para hacer una predicción es notar el humor y la energía de alguien. Con eso basta para evaluar rápidamente lo que está sintiendo.

Puede que no seas del todo consciente de que has captado el humor y la energía de alguien cuando te lo encuentras. Es posible que ocurra de manera inconsciente y lo sientas como un instinto. Pero tu cerebro ha evolucionado para utilizar información sobre humor y energía con el fin de captar si alguien es un amigo o una amenaza.[114] Uno de los beneficios de esta capacidad es que podemos juzgar los estados emocionales de otro enseguida, con poco más que una mirada y sin conocerlo previamente. Advertir el humor y la energía nos permite determinar de inmediato si deberíamos huir o quedarnos, si se trata de un amigo o un enemigo potencial. Resulta útil cuando, pongamos, intentamos decidir si un desconocido está perdido y frustrado, y necesita nuestra ayuda, o está enfadado e inestable y es probable que dirija su ira contra nosotros.

		HUMOR	
		Positivo	**Negativo**
ENERGÍA	**Alta**	*Animado, entusiasmado, alegre y emocionado.*	*Enfadado, indignado, ofendido e insultado*
	Baja	*Dichoso, contento, agradecido y satisfecho*	*Frustrado, irritado, gruñón y desanimado*

El humor y la energía a menudo se muestran a través de pistas no verbales. Estas son importantes porque, si bien resultaría agradable saber de un vistazo si alguien está enfadado o frustrado, ese tipo de emociones específicas «son muy muy difíciles de interpretar con precisión», declaró Hillary Anger Elfenbein, profesora de Comportamiento organizativo en la Universidad de Washington en St. Louis. ¿Alguien frunce el ceño porque está ansioso o solo está concentrado? ¿Sonríe porque se alegra de vernos o lo hace de un modo que apunta a que está *demasiado* emocionado y que resulta un poco escalofriante? Incluso si de verdad queremos conocer las emociones de alguien y encajar con ellas, resulta difícil, porque no sabemos cómo se siente exactamente.

Así, en lugar de eso, nuestro cerebro ha desarrollado este sistema de actuación rápida para examinar el humor y la energía, que proporciona una idea general, en apenas un segundo, del estado emocional de alguien. Suele bastar para saber cómo alinearnos y si deberíamos sentirnos a salvo o alarmados.

Mientras los investigadores llevaban a cabo sus estudios, se produjo un hallazgo interesante: cuando las personas reían juntas de forma auténtica, su humor y su energía eran prácticamente iguales. Si una persona se reía para sus adentros (energía baja, positiva) y su acompañante lo hacía de un modo similar, normalmente se sentían alineados. Si otra persona estallaba en carcajadas (energía alta, positiva) y su acompañante se reía a su vez al mismo volumen, cadencia y contundencia básicos, se sentían conectados.

Pero cuando la gente no conectaba —cuando una persona se reía y la otra se limitaba a seguir el juego— resultaba evidente, porque, aunque sonase de un modo similar, sus niveles de humor y energía *no* encajaban. Sí, los dos se reían. Pero una persona lo hacía en voz alta mientras la otra respondía con una ligera risita. Para alguien que escuchase a medias, podría sonar similar. Pero para alguien que prestase atención, era evidente que el volumen y la cadencia —su energía y humor— no estaban sincronizados. Las risas eran parecidas, pero la valencia y la excitación no encajaban, era evidente que no estaban alineados.

Exhibimos inteligencia emocional al mostrar a la gente que hemos oído sus emociones, y la manera en que lo hacemos es captando y, después, acoplándonos a su humor y energía. Estas son herramientas no lingüísticas para crear una conexión emocional. Cuando nos acoplamos al humor y la energía de alguien, estamos mostrándole que queremos alinearnos.[115] A veces es posible que queramos encajar con exactitud: si te ríes con alegría, yo también. En otros momentos, podríamos querer demostrar que vemos las emociones de la otra persona («Pareces triste») y, en lugar de encajar con ellas con exactitud, ofrecer nuestra ayuda («¿Qué te animará?»). Pero, en cada caso, estamos enviando un mensaje: oigo tus sentimientos. Este claro deseo de conectar es un paso esencial para ayudarnos a establecer vínculos.

Este mismo patrón aparece también en otros comportamientos no verbales. Cuando lloramos, o sonreímos, o fruncimos el ceño, creemos que otros nos oyen cuando responden con una energía o humor similares. No necesitan llorar con nosotros, pero tienen que corresponderse con nuestra excitación y valencia. Es lo que nos hace creer que comprenden lo que sentimos. Si parecen comportarse de un modo similar al nuestro en la superficie, pero su humor y su energía es diferente, algo resulta extraño. «Vuestras expresiones faciales tal vez sean idénticas, y las palabras que estáis diciendo quizá sean casi exactamente las mismas (prácticamente todo podría ser igual), pero si tu valencia es diferente, sabrás que no sientes lo mismo», declaró Elfenbein.

Una de las razones por las que los supercomunicadores tienen tanto talento captando cómo se sienten otras personas es que acostumbran advertir la energía de los gestos de otros, el volumen de sus voces, la velocidad a la que hablan, la cadencia y el afecto. Prestan atención a si la postura de alguien indica que está deprimido, o si está tan emocionado que apenas puede contenerlo. Los supercomunicadores se permiten encajar con esa energía y ese humor, o al menos reconocerlos, y por lo tanto dejan claro que quieren alinearse. Nos ayudan a ver y oír nuestros sentimientos a través de sus propios cuerpos y voces. Al acoplarse a nuestro humor y energía, evidencian que están intentando conectar.

¿Quieres oír un chiste sobre astronautas?

Terence McGuire era un lector ávido de revistas de psicología y. como parte de su trabajo en la NASA, asistía con regularidad a conferencias académicas en las que expertos como Provine compartían sus últimos trabajos. Así, mientras revisaba las grabaciones de sonido de veinte años de entrevistas con potenciales astronautas, era consciente de la investigación emergente sobre expresiones no verbales y la importancia del humor y la energía. Empezó a preguntarse si había nuevas percepciones que pudieran ayudarle a medir la inteligencia emocional de los aspirantes en sus suspiros y gruñidos, risitas y tono de voz. Mientras escuchaba, empezó a elaborar listas de cómo habían expresado los aspirantes sus emociones más allá de las palabras.

Al final advirtió algo en las entrevistas grabadas. A veces, McGuire se reía durante una entrevista y algunos candidatos —los que, más tarde, se convertían en grandes astronautas— solían encajar su humor y energía. Se reían por lo bajo a la vez que él, incluso si lo que decía no tenía gracia. Se reían a carcajadas cuando él lo hacía. A McGuire no le parecían intentos de manipulación. Eran demasiado naturales y espontáneos. Parecían reacciones sinceras. Y McGuire recordaba que, en esos momentos, él se había sentido relajado, comprendido, un poco más cerca del aspirante.

Luego hubo otros candidatos —incluidos muchos que resultaron ser elecciones menos exitosas para la NASA—, que, cuando McGuire se reía en las grabaciones, se reían con él, pero con humores y niveles de energía muy diferentes. Cuando McGuire se reía con fuerza, ellos lo hacían para sus adentros. Cuando McGuire se reía ligeramente, respondían a carcajadas, lo cual sonaba, cuando McGuire volvía a escucharlo, condescendiente. Estos candidatos habían entendido que debían reírle las gracias —era educación social básica—, pero no se esforzaron demasiado.

Mientras McGuire elaboraba sus listas, encontraba todo tipo de expresiones emocionales, además de la risa, en las que emergían los mismos patrones. En algunas de las cintas, cuando McGuire mencionaba una emoción, las expresiones no verbales del candidato —sus inflexiones vocales, el tono de voz y el ritmo, los ruidos que emitía— se acoplaban a él o discrepaban. Este tipo de «palabras, tonos, posturas, gestos y expresiones faciales —escribió McGuire más tarde a los líderes de la NASA—, puede ser una mina de oro de información». Las pistas no lingüísticas eran señales de si alguien quería conectar de verdad, y si era hábil al hacerlo, o si no consideraba una gran prioridad establecer vínculos emocionales. Si alguien podía conectar así durante una entrevista, sospechaba McGuire, también se le daría bien alinearse con colegas en el espacio.[116]

Así pues, durante la siguiente ronda de entrevistas, McGuire decidió probar algo nuevo. De manera intencionada, expresaba más emociones durante cada entrevista y luego pedía a los candidatos que describieran sus propias vidas emocionales. Y variaba sus niveles de humor y energía, y veía si el aspirante encajaba con él o no.

Unos meses más tarde, McGuire entró en una sala para entrevistar a un hombre mediada la treintena con el pelo cuidadosamente cortado y un uniforme bien planchado. El aspirante estaba en forma, contaba con un doctorado en Química atmosférica y quince años de servicio ejemplar en la Marina. En otras palabras, era el candidato perfecto para la NASA.

Cuando McGuire entró en la estancia, dejó caer los papeles por todo el suelo en lo que pareció un accidente (aunque en realidad fue deliberado) y, mientras recogía los documentos, mencionó que su corbata —de un amarillo chillón, con globos de colores— era un regalo de su hijo. El niño había insistido en que se la pusiese ese día, explicó. «¡Así que ahora parezco un payaso!», dijo McGuire, riendo sonoramente. El candidato sonrió, pero no rio a su vez.

Durante la entrevista, McGuire pidió al candidato que describiera una época difícil de su vida. El hombre dijo que su padre había muerto en un accidente de coche cerca de un año antes. Aquello había dejado desolada a su familia, explicó. Había hablado con un pastor acerca de su duelo y poco a poco estaba afrontando todas las cosas que desearía haberle dicho a su padre. Era una respuesta perfecta, sincera y vulnerable. Demostraba que el hombre estaba en contacto con sus emociones, pero no sometido por ellas. Era exactamente la respuesta que la NASA buscaba en un candidato a astronauta. En años anteriores, McGuire le habría dado una alta puntuación.

En esta ocasión, sin embargo, McGuire siguió presionando: le dijo al candidato que su propia hermana había muerto también de forma inesperada y, mientras hablaba, dejó que le temblara la voz.

Describió su infancia, cuánto había significado ella para él. Evidenció su propio dolor.

Al cabo de unos minutos, McGuire pidió al candidato que describiera a su padre.

«Era muy amable —dijo el hombre—. Amable con todas las personas a las que conocía».

A continuación el hombre se quedó allí sentado esperando la pregunta siguiente. No se explayó ni describió las cualidades de su padre. No hizo preguntas acerca de la hermana de McGuire.

El hombre no fue seleccionado como astronauta.

«Me quedó claro que no destacaba por su empatía», me dijo McGuire. Quizá fuera el tipo de persona que no disfrutaba hablando de su vida personal. Quizá la muerte de su padre estuviese aún demasiado reciente para hablar de ella con facilidad. Ninguna de estas causas eran defectos de su carácter, pero indicaban que no tenía tanta práctica en la conexión emocional. Por sí solo no fue la razón de su rechazo, «pero fue parte de ella», dijo McGuire. La NASA tenía multitud de candidatos cualificados y podía permitirse ser selectivo. «Necesitábamos a los mejores de los mejores, y eso significaba personas que fueran excepcionales en inteligencia emocional».

Unos meses después, entró otro candidato para una entrevista con McGuire. Una vez más, este desparramó sus papeles al entrar en la sala e hizo la misma broma con la corbata. El candidato se rio con McGuire y se puso en pie de un salto para ayudarle a recoger los documentos. Cuando McGuire pidió al aspirante que describiera un momento difícil de su vida, el hombre habló de un amigo que había fallecido, pero dijo que por lo demás tenía suerte: sus padres seguían vivos los dos. Se había casado a los diecinueve años y aún quería a su esposa. Sus hijos estaban sanos. Entonces McGuire mencionó la muerte de su propia hermana. El candidato empezó a hacerle preguntas: ¿estabais unidos? ¿Qué impacto tuvo en tu madre? ¿Piensas en ella aún ahora? El candidato le describió que, durante meses tras la muerte de su amigo, hablaba con él en sueños. McGuire me contó que «era evidente que quería comprender lo que yo había pasado y compartir algo». Ese hombre fue seleccionado como astronauta.

Con el tiempo, McGuire desarrolló una lista de cosas que comprobar durante las entrevistas: ¿cómo reaccionaban los candidatos a los halagos? ¿Y qué había del escepticismo? ¿Cómo describían el rechazo y la soledad? Formulaba preguntas diseñadas para evaluar su expresividad emocional: ¿en qué momento habían sido más felices? ¿Habían estado deprimidos alguna vez? Prestaba mucha atención a su lenguaje corporal y expresiones faciales mientras respondían, pendiente de cuándo parecían tensarse o relajarse sus posturas. ¿Daba la impresión de que le invitaban? ¿Le *mostraban* que querían conectar?

Cada vez que McGuire formulaba una de esas preguntas, después de que el candidato tuviera ocasión de hablar, McGuire contestaba a la misma pregunta, expresando felicidad o arrepentimiento, asegurándose de exhibir su ira o alegría o incertidumbre. Luego prestaba mucha atención a si los candidatos intentaban encajar con él. ¿Le devolvían la sonrisa? ¿Le consolaban? «Prácticamente todos los seleccionados poseen bases cognitivas fuertes —escribió más tarde—. Pero son una minoría los que presentan una gran consciencia o sensibilidad a un nivel de sentimientos».

Las emociones específicas que mostraba un candidato eran menos importantes que *cómo* las expresaba. Algunos enseguida revelaban sus pasiones; otros eran más tranquilos. Lo que más importaba, sin embargo, era si prestaban atención a las expresiones emocionales de McGuire y luego se acoplaban a su energía y humor. Para algunos candidatos, encajar parecía un instinto; para otros, una destreza aprendida. Y para algunos, no ocurría en absoluto. Estas distinciones ayudaron a McGuire a diferenciar entre aquellos que sospechaba que podrían establecer vínculos emocionales con los demás, y aquellos que, cuando se incrementaran las tensiones, sería más probable que adoptasen una actitud defensiva o combativa. «El confinamiento a largo plazo en espacios atestados suele ser menos estresante para aquellos cuya sensibilidad y empatía permiten reconocer problemas humanos antes y abordarlos de manera efectiva», escribió al mando de la NASA.

Para cuando la NASA seleccionó a la promoción de 1990 —cinco mujeres y dieciocho hombres, incluidos siete pilotos, tres físicos y un médico—, McGuire había descubierto lo que estaba buscando: ¿los candidatos dejaron claro que *intentaban* alinearse con su humor y su energía?[117] Si la respuesta era sí, indicaba que era probable que se tomaran la comunicación emocional en serio.

Este marco ofrece lecciones para el resto de nosotros. Cuesta decir con exactitud qué siente alguien, saber si está enfadado o molesto o frustrado o enojado o alguna combinación de todas estas emociones. Quizá no lo sepa ni él mismo.

Así que, en lugar de intentar descifrar emociones específicas, presta atención al humor de alguien («¿Parece negativo o positivo?») y a su nivel de energía («¿Tiene energía alta o baja?»). Luego concéntrate en encajar esos dos atributos, o si el encaje solo exacerbará tensiones, muestra que oyes sus emociones reconociendo cómo se sienten. Evidencia que estás trabajando para comprender sus emociones. Y cuando tú mismo expreses tus emociones, advierte cómo responden los demás. ¿Intentan alinearse con tu energía y humor? Esta técnica es tan poderosa que, en algunos centros de llamadas, se forma a los operadores para que se adapten al volumen y el tono de quien llama con objeto de ayudar al cliente a sentirse escuchado. Un software creado por la empresa Cogito empuja a los operadores, a través de ventanas emergentes en la pantalla, a acelerar el discurso o ralentizarlo, a imprimir más energía en la voz o acoplarse a la calma de la persona que llama. (Las empresas que utilizan el software me han asegurado que hace que las llamadas al servicio de atención al cliente vayan mucho mejor, siempre, eso sí, que los clientes no sepan que un ordenador dicta al operador cómo hablar).

Cuando nos acoplamos o reconocemos el humor y la energía de otra persona, le mostramos que queremos comprender su vida emocional. Es una forma de generosidad que se convierte en empatía. Hace más fácil hablar «¿Cómo nos sentimos?».

El Big Bang (emocional)

Para cuando Chuck Lorre y Bill Prady supieron que tenían una segunda oportunidad de escribir y rodar de nuevo el episodio piloto, habían pasado meses desde que habían grabado el primero. «Estuve a punto de coger el teléfono y decir "Me retiro"», contó Lorre.[118]

Pero sentían que debían darle otra oportunidad. Los actores, para entonces, habían empezado a explorar otros proyectos, así que Prady y Lorre tenían que moverse rápido. Enseguida tomaron algunas grandes decisiones: Katie, la vecina descarada, fue eliminada. Al igual que Gilda, la fan de *Star Trek* sexualmente aventurera. En lugar de eso, introducirían a un nuevo personaje: Penny, una simpática actriz en ciernes que trabaja como camarera mientras espera a que la descubran. «Fuimos en la otra dirección e hicimos a Penny alegre y llena de vida —me contó Prady—. Alguien a quien, aunque no se le dan bien los libros, se le da bien la gente».

La cuestión, sin embargo, era cómo establecer la relación entre Penny y los desgarbados físicos. Seguía existiendo el mismo problema: la serie necesitaba dejar claro al público qué emociones experimentaban los personajes, sin dejar de mantener la incompetencia de Sheldon y Leonard en la comunicación emocional.

Mientras Lorre y Prady trabajaban en el nuevo piloto, consideraron la escena en la que los físicos conocen a Penny. Habían decidido que tendría lugar mientras ella se mudaba al apartamento de enfrente. Pero ¿Sheldon y Leonard debían parecer agitados? ¿O mansos y distantes? Ninguna de las dos cosas parecía encajar.

Al final surgió un enfoque distinto: ¿y si, en lugar de centrarse en las emociones concretas de Sheldon y Leonard, cada actor se limitaba a decir la misma palabra —«¡Hola!»— una y otra vez con la misma energía básica y el mismo humor básico? Cuando menos, sería divertido. Y tal vez mostrara al público que todas las personas intentan conectar, incluso si son demasiado ineptos para saber cómo. Los guionistas no concibieron la escena específicamente en términos de humor y energía, por supuesto; «no pensamos así —me dijo Prady— y la mayor parte de lo que sabemos de psicología viene de sentarnos en el diván de un loquero», pero su enfoque se alinea con lo que conocemos de la comunicación emocional: mientras los personajes mostraran inequívocamente que *querían* conectar, el público intuía lo que sentían, aunque los personajes fueran un desastre expresando esos sentimientos.

La versión final, cuando se filmó, fue así:

SHELDON Y LEONARD VEN A UNA CHICA GUAPA, PENNY, POR LA PUERTA ABIERTA.

LEONARD

(A SHELDON)

¿Vecina nueva?

SHELDON

(A LEONARD)

Obviamente.

LEONARD

Es significativamente mejor que el de antes.[119]

PENNY LOS VE EN EL PASILLO Y SONRÍE.

PENNY

(ALEGRE Y RADIANTE)

Oh, ¡hola!

LEONARD

(MISMO VOLUMEN Y VELOCIDAD, PERO INCIERTO)

Hola.

SHELDON

(AL MISMO VOLUMEN Y VELOCIDAD, PERO VACILANTE)

Hola.

LEONARD

(AHORA EN PÁNICO)

Hola.

SHELDON

(CONFUNDIDO)

Hola.

PENNY

(PREGUNTÁNDOSE QUÉ PASA)

¿Hola?

Un minuto más tarde, Sheldon y Leonard se preparan para volver a la puerta de Penny e invitarla a comer:

LEONARD

Voy a invitarla a pasar, a comer con nosotros y a charlar.

SHELDON
¿Charlar? Nosotros no charlamos, solo chateamos.

LEONARD LLAMA A LA PUERTA DE PENNY.
LEONARD
(VACILANTE)
Hola... de nuevo.
PENNY
(AL MISMO VOLUMEN Y VELOCIDAD, PERO JOVIAL)
¡Hola!
SHELDON
(PESAROSO)
Hola.
LEONARD
(EN PÁNICO)
Hola.
PENNY
(EXASPERADA)
Hooola.

Cuando filmaron la escena, unos meses más tarde, delante de público, se salió. Los actores imbuyeron cada «hola» de una serie de inflexiones vocales, gestos y tics que dejaban clara su confusión, incertidumbre y ansias, mientras también evidenciaban lo desesperados que estaban por hacerse amigos. Mientras los actores alineasen su energía y humores, el público lo entendía: todos intentaban establecer vínculos con los demás, pero eran demasiado torpes emocionalmente para averiguar cómo. «Parecía una conversación real», me contó Prady. Acabaron rodando la escena varias veces y la audiencia se reía cada vez más alto. «Simplemente lo supimos, esto está funcionando. El público comprendió exactamente lo que se suponía que sentían».

El secreto, según el director del episodio, James Burrows, era que «si tenían la misma entonación, y estaban diciendo la misma palabra, podían hacerlo con actitudes completamente distintas y seguirías sabiendo que se gustaban unos a otros. Si uno de ellos hubiese dicho "ey" en lugar de "hola", o si uno de ellos hubiese hablado demasiado alto y luego Penny hubiese bajado la voz, toda la escena se habría venido abajo». Se habría vuelto confuso: ¿tiene miedo y quiere huir? ¿O es desdén?

También funcionaba a la inversa. Apenas un par de minutos después de que Sheldon y Leonard conozcan a Penny, la táctica opuesta se utiliza para evidenciar cuando los personajes son *incapaces* de conectar:

PENNY SE SIENTA EN EL SOFÁ EN EL APARTAMENTO DE SHELDON Y LEONARD.

SHELDON

(EN ALTO Y CON BRUSQUEDAD)

Hum, Penny. Estás en mi sitio.

PENNY

(EN VOZ BAJA Y COQUETA)

Siéntate a mi lado.

SHELDON

(ALTO Y RÁPIDO, Y GESTICULANDO HACIA EL ASIENTO)

No, yo me siento ahí.

PENNY

(EN VOZ BAJA Y TRANQUILA)

¿Qué más da?

SHELDON

(MUY RÁPIDO)

¿Que qué más da? En invierno ese sitio está
lo bastante cerca del radiador para tener calor pero
no lo bastante para causar transpiración.
En verano está en el punto perfecto de la corriente
creada al abrir ventanas ahí y ahí.
El televisor está en un ángulo que no es ni
directo, desalentando la conversación,
ni tan amplio que cause un tirón de cuello.
Podría seguir, pero creo que me habrás
comprendido.

PENNY

(COHIBIDA)

¿Quieres que me quite?

SHELDON
(AÚN ALTERADO)
Bueno...
LEONARD
(EXASPERADO)
¡Siéntate en otro sitio!

Cuando rodaron esa escena, «el público se volvió loco —dijo Lorre—. Se habían enamorado de las neuras de Sheldon. Estoy de pie en el escenario y miro a Jimmy Burrows, que dirigió los dos pilotos, y Jimmy me mira a mí, y los dos nos miramos el uno al otro con unas sonrisas enormes. Sabíamos que estaba funcionando. Fue uno de esos momentos en los que se te pone la piel de gallina».[120]

Los guionistas por fin habían descifrado ese código: los personajes podían ser unos ineptos, sin gracia y socialmente incompetentes, y mientras fuese evidente que intentaban acoplarse al humor y la energía de los demás (o no acoplarse, de forma deliberada), estaría claro cuándo conectaban o chocaban. El público entendería lo que sentían y podría animarles, celebrar cuando establecían vínculos, sentirse bien cuando todo acababa saliendo bien (incluso cuando, ¡alerta de *spoiler*!, Leonard y Penny se casaban varias temporadas después).

Después del boom

The Big Bang Theory se estrenó en la CBS el 4 de septiembre de 2007, con más de nueve millones de espectadores. La crítica, que normalmente infravaloraba este tipo de series, se mostró atípicamente entusiasmada. *The Washington Post* la llamó «la nueva comedia más divertida de la temporada». Otro crítico declaró a Associated Press que la serie funcionaba por «personajes que te gustan y a los que crees, que pueden ser divertidísimos sin ser crueles, y coherente sin ser predecibles».[121]

En la tercera temporada, catorce millones de espectadores sintonizaban cada episodio. Para la novena temporada eran veinte millones. La serie acabaría obteniendo cincuenta y cinco nominaciones a los Emmy y se convertiría en uno de los programas de mayor duración de la historia, pues superó a *Cheers*, *Friends*, *MASH* y *Modern Family*. Veinticinco millones de personas vieron el último episodio en 2019.

Chuck Lorre y Bill Prady permanecieron implicados todo ese tiempo. Cuando le pregunté a Lorre si alguna vez habló con los actores sobre la importancia de encajar con la energía y humores de los demás, me dijo que no hizo falta. Los buenos actores ya lo entienden, me aseguró. Saben cómo pronunciar sus frases utilizando el cuerpo, las inflexiones, los gestos y las expresiones para expresar lo que no se dice. Saben cómo asegurarse de que el público lo oye todo, incluidas las emociones no dichas. Es la misma razón por la que, en improvisación, a los actores se les instruye para encajar respondiendo con «Sí, y...». Es lo que los buenos políticos hacen cuando dicen a una multitud: «Siento tu dolor».

«La serie fue un éxito, creo, porque los personajes son adorables —me dijo Lorre—. Los guionistas los adoraban. El público los adoraba. Hacían aceptable mostrar ese amor».

Cuando dejamos claro a los demás que estamos intentando oír sus emociones, cuando intentamos encajar de verdad o reconocer su humor y energía, empezamos a reciprocar y a acoplarnos. Establecemos vínculos.

Pero ¿qué ocurre cuando te peleas con alguien o tenéis valores muy distintos? ¿Y si somos ideológicamente opuestos? ¿Cómo tratamos «¿Cómo nos sentimos?» cuando hablar de nuestras emociones es lo último que queremos hacer?

Paradójicamente, como explica el próximo capítulo, revelar nuestros sentimientos en esos momentos es aún más importante.

5

CONECTAR EN PLENO CONFLICTO

Hablar con el enemigo sobre armas

Melanie Jeffcoat estaba de pie en el vestíbulo de su instituto en Las Vegas, Nevada, hacia la mitad de su penúltimo año, cuando oyó el ruido, pop-pop, procedente de un aula cercana. «¿Alguien ha dejado caer unos libros?», se preguntó. Entonces vio a un estudiante que corría. Después a otro. Luego a un tercero, que pasó a toda velocidad por delante de ella, con los ojos como platos del miedo.

En ese momento comenzó a oír gritos. De pronto todo el mundo se precipitaba por el vestíbulo y gritaba, corriendo hacia el auditorio sin ninguna comprensión real de lo que estaba ocurriendo más allá de fragmentos dispersos: «Un arma». «Han disparado al señor Piggott». «Sangre en las zapatillas». Era 1982, años antes de las tragedias de Columbine y tantos otros lugares, antes de que expresiones como «tirador activo» y «simulacro de confinamiento» se volvieran comunes en las escuelas.

Jeffcoat pasó años esforzándose por asimilar lo que había ocurrido: un alumno descontento había utilizado un revólver para disparar a un profesor de Historia y a dos compañeros de clase de Jeffcoat. El maestro había muerto; los estudiantes sobrevivieron. En retrospectiva, parecía increíble, una historia que había oído en lugar de vivido. Pero durante las décadas siguientes, a medida que crecía, crecía y crecía la lista de escuelas con cataclismos similares —Heritage High, Buell Elementary, Virginia Tech, Sandy Hook—, empezó a darse cuenta de que su caso solo había sido anterior, no único.

Luego, cuando Jeffcoat se convirtió en madre, su hija de once años le envió un mensaje de texto en pleno día. Habían decretado un confinamiento en su escuela porque sospechaban que había un tirador, escribió. Ella estaba en clase de gimnasia y los alumnos estaban cogiendo bates de béisbol para defenderse. «Lo único que he conseguido es un palo de golf», escribió a su madre.

Jeffcoat estaba en la consulta del médico y todos aquellos sentimientos —el terror, el pánico y la impotencia— la invadieron de nuevo. Saltó a su coche y condujo hasta la escuela. Para entonces, el confinamiento había acabado —resultó ser una falsa alarma—, pero Jeffcoat encontró a su hija y se la llevó junto con tres amigas suyas a casa.[122] En el coche escuchó su parloteo: «Habríamos muerto seguro, porque mi profesor ha dicho que debíamos quedarnos en la clase». «El mío ha abierto la ventana y nos ha dicho que saltásemos fuera». «Nosotros nos hemos metido en el armario». Jeffcoat estaba horrorizada. «Me rompía el corazón oírlas hablar como si fuese una parte normal de la vida —me dijo—. ¿Cómo puede ser esto aceptable?».

Unos meses más tarde, Jeffcoat llevó a sus hijas al cine y se pasó toda la película lanzando miradas a las salidas de la sala, previendo vías de escape si entraba un tirador.[123] Después se dio cuenta de que no era capaz de recordar el argumento de la película.

Decidió que tenía que hacer algo.

«No podía quedarme de brazos cruzados —dijo—. Si no actuaba, el miedo iba a devorarme por dentro». De modo que se unió a un grupo local de protesta contra la violencia de las armas. Era consciente de que su decisión no sería popular. «Vivimos en el sur —me contó—. La mayoría de mis vecinos tienen armas». Pero asistió a reuniones y concentraciones los fines de semana, y luego adoptó un papel de liderazgo en el grupo local, y participó en organizaciones regionales y, finalmente, asociaciones nacionales. Se convirtió en una figura pública en la lucha por el control de armas, citada en los medios y enviada a ejercer presión sobre los legisladores.[124] «Era mi vida», dijo.

De modo que tampoco fue una gran sorpresa que recibiera una invitación de un grupo de organizaciones con conciencia cívica en la que le pedían que se uniese a una conversación sobre las armas en Washington D. C. El evento incluiría a defensores de ambos bandos. El objetivo, explicaba la invitación, no era debatir. Ni siguiera era necesariamente encontrar puntos en común. En lugar de eso, era un experimento para ver si personas que aborrecían las creencias de sus interlocutores podían mantener una conversación civilizada.

Jeffcoat tenía dudas. ¿Cómo iba a ser civilizada una conversación con esa gente, esos fanáticos amantes de las armas a los que se dedicaba a derrotar? Pero, una vez más, llevaba años trabajando en ese asunto y los tiroteos en escuelas no habían cesado; de hecho, se habían vuelto más habituales. Cuando menos, podría ayudarle a entender los argumentos del otro lado un poco mejor, lo cual quizá le sirviera para ejercer presión. Respondió aceptando asistir.

Conversaciones en pleno conflicto

En algún momento de los últimos meses, es bastante probable que hayas tenido una conversación difícil. Quizá fuera una evaluación de desempeño difícil con un compañero de trabajo o una discusión con tu pareja. Podría haber sido un debate sobre política, o una riña con hermanos sobre con quién debería pasar mamá las vacaciones. Posiblemente ocurrió online, con alguien a quien no has visto nunca y a quien nunca verás, donde intercambiasteis pullas sobre vacunas, deportes, la crianza de los hijos o la religión, o sobre si la última temporada de *Perdidos* era genial o lo peor.[125] En cada caso había un conflicto —creencias, valores, opiniones opuestos— y tú y otros intentabais airear vuestras disputas y, posiblemente, encontrar una resolución (o, quizá, solo trolearos el uno al otro por resentimiento).

¿Cómo se desarrolló esa conversación? ¿Tu cónyuge y tú os turnasteis para presentar los hechos y las propuestas con calma, y luego escuchasteis atentamente? ¿Tu compañero de trabajo reconoció sus defectos y tú gentilmente hiciste lo mismo? ¿Consideraste las opiniones de tus hermanos de modo desapasionado cuando daban a entender que estabas abandonando a tu madre? Tras intercambiar insultos en Twitter, ¿todo el mundo cambió de opinión?

¿O —y esto, por supuesto, es más probable— la conversación fue una sucia batalla desde el principio hasta el final, con sentimientos heridos, ira, actitud defensiva y malentendidos en cantidad?

No es ninguna novedad sugerir que vivimos en una época de profunda polarización. A lo largo de la última década, el número de estadounidenses que afirman estar «profundamente enfadados» con el otro partido político se ha incrementado con fuerza, hasta casi el 70 por ciento del electorado. En torno a la mitad del país cree que las personas con creencias políticas distintas son «inmorales», «perezosas», «deshonestas» y «poco inteligentes».[126] Alrededor de cuatro de cada diez que se describen como progresistas, y tres de cada diez como conservadores, han bloqueado o dejado de seguir a alguien en las redes sociales por algo que ha dicho.[127] Más del 80 por ciento de los trabajadores estadounidenses afirman que experimentan conflictos en el lugar de trabajo.[128]

El conflicto, por supuesto, siempre ha sido parte de la vida. Discutimos en nuestros matrimonios y amistades, en el trabajo y con nuestros hijos. El debate y la disensión son parte de la democracia, la domesticidad y cualquier relación significativa. Como en una ocasión escribió la activista proderechos humanos Dorothy Thomas, «La paz no es la ausencia de conflicto, sino la habilidad de afrontarlo».[129]

Hoy, sin embargo, puede dar la impresión de que hemos olvidado cómo conectar unos con otros en medio de nuestras disputas. A veces parecemos incapaces de ver más allá de nuestra ira y nuestra polarización. Una forma de salir de este atolladero, como han mostrado capítulos anteriores, es haciendo preguntas y escuchando emociones. Pero en ocasiones, en lo relativo a tratar conflictos serios, no basta con preguntar y escuchar.

Entonces ¿cómo conectamos cuando nuestras diferencias parecen tan insalvables?

El evento al que Jeffcoat había accedido a asistir en Washington D. C., estaba patrocinado por una de las empresas de medios de comunicación más grandes del país, Advance Local, que se había asociado con varios periodistas y grupos de defensa cívica para ver si había un modo mejor de mantener conversaciones difíciles.[130]

Los organizadores del evento querían llevar a cabo un experimento: si reunían a gente con opiniones diferentes, y luego les enseñaban habilidades específicas de comunicación, ¿serían capaces de debatir sus diferencias sin rencor ni acritud?[131] ¿Podía la conversación adecuada, llevada a cabo de la forma apropiada, ayudar a superar la división?

Pero ¿qué tema candente proporcionaría el mejor alimento para el experimento? Mientras los organizadores trataban de decidirlo, se produjo otro tiroteo escolar: un exalumno de diecinueve años del instituto Marjory Stoneman Douglas, en Parkland, Florida, entró en las instalaciones con un fusil tipo AR-15, abrió fuego y mató a catorce alumnos y tres adultos. Tras ese ataque, los organizadores del experimento decidieron centrarse en un debate sobre las armas, «una conversación clásicamente rota», como me explicó John Sarrouf, que ayudó en el diseño del proyecto. Sarrouf dirige una organización dedicada a reducir la polarización, Essential Partners, y ha seguido el debate de las armas durante años. «Hay montones de datos que muestran que todo el mundo comparte muchas opiniones acerca de las armas», dijo. Por ejemplo, la gran mayoría de los norteamericanos apoyan la comprobación de antecedentes para la compra de armas.[132] Otros muchos apoyan la prohibición de cargadores de gran capacidad y armas de asalto.[133] Pero, a pesar del consenso, es casi imposible conseguir que demócratas y republicanos, mucho menos grupos como la Asociación Nacional del Rifle y Everytown for Gun Safety, trabajen —o se sienten siquiera— juntos. «Todo el mundo está muy centrado en defender sus posiciones —dijo Sarrouf—. Pensamos que, si pudiésemos reunir a estos dos bandos y enseñarles a tener un tipo de conversación diferente, tal vez se demostraría algo».[134]

Los organizadores publicaron invitaciones en páginas web y contactaron con activistas por el control de armas como Melanie Jeffcoat, además de defensores del derecho a portar armas. Más de mil personas respondieron. Decenas fueron invitadas a Washington D. C, a participar en sesiones de formación y diálogos. Después, la conversación pasó a ser online y se invitó a más de cien personas más a participar en Facebook.

«Al principio me pareció una locura», declaró Jon Godfrey, que se enteró del experimento por un anuncio online. Godfrey sirvió veinte años en el ejército y luego pasó una carrera en las fuerzas de la ley. Posee entre treinta y cuarenta armas (últimamente no las ha contado, me dijo). Cuando habló con los organizadores del experimento, les informó de que probablemente no les gustaría que se uniese a la conversación, porque él no tenía mucho interés en entregar sus armas. Es más, sospechaba que eran un hatajo de progresistas que esperaban avergonzar a algunos conservadores.

Los organizadores respondieron que esperaban que viajase a D. C., con todos los gastos pagados. «Para serte sincero, no esperaba mucho —me dijo—. Pero no tenía nada más planeado para ese fin de semana, así que dije que sí, y acabó siendo una de las cosas más potentes que he hecho nunca».

Forjando comunicadores excepcionales

Mientras los organizadores diseñaban su experimento, se guiaban, en parte, por el trabajo de investigadores como Sheila Heen, una profesora de la Facultad de Derecho de Harvard que se ha pasado la vida intentando comprender cómo conecta la gente en medio del conflicto.[135]

El padre de Heen, abogado, la había instruido en el arte de la discusión desde una edad temprana. A veces parecía que tuviese que negociar por todo: un cucurucho de helado, un caballo, volver a casa más tarde, el perdón cuando llegaba después de la hora establecida. Por consiguiente, para cuando llegó a la universidad, era temida en los debates de la residencia de estudiantes. Luego entró en la Facultad de Derecho de Harvard y buscó a Roger Fisher, que hacía poco que había escrito *Obtenega el sí*, y empezó a estudiarlo todo, desde las rivalidades que desencadenan guerras civiles hasta las batallas dentro de las empresas. Con el tiempo, se unió al profesorado de Harvard también.

Heen pronto estaba facilitando diálogos en Chipre y entre las poblaciones indígenas de Alaska. Formó a personal designado a la Casa Blanca y jueces del Tribunal Supremo de Singapur, y asesoró a Pixar, la NBA y la Reserva Federal. A medida que avanzaba entre estos mundos diferentes, se dio cuenta de que había cometido un error común en sus tiempos de juventud: había dado por sentado que el objetivo de hablar de un conflicto y entablar un debate era alcanzar la victoria, derrotar al otro bando. Pero no es cierto. En realidad, el verdadero objetivo es averiguar por qué existe un conflicto para empezar.

Los contendientes —ya sean cónyuges que discuten o compañeros de trabajo que batallan— deben determinar por qué ha surgido esta pelea y qué la alimenta, además de las historias que se cuentan a sí mismos acerca de por qué persiste el conflicto. Necesitan trabajar juntos para determinar si hay «zonas de acuerdo posible» y deben llegar a un entendimiento mutuo sobre por qué importa esa disputa, y lo que se necesita para que termine. Este tipo de entendimiento, por sí solo, no garantizará la paz. Pero, sin él, la paz es imposible.

Así que ¿cómo alcanzamos este tipo de entendimiento mutuo? El primer paso consiste en reconocer que en cada pelea no hay un solo conflicto, sino, como mínimo, dos: el problema de superficie que causa el desacuerdo entre los dos y luego el *conflicto emocional* subyacente. «Pongamos que hay a una pareja que discute por tener otro hijo —me dijo Heen—. Ahí está el conflicto del nivel superior ("tú quieres otro hijo y yo, no") que parece, a primera vista, explicar por qué discuten. Pero también existe un problema emocional más profundo: "Estoy enfadado porque estás priorizando a un hijo por encima de mi carrera" o "Me da miedo que otro niño nos lleve a la ruina" o "Estoy frustrado porque no parece importarte lo que quiero yo"». Esos conflictos emocionales son a veces nebulosos, difíciles de identificar, pero también son increíblemente poderosos, porque contienen buena parte de la ira y la decepción que llevan esta conversación más allá de la posibilidad de compromiso. «Y sabemos que esas emociones están ahí —aseguró Heen—, porque siempre que la pareja se pelea, da igual las cosas razonables que se digan, nunca parecen más cerca de alcanzar una resolución».

A veces Heen intervenía en negociaciones entre políticos, o disputas dentro de empresas, y escuchaba a la gente describir problemas con soluciones relativamente sencillas. Luego veía como las emociones de las personas desviaban la conversación hasta que esas soluciones se volvían imposibles. La gente estaba furiosa, se mostraba desconfiaba o se sentía traicionada, pero rara vez lo reconocía ante la otra persona o, a veces, ni siquiera ante sí misma. Dejaba de intentar comprender por qué había surgido el conflicto y, en lugar de eso, planeaba la venganza. Y, por encima de cualquier otra cosa, todos querían ganar, vencer al otro bando, sentirse resarcidos.

Esto es muy normal, por supuesto. Toda confrontación implica una gama de sentimientos —ansiedad, angustia, un deseo de venganza— que son naturales. Pero estas pasiones pueden hacer imposible discutir problemas de un modo productivo. «Y si no reconoces las emociones, entonces nunca entenderás por qué estás peleando —concluyó Heen—. Nunca sabrás de qué va esta pelea realmente».[136]

La clave, descubrió Heen, implicaba hacer que la gente expresase sus emociones, tener una versión de la conversación «¿Cómo nos sentimos?» que permitiera que ambos lados mostrasen el dolor y la sospecha que alimentaban la pelea. El problema, sin embargo, es que a menudo odiamos hablar de nuestros sentimientos durante un desacuerdo. «A la gente le encanta fingir que puede convertirse en un robot analítico —dijo Heen—. Pero, por supuesto, nadie es capaz de hacer eso. Lo único que ocurre es que tus emociones se filtran de otras formas». O es posible que la gente sea capaz de reconocer sus propias emociones, pero sea reacia a revelarlas. Piensan que dará una ventaja al otro lado o que se verán como una debilidad. Les preocupa revelar una vulnerabilidad que sus enemigos convertirán en un arma. Por no mencionar que, cuando nos peleamos, normalmente nos sentimos estresados, lo que no constituye un entorno ideal para hablar de nuestros sentimientos.

Esta es la verdadera razón por la que persisten tantos conflictos: no por una falta de soluciones o porque la gente no esté dispuesta a comprometerse, sino porque, para empezar, los contendientes no entienden *por qué* pelean. No han hablado de temas más profundos —los problemas emocionales— que agravan la disputa. Y han evitado la conversación emocional porque no quieren reconocer que están furiosos, tristes y preocupados.[137] En otras palabras, no quieren hablar de «¿Cómo nos sentimos?», aunque sea una de las conversaciones más importantes que puedan tener.

EN UN CONFLICTO

Descubrimos por qué nos peleamos
hablando de emociones.

Hablar de sobre las emociones no resolverá nada, por supuesto. A veces, una persona quiere tener un bebé y otra no, y por mucho que compartan a nivel emocional no van a ponerse de acuerdo. «Pero si no hablas como mínimo de tus emociones —dijo Heen—, seguiréis teniendo la misma discusión una y otra vez».

Entonces ¿cómo, exactamente, hacemos que la gente se sienta lo bastante segura para hablar de sus sentimientos? Es una tarea difícil, en especial si las personas están discutiendo sobre algo —como las armas— por lo que llevan años enfrentadas, y todo el mundo está seguro de que es el único que representa la rectitud moral, mientras el otro bando es inmoral y se equivoca.

Hablar de armas en Washington D. C.

Melanie Jeffcoat y sus compañeros activistas por el control de armas, además del mismo número de entusiastas del derecho a portar armas, llegaron a Washington D. C., un cálido día de marzo de 2018 y se reunieron en el vestíbulo del Newseum, en Capitol Hill. Era el mismo fin de semana de la «Marcha por Nuestras Vidas», una concentración organizada por los supervivientes del tiroteo de la escuela Marjory Stoneman Douglas. Justo a las puertas —y en más de ochocientas ciudades y pueblos de Estados Unidos— estudiantes y padres marchaban en contra de la violencia producida por las armas. En respuesta, cientos de grupos defensores del derecho a portar armas llevaban a cabo contraprotestas. En conjunto, en torno a dos millones de personas salieron a las calles ese día para condenar, o apoyar, lo fácil que resulta comprar armas de fuego en Estados Unidos.

Mientras los participantes entraban en el Newseum, oían a cientos de miles de personas que cantaban fuera. «Fue precioso —me contó Jeffcoat—. Realmente inspirador, toda esa gente luchando por un mundo mejor. Y entonces entré en una sala de reuniones y me senté con alguien que poseía cuarenta armas y decía que necesitaba un AR-15 para cazar ciervos».

Una vez que estuvieron todos reunidos, los organizadores explicaron su objetivo: «Tanto si están ustedes de acuerdo como si discrepan de lo que está ocurriendo fuera, creo que todo el mundo puede reconocer que este es un momento en el que nuestro país está intentando mantener una de sus conversaciones más difíciles —dijo John Sarrouf al grupo—. Esta es una conversación sobre armas y seguridad que Estados Unidos ha estado intentando tener a lo largo de más de doscientos años, y, durante casi el mismo tiempo, no ha ido muy bien». Los debates sobre armas, dijo, a menudo se convierten en campeonatos de gritos y acusaciones. O, aun peor, nunca se producen porque la gente escoge grupos con ideas afines. «Eso es peligroso en una democracia —dijo Sarrouf a los participantes—. Si no podemos hablar para salvar nuestras diferencias, no podemos tomar decisiones juntos». De modo que el objetivo de esa reunión era tener una conversación sincera acerca de las armas y «mostrar que podemos entablar esta conversación de un modo distinto. Creemos que podemos demostrar que es posible debatir este tema con consideración y civismo, y aprender unos de otros aunque discrepemos».

Pero primero, continuó Sarrouf, se necesitaba un poco de formación. La formación era importante, porque los organizadores tenían un segundo objetivo, no menos importante.[138] Sabían que casi todos los presentes tenían práctica hablando de armas. Todos tenían hechos memorizados y temas de debate a mano. Todos conocían cada argumento y contraargumento, cómo frustrar a sus adversarios y tender trampas retóricas.

Pero los organizadores querían que esta conversación fuese distinta. Querían comprobar si podían hacer que todo el mundo empezara a compartir sus historias personales acerca de armas y control de armas, las emociones y valores subyacentes a sus creencias, y luego ver si eso podría cambiar el tenor del debate. En otras palabras, querían fomentar una conversación «¿Cómo nos sentimos?», con la esperanza de que neutralizase el veneno que normalmente contamina estas discusiones.

Pero los organizadores no podían limitarse a ordenar a los participantes que revelasen sus sentimientos más profundos. Era una petición demasiado rara, en especial entre personas que creían que el otro lado era un enemigo. Así que, en cambio, los organizadores se centraron en un enfoque diferente: enseñar a todos una técnica para escuchar que facilita que se produzcan las confidencias. El secreto era *demostrar* que se escuchaban unos a otros.

La inteligencia emocional proviene de mostrar a alguien que hemos oído sus emociones. Pero cuando estamos en un conflicto o en una pelea, a menudo no basta con exponer sin más. En esos momentos, todos somos escépticos y desconfiados: «¿Está escuchando o solo prepara su refutación?». Se necesita algo más, un paso extra. Para convencer a otros de que estamos escuchando de verdad durante una conversación, debemos demostrarles que les hemos oído, demostrarles que estamos trabajando mucho para comprender, probar que queremos ver las cosas desde su perspectiva.

Como ponía de manifiesto un estudio de 2018, cuando alguien demuestra que está escuchando, crea una «sensación de seguridad psicológica porque [el oyente] infunde la confianza en el hablante en que al menos sus argumentos recibirán toda la consideración y, por consiguiente, se evaluarán según su valía real».[139] Cuando la gente cree que otros intentan comprender sus puntos de vista, se vuelve más confiada, más dispuesta «a expresar sus pensamientos e ideas». La «sensación de seguridad, valor y aceptación» que proviene de creer que un interlocutor nos está escuchando de verdad nos predispone a revelar nuestras propias vulnerabilidades e incertidumbres. Si quieres que alguien exponga sus emociones, el paso más importante es convencerle de que prestas atención a lo que dice.[140]

EN UN CONFLICTO

Llevamos a hablar de emociones
demostrando que escuchamos.

El problema, sin embargo, es que la mayoría de la gente no sabe cómo demostrar que está escuchando. Prueban cosas como establecer contacto visual con el hablante, o asentir con la cabeza para mostrar conformidad y esperar que su interlocutor preste atención. Pero los que hablan normalmente no lo hacen. «Nos cuesta fijarnos en otras personas cuando estamos hablando», dijo Michael Yeomans, profesor del Imperial College de Londres. Cuando hablamos, con frecuencia estamos tan centrados en lo que decimos que no advertimos cómo se comportan nuestros oyentes. Pasamos por alto las señales que nos intentan enviar para mostrarnos que nos siguen.

Así, si un oyente quiere demostrar que está escuchando, necesita demostrarlo *después* de que el hablante haya terminado su intervención. Si queremos probarle a alguien que estamos prestando atención, debemos demostrar, una vez que la persona ha dejado de hablar, que hemos asimilado lo que dice.

Y la mejor forma de hacerlo es repetir, en nuestras propias palabras, lo que acabamos de oírle decir, y luego preguntar si lo hemos entendido bien.

Es una técnica bastante sencilla —demostrar que escuchas formulando preguntas al hablante que reflejen lo que acabas de oír y luego buscando confirmación de que lo entiendes—, pero los estudios exponen que es la técnica más eficaz para probar a alguien que queremos escucharle. Es una fórmula a la que a veces se llama «bucle de comprensión».[141] El objetivo no es repetir lo que ha dicho alguien literalmente, sino más bien condensar los pensamientos de otra persona en tus propias palabras, demostrar que estás trabajando arduamente para comprender y ver su perspectiva, y luego repetir el proceso, una y otra vez, hasta que todo el mundo está satisfecho.[142] Utilizar técnicas como el bucle «al principio de una conversación previene la escalada del conflicto al final», descubrió un estudio de 2020.[143] Los que recurren a ella son considerados «mejores compañeros de equipo, consejeros» y «compañeros más deseables para una colaboración futura».

EN UN CONFLICTO

Demostramos que estamos escuchando ***repitiendo para entender.***

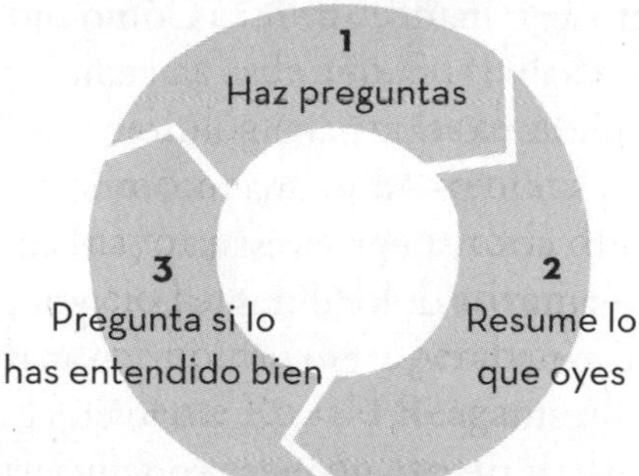

1 Haz preguntas

2 Resume lo que oyes

3 Pregunta si lo has entendido bien

Repite hasta que todos estemos de acuerdo en que lo comprendemos.

En el vestíbulo del Newseum, John Sarrouf dividió a la multitud en pequeños grupos con instrucciones: una persona —el hablante— debía describir «una época en la que aceptaba un reto ante el cual no estaba segura de poder tener éxito, pero con el tiempo se esforzaba y superaba el desafío y estaba orgullosa de sí misma». A continuación los oyentes debían hacer preguntas. Y después de esto, tenían que resumir lo que habían oído y preguntar al hablante si el resumen era acertado.

Pronto el Newseum se llenó con los sonidos de decenas de personas que repetían en bucle para entender. Un participante, un defensor del derecho a portar armas procedente de Alabama llamado David Preston, describió a su grupo que su madre se había suicidado cuando él no tenía más que once meses.

—Durante los primeros cinco años de mi vida, todo el mundo sentía lástima por mí, nunca oí la palabra «no» —contó a sus compañeros de grupo—. No decir jamás que no a un niño pequeño no es buena idea. Te echa a perder, te vuelve egoísta. Y cuando eso se combina con el dolor que sentía por alguien a quien ni siquiera recordaba resulta demoledor.

Preston rompió a llorar mientras hablaba.

—Desde entonces he llegado muy lejos —aseguró al grupo—. Estoy orgulloso de mí mismo, porque he construido una vida con personas a las que quiero, y puedo demostrárselo. Antes no sabía cómo hacerlo.

Sus compañeros de grupo siguieron las instrucciones que habían recibido para llevar a cabo el bucle y empezaron a hacer preguntas: ¿qué sentía respecto a su madre ahora? ¿Cómo mostraba a la gente que la amaba? ¿Qué había sacado de esa tragedia?

Entonces resumieron lo que habían oído.

—Lo que oigo que dices —dijo una mujer de Nueva York que se identificaba como una activista progresista por el control de armas— es que has lidiado con mucho dolor durante la mayor parte de tu vida, y ha sido difícil para ti expresarlo, y eso te ha hecho apartar a la gente.

—Exacto —contestó Preston—. Cuando creces en el sur, te enseñan a evitar compartir tus emociones, a no quejarte, a no ser débil. Pero luego lo mantienes todo reprimido dentro, y lo que se filtra en lugar de eso es ira.

—Y ahora quieres dejar salir ese dolor —añadió la mujer.

—Sí —respondió Preston—. Es un alivio oírtelo decir así. —Le tomó las manos—. Gracias por escucharme.

Preston me contó después que esa había sido una de las conversaciones más significativas de su vida, aunque se produjo con alguien que era, en esencia, una desconocida y de la que discrepaba ideológicamente casi en todos los sentidos. «Me sentí muy validado al oírle decir aquello —me contó—. Era como si me hubiesen escuchado por primera vez en mi vida adulta, como si pudiese hablar de esto y la gente quisiera comprenderlo. Sentía que podía ser sincero».

Métodos como el del bucle de comprensión, asegura Sheila Heen, son potentes porque, aun cuando las personas llevan vidas muy distintas, a menudo pueden encontrar similitudes emocionales entre ellas. «Todas han experimentado el miedo, la esperanza, la inquietud y el amor», me dijo. Al crear un entorno en el que se invita a la gente a hablar de sus emociones, y luego demostrarse unos a otros que quieren comprender, fomentamos la confianza, incluso entre personas acostumbradas a verse unas a otras como enemigas.

Heen enseña enfoques como el del bucle de comprensión a sus alumnos de Derecho en Harvard porque es una de las mejores técnicas para indagar en los aspectos más profundos y emocionales que pueden desbaratar una conversación conflictiva o una negociación.[144] «Todo el mundo tiene una historia en la cabeza que explica por qué cree que está teniendo una pelea —me dijo—. Y todas esas historias son diferentes. Normalmente no entendemos qué hay en la cabeza de la otra persona, aunque creamos que sí». Ese tipo de bucle nos permite oír las historias de otros y demostrarles que hemos oído lo que dicen. «Cuando empiezas a entender las historias de los demás, es entonces cuando puedes comenzar a hablar de lo que en realidad está ocurriendo».

Con el tiempo, los organizadores de Washington D. C., pidieron a todo el mundo que comenzara a debatir el asunto que les había llevado allí: las armas. Sin embargo, la conversación se inició de un modo curioso.[145] Pidieron a los participantes que compartieran una historia personal que explicara por qué este asunto era tan importante para ellos. Había unas pautas: la gente debía contar historias acerca de sus propias experiencias y no sobre cosas que hubieran oído o visto online. No debían dar lecciones ni aportar conclusiones, solo recuerdos, sentimientos y percepciones. En cuanto a los oyentes, podían formular preguntas, pero estas debían ser abiertas y curiosas. Nada de refutaciones disfrazadas de indagaciones; nada de hacer una pregunta cuando crees que ya conoces la respuesta.

Jeffcoat escuchó a una mujer que describía cómo habían atacado a una familiar suya dentro de su propia casa. Al día siguiente, dijo la mujer, fue a un campo de tiro por primera vez y lleva durmiendo con un revólver en la mesilla desde entonces.

—Así sé que nunca dejaré que me ocurra lo mismo —contó al grupo—. Nunca me convertiré en una víctima.

Jeffcoat le preguntó si le preocupaba que robaran o usaran el arma de forma indebida. No, respondió la mujer, había tomado precauciones. Tenía un seguro de gatillo, y en casa no había niños.

—Esa arma es mi paz mental —afirmó—, y cuando la gente dice que quiere arrebatármela, lo que están diciendo es que quieren que vuelva a sentirme impotente.

Alguien del grupo intervino para resumir lo que había oído:

—Ves tu arma como un símbolo de que no piensas dejar que te hagan daño. ¿Lo he entendido bien?

—Es una prueba de que merezco sentirme a salvo —contestó la mujer—. Tengo tanto derecho a estar aquí como cualquier otro.

Otro participante describió el orgullo que sentía al enseñar a sus hijos sobre ecología y la historia de la familia mientras cazaban juntos. Otro vivía cerca de la frontera, en una zona donde a veces la gente traficaba con drogas, y contó que en una ocasión había ahuyentado a un intruso blandiendo un rifle. Jeffcoat contó su propia historia acerca del tiroteo de la escuela y sus temores por sus hijas. Todos se hicieron preguntas y resumieron lo que habían oído, hasta que todo el mundo estuvo de acuerdo en que lo habían entendido bien.

«Me chocó oír las historias de todos así —me explicó Jeffcoat—. Hizo que me sintiera ingenua, como si hubiese dado por sentado que todos los propietarios de armas eran los mismos tipos blancos y enfadados que veía en las concentraciones».

Al cabo de dos días, los objetivos de los organizadores se habían cumplido: los participantes habían entablado conversaciones sinceras acerca de las armas sin que esas discusiones se convirtieran en concursos de gritos. Y la gente había aprendido a *demostrar* que escuchaba, a hacer preguntas sinceras y a volverse lo bastante vulnerable para revelar sentimientos que, si tenían suerte, llevaban a encontrar un terreno emocional común.

«Todo el fin de semana fue estimulante —me dijo Jeffcoat—. Me fui pensando "si podemos hacer esto a gran escala, podemos cambiar el mundo"». Cuando todo el mundo se marchaba de Washington D. C., prometieron mantener el contacto. Los organizadores habían establecido un grupo de Facebook privado para que los participantes pudieran mantener el debate en marcha. Había moderadores para dirigir el diálogo digital, y los organizadores habían invitado a más de un centenar de personas más a participar en la conversación online. Estos nuevos participantes no se habían beneficiado de la formación en D. C., pero los organizadores esperaban que absorbieran las nuevas técnicas de comunicación de los moderadores, además de los participantes a los que habían formado en el Newseum.

No salió así.

«Me fui a casa y me conecté, y no tardaron más que unos cuarenta y cinco minutos en llamarme azote nazi», dijo Jon Godfrey, el antiguo policía. Para Jeffcoat, el cambio pareció incluso más rápido: «Volví a casa, me conecté a Facebook y todo se desmoronó».

Los loqueros del amor

¿Por qué cambian algunas conversaciones de forma tan brusca? ¿Por qué, a veces, puede dar la sensación de que hemos establecido una conexión real con otra persona, y luego nuestro entorno cambia, o crece un pequeño conflicto, y de pronto nos vemos tan alejados?

En los años setenta, un grupo de psicólogos de investigación empezó a preguntarse sobre este tipo de cuestiones. En particular, estaban interesados en estudiar como los cónyuges sortean los conflictos cuando surgen en sus relaciones. El matrimonio, hasta entonces, había recibido sorprendentemente poco escrutinio académico. Los problemas de pareja eran «algo con lo que normalmente lidiaban pastores y amigos —dijo Scott Stanley, profesor de Psicología de la Universidad de Denver—. El matrimonio no había sido una gran prioridad».

Los jóvenes psicólogos procedían de la Universidad de Carolina del Norte-Chapel Hill, Texas A&M, la Universidad de Wisconsin, la Universidad de Washington, y más de una decena de facultades más, y habían crecido en medio de los cambios culturales de los años sesenta, cuando se popularizaron el divorcio, la píldora y la igualdad entre sexos. La idea del matrimonio —y lo que la gente esperaba de su cónyuge— estaba cambiando. Todo lo cual hacía que los investigadores se preguntasen: ¿por qué algunos matrimonios permanecen felices durante décadas, aun cuando la sociedad cambia a su alrededor, mientras otros, que tiempo atrás estaban tan seguros de que eran almas gemelas, caen en la tristeza y las discusiones?

Este grupo de psicólogos nunca tuvo un nombre formal, ni una lista oficial de miembros, pero había quien se refería a ellos como los «loqueros del amor». Sus primeras investigaciones consistían principalmente en entrevistas grabadas en vídeo. Llevaban a los cónyuges a laboratorios y les pedían que describieran su matrimonio, vida sexual, conversaciones y peleas. Los investigadores estaban interesados, en particular, en las discusiones. Los cónyuges reñían mientras las cámaras de los científicos grababan. En apenas unos años se habían grabado más de mil discusiones.

Estos estudios tempranos revelaron patrones similares: a muchas parejas se les daba bastante bien escucharse el uno al otro e incluso demostrar que lo estaban haciendo. «Es lo mínimo para un matrimonio —dijo Stanley—. Si no puedes mostrar a la otra persona que estás escuchando, es probable que, para empezar, no te cases». Puede que las parejas no hayan recurrido a la técnica del bucle entre ellas, pero, o a través de la intuición o consejos que han recibido, han averiguado cómo mostrar que querían comprenderse el uno al otro.

Y aun así, a pesar de tanto escuchar, la tasa de divorcio en Estados Unidos se estaba disparando: en 1979, más de un millón de parejas —el triple que apenas una década antes— habían elegido poner fin a su matrimonio. Los científicos se preguntaban: si a las parejas se les daba tan bien escucharse el uno al otro y demostrárselo, ¿por qué seguían separándose?

Los investigadores empezaron a indagar en los datos. Al final, surgieron dos hallazgos. Primero, como cabía esperar, confirmaron que casi todas las parejas se peleaban. Algunas lo hacían con frecuencia —en torno al 8 por ciento de los matrimonios estadounidenses discuten al menos una vez al día— mientras otros solo reñían de manera ocasional.[146] Pero, independientemente de la frecuencia, casi todos los matrimonios contenían algún grado de conflicto.

El segundo descubrimiento fue que, para algunas parejas, esos conflictos y discusiones no parecían tener un impacto duradero. Independientemente de la frecuencia con la que algunas personas se peleaban, decían que sus matrimonios seguían llenándoles, estaban contentos con su elección de cónyuge, y declaraban que no se planteaban divorciarse ni guardaban rencor tras una pelea. Sus conflictos eran tormentas que aparecían y luego se disipaban, dejando atrás cielos azules sin más.

Para otras parejas, sin embargo, las cosas eran muy distintas. En estas relaciones, incluso los pequeños conflictos a menudo se volvían enconados. Las discusiones suaves se convertían en batallas de gritos. Las reconciliaciones eran meras pausas en guerras permanentes, el dolor y la ira solo esperaban otra chispa que los desatase. Las parejas infelices decían que pensaban en el divorcio con frecuencia, amenazaban con él de manera regular, imaginaban lo que dirían a los niños cuando por fin ocurriese.[147]

Los investigadores buscaron diferencias entre las parejas felices y las infelices. En particular, querían saber si los dos grupos se peleaban de maneras distintas. La primera hipótesis era que estos grupos peleaban por cosas diferentes. Los científicos sospechaban que las parejas infelices discutían por preocupaciones más serias —problemas de dinero, crisis de salud, consumo de drogas y alcohol— mientras que las parejas felices peleaban por asuntos triviales, como dónde pasar las vacaciones.

No obstante, descubrieron que esa hipótesis era equivocada.[148]

Resultó que las parejas felices e infelices por lo general se peleaban por asuntos similares. Ambos grupos tenían tensiones por el dinero, problemas de salud y disputas tontas por las vacaciones.

La hipótesis siguiente era que a las parejas felices se les daba mejor resolver sus desacuerdos. ¿Tal vez transigían más rápido? ¿Quizá se cansaban más rápido de pelear?

De nuevo equivocado. Un grupo no tenía más práctica resolviendo conflictos, ni estaba más abierto al compromiso que el otro. Es más, cuando los investigadores examinaron con atención a las parejas felices, descubrieron que algunas eran *horribles* resolviendo problemas. Discutían y discutían, y nunca llegaban a ninguna resolución. Aun así disfrutaban de estar casados.

Y luego había otras parejas que discutían como era «correcto», que leían todos los libros sobre relaciones y recibían montones de consejos, pero de cualquier modo acababan resentidos el uno con el otro. Algunos lo hacían todo correctamente, pero «aun así acababan divorciándose», dijo Benjamin Karney, que ayuda a dirigir el Laboratorio de Matrimonio y Relaciones Íntimas en la Universidad de California en Los Ángeles.[149]

De modo que los investigadores empezaron a buscar otras variables que podrían explicar lo que separaba a las parejas felices de los matrimonios infelices. Una cosa que habían advertido era que muchas parejas —tanto felices como infelices— a veces mencionaban luchas por el «control» cuando les pedían que describieran sus peleas. «Él siempre quiere controlarme —dijo una mujer a los científicos durante una entrevista—. Quiere que caiga en la trampa, hacer que diga cosas que no quiero». Por eso solían empezar a pelear, explicó, «porque quiero tomar mis propias decisiones, y él desea estar al mando».

Las inquietudes de las parejas sobre el control se reflejaban también de otras formas. Los investigadores advirtieron que muchos divorcios ocurrían tras cambios importantes en la vida, en parte porque estos habían provocado una sensación de pérdida de control. A veces, era la llegada de los hijos o un trabajo nuevo estresante lo que hacía más difícil que la gente controlara su tiempo y ansiedad. O podía tratarse de una enfermedad —control de nues-tra salud— o un gran trastorno como la jubilación o la partida de los hijos a la universidad, lo que hace que el futuro parezca menos predecible. Estos cambios dejan a la gente exhausta, sola, ansiosa, como si hubiesen perdido autoridad sobre sus días, sus cuerpos y sus mentes.

Todos ansiamos el control, por supuesto. Y mientras que hay muchos factores que determinan si una relación romántica tiene éxito o trastabilla, uno es si la relación nos hace sentir que controlamos más nuestra felicidad o menos.[150] Es natural que las parejas luchen por el control en una relación; es parte de averiguar cómo equilibrar las necesidades, carencias, roles y responsabilidades de cada persona. Pero a medida que los investigadores veían las cintas, advirtieron una dinámica que antes habían pasado por alto: durante las peleas, las parejas felices e infelices parecían enfocar el control de formas muy distintas.

Tanto las parejas felices como las infelices, mientras discutían, luchaban por quién tenía el control. A veces un esposo limitaba los temas que estaba dispuesto a discutir («¡No pienso hablar de eso!») o una esposa ponía un tiempo límite a la conversación («¡Le doy cinco minutos y se acabó!»).

Pero las parejas felices e infelices, constataron los científicos, buscaban imponer el control de formas muy diferentes. Entre las infelices, el impulso de controlar a menudo se expresaba como un intento de dominar a la otra persona. «¡Tienes que dejar de hablar, ya!», le gritó un hombre a su mujer durante una sesión grabada por los investigadores.[151] Ella le chilló en respuesta: «¡Bueno, tú tienes que dejar de trabajar todo el tiempo, e ignorar a tus hijos, y tratarnos como una mierda porque has tenido un mal día!». Entonces empezó a detallar sus exigencias, cada una de las cuales tomaba la forma de un intento de controlar su comportamiento: «Tienes que aparecer a cenar y dejar de criticarme y preguntarme por mi día de vez en cuando, maldita sea». Durante los siguientes cuarenta y cinco minutos, ambos intentaron controlar el lenguaje del otro («¡No uses ese tono conmigo!»), qué temas estaban dispuestos a discutir («Eso ni lo menciones») y qué gestos debían permitirse («Si vuelves a poner los ojos en blanco, me voy»).

Se divorciaron nueve meses más tarde.

Entre las parejas felices, sin embargo, el deseo de control emergía de un modo bastante distinto. En lugar de intentar controlar a la otra persona, los miembros de las parejas felices tendían a centrarse, en cambio, en dominarse a sí mismos, su entorno y el conflicto en sí.

EN UN CONFLICTO

Todo el mundo ansía el control...	pero intentar controlar a alguien es destructivo.

Las parejas felices, por ejemplo, pasaban mucho tiempo controlando sus propias emociones. Hacían pausas cuando sentían que iban enfadándose. Trabajaban mucho para tranquilizarse a través de la respiración profunda, o escribiendo cómo se sentían en lugar de gritarlo, o recurrir a hábitos, como utilizar «mensajes yo»; recitando una lista de lo que amaban del otro; rememorando recuerdos felices: todo lo que habían practicado en tiempos de menor enfado. Tendían a hablar más despacio, de modo que podían parar, en medio de una frase, si algo salía con más brusquedad de la que pretendían. Era más probable que redujeran tensiones cambiando de tema o bromeando. «Las parejas felices desaceleran la pelea —dijo Karney—. Ejercen mucho más autocontrol y autoconsciencia».

Las parejas felices también se concentraban en controlar su entorno. En lugar de empezar una pelea en el momento en que surgía el conflicto, posponían una conversación difícil hasta que estaban en un entorno más seguro. Una discusión podía empezar a las dos de la mañana, cuando todo el mundo está agotado y el bebé está berreando, pero, en lugar de dejar que continuase, las parejas felices tendían a posponerla hasta la mañana, cuando habían descansado y el bebé estaba tranquilo.

Finalmente, las parejas felices parecían concentrarse más en controlar los límites del conflicto mismo. «Las parejas felices, cuando se pelean, normalmente intentan hacer la trifulca lo más pequeña posible, no que derive en otras peleas», dijo Karney. Pero las parejas infelices dejan que un punto de discordia se traslade a todo lo demás. «Empiezan discutiendo acerca de "¿Pasamos las vacaciones con mi familia o con la tuya?" y enseguida se convierte en "Eres tan egoísta, nunca haces la colada, por eso no tenemos suficiente dinero"». (En terapia de pareja, esto se define como un patrón especialmente destructivo).

EN UN CONFLICTO

Céntrate en controlar:

1. A ti mismo.
2. Tu entorno.
3. Los límites del conflicto.

Una ventaja de centrarse en estas tres cosas —controlarse a uno mismo, el entorno y los límites del conflicto— es que permitía a los cónyuges felices encontrar cosas que podían controlar *juntos*. Seguían peleando. Seguían en desacuerdo. Pero, en lo que se refería al control, estaban del mismo lado.

Las diferencias en cómo buscan el control las parejas son solo un factor que ayuda a explicar por qué algunos matrimonios tienen éxito mientras otros se desmoronan. Pero si, durante los momentos de tensión, nos concentramos en cosas que podemos controlar juntos, es menos probable que surjan conflictos. Si nos centramos en controlarnos a nosotros mismos, nuestro entorno y el conflicto mismo, entonces una pelea se convierte a menudo en una conversación, cuyo objetivo es comprender, más que ganar puntos o herir al enemigo. El control no es lo único que importa, por supuesto, pero si los cónyuges no sienten que lo comparten, es difícil que una discusión acabe o que una relación prospere.

Esta perspectiva tiene importancia en otros aspectos: durante cualquier conflicto —un debate en el trabajo, un desacuerdo online— es natural ansiar el control. Y a veces esas ansias nos llevan a querer dominar al objetivo más evidente: la persona con la que discutimos. Si no podemos obligarla a escuchar sin más, al final oirá lo que estamos diciendo. Si podemos obligarle a ver las cosas desde nuestro punto de vista, coincidirá en que tenemos razón. El hecho es que, no obstante, ese enfoque casi nunca funciona. Intentar obligarles a escuchar, o ver nuestro lado, solo aviva la batalla.

En lugar de eso, es mucho mejor aprovechar nuestras ansias de control de manera que trabajemos juntos, cooperando para encontrar formas de reducir la crispación y aligerar esta pelea. A menudo, esa cooperación se traslada a otras partes de nuestro diálogo, hasta que nos encontramos contemplando soluciones, uno junto al otro.

Esto explica por qué la técnica del bucle de comprensión es tan poderosa: cuando demuestras a alguien que estás escuchando, en efecto, estás dándole control sobre la conversación. Esto también explica por qué el principio de encaje es tan efectivo: cuando seguimos el liderazgo de alguien y nos volvemos emocionales como ellos, o prácticos cuando nos han señalado una mentalidad práctica, estamos compartiendo el control sobre cómo fluye un diálogo.

Una vez que los loqueros del amor llegaron a esta conclusión —además de demostrar que estamos escuchando, debemos buscar controlar las cosas adecuadas— y un sinfín de ideas más, empezaron a revisar cómo se realiza la terapia de pareja. Comenzaron a extenderse nuevos enfoques, como la terapia conductual integrativa de pareja, que se centra en aceptar los defectos del otro en lugar de intentar cambiarlo. En menos de una década, miles de terapeutas estaban utilizando las técnicas de los loqueros del amor. «Los terapeutas matrimoniales originalmente pensaban que su objetivo era ayudar a las parejas a resolver sus problemas», declaró Stanley, el investigador de la Universidad de Denver. Hoy, no obstante, las sesiones de orientación conyugal se centran más en enseñar a las parejas habilidades de comunicación.

«Hay muchos conflictos que no tienen solución —me dijo Stanley—. Pero cuando todo el mundo siente que tiene el control, el conflicto a veces se disipa sin más. Tú das tu opinión, tu pareja te escucha y encontráis algo en lo que trabajar juntos, y el problema deja de ser para tanto».[152]

La conversación sobre las armas se traslada a internet

Cuando Melanie Jeffcoat, Jon Godfrey y el resto de los activistas por el control de armas y por el derecho a portar armas llegaron a casa y se conectaron a internet, las cosas se caldearon rápido. Había unas ciento cincuenta personas en el grupo privado de Facebook, muchas de las cuales enviaban mensajes día y noche, quince mil posts en cuatro semanas. La mayoría de los participantes eran nuevos en el grupo y no habían asistido a la sesión de formación en Washington D. C. No habían aprendido ninguna de las habilidades de comunicación de los organizadores ni habían tenido ocasión de crear vínculos en la vida real.

En Facebook había momentos de conexión real, pero también de abundante fealdad.[153] «No sé qué es más insultante, si tus suposiciones o tu desdén», le escribió un participante a otro. «Entonces ¿se te da bien lavar el cerebro a los niños acerca de los peligros de la libertad?», preguntó otro. Se llamaban unos a otros idiotas, nazis y fascistas, mientras escribían que algunas personas eran «demasiado tontas para comprender mis argumentos porque, supongo, estáis demasiado ocupados con las drogas y el sexo en la universidad en lugar de aprendiendo a pensar».[154]

Los moderadores del grupo habían sido entrenados para servir como «modelos de curiosidad, educación y escucha atenta» y para trabajar con el fin de «establecer normas conversacionales».[155] Pero online, descubrieron los moderadores, a veces esos enfoques se quedaban cortos. Intentaban enfatizar distintas técnicas de escucha y formar a la gente para hablar con cortesía.[156] Pero en internet resultó menos útil que en persona en Washington D. C.

Se producían todos los problemas normales de la comunicación online: comentarios que pretendían ser sarcásticos pero se leían de la forma equivocada; fraseo confuso que conllevaba una ofensa que el autor nunca había pretendido; posts que parecían inocentes para unos pero palabras hostiles para buscar pelea para otros. Y un problema en particular que no dejaba de surgir era siempre el mismo que los investigadores del matrimonio habían encontrado eran los cónyuges descarrilados: en Facebook, las personas seguían intentando controlarse unas a otras. Estas luchas por el dominio no eran lo único que interrumpía las conversaciones, pero, cuando surgían, desbarataban los diálogos.[157]

Algunos participantes en Facebook, por ejemplo, trataban de controlar lo que otros tenían permiso para decir, qué opiniones estaban aceptadas, qué emociones podían expresarse: «Es ridículo decir que tienes miedo porque tu vecino posee un arma —le dijo una persona a otra—. No deberías sentirte así para nada».

Los intentos de control surgían también de formas más sutiles. Alguien presentaba un tema, y otra persona sugería de inmediato una solución u ofrecía un largo monólogo, algo que el autor del post original se tomaba como un intento de controlar la dirección y el tono de la conversación. A veces la gente restaba importancia a algunos asuntos —«A mí una situación como esta no me parece nada del otro mundo», escribió una persona a otra que describía un curso de tiro problemático—, algo que se veía como un intento de controlar qué tipos de preocupaciones eran legítimas y cuáles eran ridículas.

Otras veces la gente ni siquiera parecía darse cuenta de que estaban intentando ejercer control. «Estoy viendo a los mismos tipos publicando un post tras otro con la misma retórica interminable sobre las armas y es realmente desagradable», escribió una mujer. Su propósito era expresar su frustración, pero salió como un intento de dictar quién tenía permiso para hablar: «Estoy muy interesada en escuchar a otras mujeres —escribió—. No tengo ningún interés en escuchar a hombres». A veces, cuando intentamos ejercer control, no nos damos cuenta de que lo hacemos. Pensamos que simplemente estamos dando nuestra opinión, u ofreciendo consejo, y no entendemos que otros lo percibirán como un intento de forzar la dirección de una conversación.

«Se está volviendo bastante tribal», escribió un participante. Así que los moderadores, como los consejeros matrimoniales, empezaron a alentar a las personas para centrarse en controlar las cosas juntos. Cuando parecía que estaba a punto de producirse una pelea, los moderadores enviaban mensajes que instaban a todo el mundo a centrarse en sus propias necesidades y emociones, una forma educada de pedir a la gente que ejerciera el autocontrol. «Cuando te sientas provocado o enfadado, tómate un respiro —publicó un moderador—. Si te descubres poniéndote a la defensiva, toma distancia». Los moderadores empujaban a la gente a pensar en el entorno que habían creado a través de las palabras que utilizaban. Cuando se publicaban términos candentes —«Estado policial», «guerreros por la libertad», «armas de asalto»—, pedían a los participantes que utilizaran un lenguaje menos polarizador, como «Estado de derecho», «defensor del derecho a portar armas» y «fusiles tácticos». Los moderadores alentaban a los participantes a controlar los límites de sus conflictos centrándose en un tema cada vez. «Quiero recordar a la gente que esto no es un debate con el objetivo de anotar puntos —escribió un moderador al grupo—. Me pregunto si podéis bajar un poco el tono [...] Quizá sea mejor si hacemos todos una pausa».

Este enfoque —alentar a los participantes a controlarse a sí mismos, sus entornos y los límites de los conflictos— tuvo un impacto. Las conversaciones mejoraron, se volvieron más humanas. Las personas se atacaban menos unas a otras. «Mi posición sobre las armas no ha cambiado desde que me uní a este grupo —escribió una persona—, pero mi enfoque de la conversación sobre las armas definitivamente lo ha hecho. Quiero sentarme a hablar y mantener estos diálogos difíciles».

Entonces ocurrió algo sorprendente. Godfrey, el expolicía, envió un mensaje privado a Jeffcoat, diciendo que había advertido que la atacaban en chats online. Quería ayudar, y trazaron un plan. A la mañana siguiente, Jeffcoat escribió en apoyo a un tema polarizador: las leyes de bandera roja, que permiten a la policía retirar armas de las casas de la gente. Jeffcoat sabía que su post generaría respuestas airadas.

Godfrey, sin embargo, estaba listo. Respondió antes que cualquier otro para decir que, como agente de policía y defensor del derecho a portar armas, en muchas ocasiones habría deseado arrebatarle un arma de fuego a alguien que suponía un peligro para sí mismo o para otros. Entonces escribió que esperaba oír las experiencias de las personas con ese aspecto concreto del debate de las armas. Trabajó para determinar el entorno y los límites del conflicto. La gente empezó a compartir historias acerca de retirar armas a familiares o a ellos mismos. Jeffcoat, en lugar de discutir su postura, comenzó a utilizar la técnica del bucle, con posts que resumían lo que otros habían dicho. Pronto decenas de personas estaban contando historias, reconociendo lo complicado que era este asunto, lleno de matices. «A veces la gente no sabe escuchar —me dijo Brittany Walker Pettigrew, una moderadora—. Piensan que significa debatir, y si dejas que alguien más ofrezca un buen argumento, estás haciendo algo mal. Pero escuchar significa permitir que alguien más cuente su historia y luego, aunque no estés de acuerdo con él, intentar comprender por qué se siente así».

Mientras se desarrollaban esos diálogos, otra activista por el control de armas que participaba en el debate de Facebook, Helen Cohen Bludman, de Bryn Mawr, Pennsylvania, fue a una sesión de planificación local para una marcha próxima contra las armas en su ciudad. Cuando apareció, los voluntarios estaban haciendo carteles en los que se leía: LA ASOCIACIÓN NACIONAL DEL RIFLE ES EL MAL. Aquello disgustó a Bludman. «Apenas unos meses antes, yo misma habría llevado ese cartel —me contó—. Pero la Asociación Nacional del Rifle está formada por gente como Jon Godfrey, y él es una buena persona. No podemos decir eso de él».

Los conflictos no suelen resolverse rápido. «Cuesta metabolizar la perspectiva de otra persona en una sola conversación —me dijo Sheila Heen—. Lleva un tiempo, así que normalmente tenemos que revisar la conversación, una y otra vez, hasta que podemos oír todo lo que está diciendo cada persona».[158] Pero este proceso iterativo puede descarrilar con facilidad si no nos sentimos a salvo, o si parece que otras personas no están escuchando, o si están intentando controlar lo que tenemos permitido decir. Es entonces cuando se filtran el dolor y la ira, crece el resentimiento, el conflicto empieza a desmandarse. Sin embargo, cuando buscamos cosas que podemos controlar juntos, resulta más fácil advertir un camino.

El experimento para promover una conversación cívica sobre las armas concluyó unas seis semanas después de que empezara, como estaba previsto, cuando los organizadores cerraron el grupo de Facebook. Los resultados eran desiguales: no todo el mundo superó sus animosidades ni encontró formas de conectar. Algunas personas fueron expulsadas por los moderadores, otras optaron por salir del grupo. «Estoy empezando a perder interés en este grupo —escribió una persona al cabo de unas semanas—. A nadie le interesa cambiar de opinión. O crees en el derecho humano más fundamental que existe (el derecho a defenderse a uno mismo, a su familia, la comunidad y el país) o crees en la negación de ese derecho fundamental [...] Sé que yo tengo claro el asunto, y que probablemente tú también [...] Supongo que al final nos veremos en las urnas».[159] Incluso aquellos que encontraron sentido a las conversaciones a veces se sentían en conflicto con sus iguales. «Hay un tipo con el que no me importaría no volver a hablar en lo que me queda de vida», me confesó Jeffcoat.

Pero también había gente que encontraba conexiones reales pese a las grandes distancias. Para ellos, la experiencia fue profunda. «He usado estas habilidades en otros ámbitos de mi vida», escribió un participante cuando los organizadores encuestaron a la gente seis meses después de que concluyera el proyecto.[160] «Soy más tolerante cuando hablo con gente con puntos de vista distintos. Solía ser intolerante con las personas con posiciones radicales, [pero] ahora soy capaz de mantener conversaciones con esas personas, y escucharlas, mientras también comunico mi opinión», añadió otro.[161]

Para Jon Godfrey, el proyecto fue transformador. Aún posee decenas de armas, me dijo, y ha votado dos veces a Donald Trump en parte porque cree que este protegerá la Segunda Enmienda. Antes de participar en el experimento, Godfrey por lo general incluía a los que protestaban contra las armas en la misma categoría que, pongamos, a los comunistas, o quizá los veganos: gente que no entiende cómo funciona el mundo real.

Pero ha pensado mejor algunas cosas. Desde que acabó el proyecto, se ha acostumbrado a llamar a Jeffcoat cada pocos meses solo para ponerse al día y escuchar su opinión sobre lo que está pasando en las noticias.

«Es un mundo complicado, ¿sabes? —dijo Godfrey—. Necesitas amigos distintos si quieres descifrarlo».

UNA GUÍA PARA UTILIZAR ESTAS IDEAS

TERCERA PARTE

Conversaciones emocionales, en la vida y en internet

Las emociones impactan en todas las conversaciones, tanto si nos damos cuenta como si no. Incluso cuando no reconocemos esos sentimientos, siguen estando ahí, y cuando se ignoran, es probable que se conviertan en obstáculos para la conexión.

Así, un objetivo crítico, en cualquier diálogo significativo, es sacar las emociones a la superficie, que es la tercera regla de una conversación de aprendizaje.

Tercera regla:
Pregunta por los sentimientos de los demás y comparte los tuyos.

Hay un momento, en muchas conversaciones, en el que alguien cuenta algo emocional, o revelamos nuestros propios sentimientos, o queremos entender por qué seguimos peleándonos, o esperamos acercarnos a alguien que parece distante. Es entonces cuando podría iniciarse una conversación «¿Cómo nos sentimos?», si lo permitimos. Y una de las mejores maneras de empezar es **formular una pregunta profunda**.

Las preguntas profundas son especialmente efectivas a la hora de crear intimidad porque requieren que la gente describa sus creencias, valores, sentimientos y experiencias de formas que pueden revelar alguna vulnerabilidad. Y esta provoca el contagio emocional, lo que nos lleva a alinearnos más.

Las preguntas profundas pueden ser tan ligeras como «¿Cuál

sería tu día perfecto?» o tan densas como «¿De qué te arrepientes más?». Las preguntas profundas no siempre lo son a primera vista al principio: «Háblame de tu familia» o «¿Por qué pareces tan contento hoy?» son fáciles de formular, y pueden ser profundas porque invitan a los demás a explicar lo que les enorgullece o preocupa, alegra o emociona.

Casi cualquier cuestión puede reformularse y convertirse en una pregunta profunda. La clave es comprender tres características:

1. **Una pregunta profunda alude a los valores, creencias, juicios o experiencias de alguien, en lugar de a hechos sin más.** No preguntes «¿Dónde trabajas?». En lugar de eso, saca a la luz sentimientos o experiencias: «¿Cuál es la mejor parte de tu trabajo?». (Un estudio de 2021 encontró un enfoque sencillo para generar preguntas profundas: antes de hablar, imagina que estás conversando con un buen amigo. ¿Qué le preguntarías?).
2. **Una pregunta profunda pide a la gente que hable de cómo se siente.** A veces es fácil: «¿Cómo te sientes respecto a...?». O podemos dar pie a la gente para que describa emociones concretas: «¿Te alegraste cuando...?». O pídele a alguien que analice las emociones de una situación: «¿Por qué crees que se ha enfadado?». O empatice: «¿Cómo te sentirías si te ocurriese a ti?».
3. **Hacer una pregunta profunda debería producir la misma sensación que compartir.** Debería ser, un poco, como si reveläsemos algo de nosotros mismos cuando formulamos una pregunta profunda. Esta sensación podría darnos una pausa. Pero los estudios muestran que la gente casi siempre se alegra de que le hayan formulado, y de haber respondido, una pregunta profunda.

Una vez que formulamos una pregunta profunda, tenemos que escuchar con atención cómo responden los demás. Escuchar requiere prestar atención a algo más que las palabras que pronuncian. Para oír lo que está diciendo una persona, también necesitamos prestar atención a sus **expresiones emocionales no verbales**: los sonidos que emite, los gestos, el tono de voz y la cadencia, la postura corporal y las expresiones.

La última guía expone algunas pistas útiles para determinar qué quieren las personas de una conversación. También podemos aprender a buscar lo que están sintiendo. Pero, dado que resulta fácil confundir, pongamos, la frustración con la ira, o la calma con la tristeza, es fundamental estar atento a dos cosas:

- **Humor:** ¿Parecen animadas o melancólicas? ¿Cómo describirías sus expresiones? ¿Se ríen o gritan? ¿Están animadas o desanimadas?
- **Energía:** ¿Tienen energía alta o energía baja? ¿Están calladas y encerradas en sí mismos o son habladoras y expresivas? Si parecen felices, ¿están tranquilas y contentas (*energía baja*) o emocionadas y sociables (*energía alta*)? Si son infelices, ¿están tristes (*energía baja*) o agitadas (*energía alta*)?

Atiende al *humor* y la *energía*
para reconocer emociones...

ENERGÍA / HUMOR	**Positivo**	**Negativo**
Alta	*Animado*	*Enfadado*
Baja	*Dichoso*	*Frustrado*

y luego encaja los tuyos
para mostrar que estás escuchando.

Los niveles de humor y energía a menudo nos dicen todo lo que necesitamos saber para alinearnos emocionalmente. A veces, quizá no queramos sintonizar con las emociones: si alguien está enfadado, y nos enfadamos a su vez, es posible que nos eso nos separe. Pero, si reconocemos su humor y energía —«Pareces molesto. ¿Qué pasa?»—, podemos empezar a alinearnos.

Responder a emociones

Una vez que hemos sacado nuestras emociones a la superficie, ¿qué hacemos a continuación?

Uno de los aspectos más importantes de la comunicación emocional es mostrar a los demás que oímos sus emociones, lo que nos ayuda a reciprocar.

Hay una técnica para esto: el «bucle de comprensión». Así es como funciona:

- Haz preguntas, para asegurarte de que entiendes lo que ha dicho alguien.
- Repite, en tus propias palabras, lo que has oído.
- Pregunta si lo has entendido bien.
- Continúa hasta que todos estemos de acuerdo en que lo entendemos.

Demostramos que escuchamos con
bucle de comprensión.

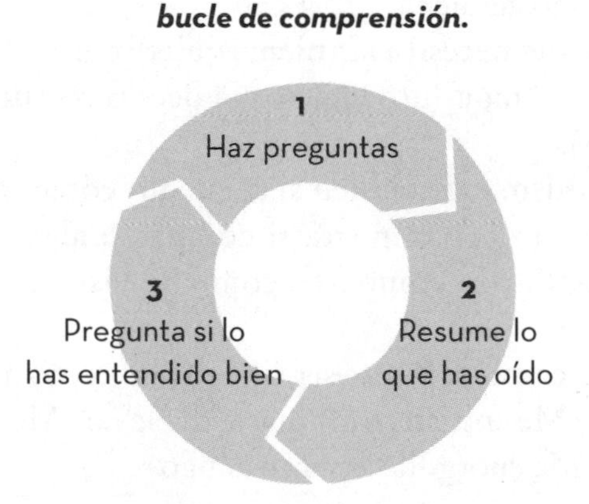

Repite hasta que todos estemos de acuerdo en que lo entendemos.

El objetivo de este «bucle» no es repetir como un loro las palabras de alguien, sino más bien condensar los pensamientos de otra persona en tu propio lenguaje, mostrando que te esfuerzas en ver su perspectiva, y iterando después el proceso hasta que todo el mundo está alineado.

El «bucle» tiene dos beneficios:

Primero, nos ayuda a asegurarnos de que oímos a otros.

Segundo, demuestra que *queremos* oír.

Este segundo beneficio es importante porque ayuda a establecer una **vulnerabilidad recíproca**. La reciprocidad emocional no proviene de describir tan solo nuestros sentimientos, sino, más bien, de proporcionar «apoyo empático». La reciprocidad tiene matices. Si alguien revela que ha recibido un diagnóstico de cáncer, no deberíamos reciprocar hablando de nuestros propios achaques. Eso no es apoyo, sino un intento de desviar la atención hacia nosotros mismos.

Pero si decimos «Sé el miedo que da. Cuéntame cómo te sientes», mostramos que empatizamos e intentamos comprender.

Reciprocamos vulnerabilidad al...

- **Repetir en bucle para entender,** hasta que comprendas lo que está sintiendo alguien.
- **Buscar lo que necesita alguien:** ¿quiere consuelo? ¿Empatía? ¿Consejo? ¿Amor duro? (Si no conoces la respuesta, insiste en el «bucle»).
- **Pedir permiso.** «¿Está bien si te cuento cómo me afectan tus palabras?» o «¿Te importa si comparto algo de mi propia vida?» o «¿Puedo compartir cómo he visto a otros manejar esto?».
- **Dar algo a cambio.** Puede ser tan sencillo como describir cómo te sientes: «Me entristece oír que te duele» o «Me alegro mucho por ti» o «Me enorgullece ser tu amigo».

La reciprocidad no es cuestión de encajar vulnerabilidad con vulnerabilidad, o pena con pena. Más bien, es estar emocionalmente disponible, escuchar cómo se siente alguien y lo que necesita, y compartir nuestras propias reacciones emocionales.

¿CÓMO CAMBIA ESTO EN UN CONFLICTO?

Es posible que cueste compartir sentimientos en medio de un conflicto. Si estamos en una pelea, o hablando con alguien con valores y objetivos distintos, la conexión puede parecer difícil, incluso imposible.

Pero, dado que las emociones mueven tantos conflictos, durante las peleas es aún más importante hablar de «¿Cómo nos sentimos?». Puede revelar cómo salvar la brecha.

Algunos investigadores han descubierto que, en un conflicto, **demostrar que estamos escuchando y compartiendo vulnerabilidades** puede ser especialmente poderoso, y podemos demostrar que estamos escuchando a través de técnicas específicas.

Cuando estamos en conflicto con alguien...

- **Primero, reconoce que has comprendido.** Lo hacemos a través del bucle y afirmaciones como «Déjame asegurarme de que lo entiendo».
- **Segundo, encuentra puntos específicos de acuerdo.** Busca lugares en los que puedas decir: «Estoy de acuerdo contigo» o «Creo que tienes razón en que...». Esto recuerda a todo el mundo que, aunque podamos tener diferencias, queremos estar alineados.
- **Finalmente, modera tus afirmaciones.** No hagas declaraciones demoledoras como «Todo el mundo sabe que eso no es cierto» o «Los de tu lado siempre entendéis esto mal». En lugar de eso, utiliza expresiones como «de algún modo» o «Es posible...», y habla sobre experiencias concretas («Quiero hablar de por qué dejaste los platos sin lavar en el fregadero anoche») en lugar de generalidades («Quiero hablar de que nunca haces tu parte en casa»).

La meta es mostrar que el objetivo de esta conversación no es ganar, sino comprender. No necesitáis evitar los desacuerdos o restar importancia a vuestras propias opiniones. Podéis aportar ideas, abogar por vuestras creencias, incluso exponer argumentos y retaros el uno al otro, mientras vuestra meta sea entender, y ser entendidos, en lugar de ganar.

¿CÓMO CAMBIA ESTO CUANDO NOS CONECTAMOS A INTERNET?

Los humanos llevamos hablando entre nosotros más de un millón de años y comunicándonos mediante la lengua escrita durante más de cinco milenios. A lo largo de este tiempo hemos desarrollado normas y comportamientos casi inconscientes —el dejo en nuestra voz cuando respondemos al teléfono; la despedida en una carta con la que señalamos nuestro cariño por el lector— que facilitan la comunicación.

En contraste, solo llevamos comunicándonos por internet desde 1983. En términos relativos, las normas y comportamientos para hablar por la red siguen en la más tierna infancia.

Uno de los mayores problemas con las conversaciones online, por supuesto, es que carece de la información que suelen proporcionar nuestras voces y nuestros cuerpos: nuestros tonos vocales, gestos, expresiones y la cadencia y energía que imprimimos a nuestro discurso. Incluso cuando redactamos cartas, tendemos a incluir matices y sutilezas que provienen de corregirnos a nosotros mismos y pensar en lo que queremos decir.

Online, sin embargo, la comunicación tiende a ser rápida e irreflexiva, sin editar y a veces enrevesada, sin ninguna de las pistas que proporcionan nuestras voces o la consideración que permite la correspondencia formal.

Pero la comunicación online ha venido para quedarse. Así que ¿qué necesitamos saber?

Hay cuatro cosas que algunos estudios muestran que mejoran las conversaciones online.

Cuando hables online, recuerda...

- **Pon un énfasis exagerado en la educación.** Numerosos estudios han demostrado que las tensiones online se reducen si al menos una persona se muestra sistemáticamente educada.[162] Según un estudio, lo único que hacía falta era añadir «gracias» y «por favor» a una serie de conversaciones online —mientras todo lo demás permanecía igual— para rebajar tensiones.
- **Limita el sarcasmo.** Cuando decimos algo en tono burlón, esto señala una ironía que nuestra audiencia normalmente comprende. Cuando tecleamos algo sarcástico online, por lo general oímos esas mismas inflexiones en nuestra mente, pero la gente que lee nuestros comentarios, no.
- **Expresa más gratitud, deferencia, saludos, disculpas y rodeos.** Hay estudios que demuestran que cuando somos agradecidos («Ese comentario me ha enseñado mucho») o solícitos («Me encantaría escuchar lo que piensas»), introducimos comentarios con un saludo («¡Hola!»), nos disculpamos de antemano («Espero que no te importe...») o damos algún rodeo («Creo...»), la comunicación online mejora.
- **Evita las críticas en foros públicos.** En otro estudio, los investigadores descubrieron que proporcionar una retroalimentación negativa online resultaba mucho más contraproducente que en la vida real. Empuja a la gente a escribir más cosas negativas y a empezar a atacar a otros con más frecuencia. Cuando criticamos a otros públicamente online, convertimos el mal comportamiento en una norma digital.[163]

Todas estas tácticas, por supuesto, también son útiles cuando hablamos cara a cara. Muchas son evidentes, cosas que aprendemos de niños. Pero en internet resulta fácil olvidarlas porque tecleamos rápido, mandamos mensajes entre reuniones, pulsamos ENVIAR o PUBLICAR sin releer nuestras palabras para comprobar cómo podrían recibirse. Online, un poco más de cuidado y atención puede producir enormes recompensas.

LA CONVERSACIÓN «¿QUIÉNES SOMOS?»

UNA VISIÓN GENERAL

En una conversación significativa, no solo nos exponemos a nosotros mismos en el diálogo, sino todo lo que nos ha conducido hasta este momento: nuestras historias y antecedentes, nuestras familias y amistades, las causas en las que creemos y los grupos a los que amamos o detestamos. Aportamos, en otras palabras, nuestras identidades sociales. Muchas conversaciones se centran de forma explícita en estas últimas: qué conocidos tenemos en común, cómo nos relacionamos entre nosotros en nuestras comunidades, lo que pensamos de nuestras relaciones y cómo influyen estas en nuestra vida.

Los movimientos de justicia social y los trágicos ejemplos de violencia de la última década han dejado penosamente claro que la desigualdad y el prejuicio afectan a muchas vidas, y a algunas más que a otras. Hablar de nuestras diferencias resulta importante si vamos a empezar a avanzar más allá de esas desgracias.

Los dos capítulos siguientes exploran las conversaciones sociales y cómo pueden resultar fructíferas, incluso en medio de la incomodidad. El capítulo 6 examina cómo coger un instinto evolutivo —confiar en los que se parecen a nosotros y desconfiar de aquellos que no— y utilizarlo para conectar aun cuando nuestros trasfondos y creencias nos separen. El capítulo 7 estudia cómo pueden elevarse las conversaciones más difíciles —sobre formas sistémicas de injusticia, por ejemplo— si pensamos de forma más deliberada en cómo deberían producirse.

«No son nuestras diferencias lo que nos divide —escribió la poeta y activista Audre Lorde—. Es nuestra habilidad para reconocer, aceptar y celebrar esas diferencias». La conversación «¿Quiénes somos?» explora cómo nuestras identidades sociales nos convierten, a nosotros y al mundo, en un lugar más rico.

6

NUESTRAS IDENTIDADES SOCIALES MODELAN NUESTROS MUNDOS

Vacunar a los antivacunas

Cuando Jay Rosenbloom se graduó en la Facultad de Medicina en 1996 y empezó una residencia pediátrica en la Universidad de Arizona, sabía que, como el nuevo, le darían los trabajos que nadie más quería. Se había sacado el doctorado en Medicina en la Universidad de Salud y Ciencias de Oregón, pero una vez que se hubo convertido en médico en activo pasó gran parte de su primer año haciendo revisiones normales y corrientes de pediatría. Cada día, padres ansiosos entraban en tromba por las puertas de la clínica, y Rosenblum les preguntaba por el horario de lactancia y los sarpullidos del pañal, y entonces hacía demostraciones de técnicas para fajar y métodos para hacer eructar.

No era un trabajo glamuroso, pero hacia el final de cada cita, por fin tenía la oportunidad de desplegar sus habilidades médicas: preparaba y luego administraba una serie de inmunizaciones. La Academia Estadounidense de Pediatría recomendaba comenzar con las vacunas contra enfermedades como la polio y la tos ferina a los tres meses del nacimiento, y la mayoría de los padres estaban deseando que sus hijos recibieran las dosis.

Algunos padres, sin embargo, se mostraban escépticos. Habían oído que esas vacunas causaban autismo, deformidades físicas o infertilidad. Les preocupaba que fuesen una estratagema con fines lucrativos e hiciesen a los niños *más* susceptibles a la enfermedad, de manera que las empresas pudiesen vender más fármacos. Algunos padres objetaban sencillamente porque no les gustaba nada que recomendase el Gobierno. Rosenbloom sabía que esas preocupaciones eran desacertadas e irracionales, pero eso no las hacía menos comunes.

«De modo que acudí a uno de los médicos veteranos y le pregunté qué debía decir a los padres que rechazaban las vacunas —me contó Rosenbloom—. Y me dijo que les soltara sin más: "Yo soy el médico y sé más"».

Aunque era el empleado de menos antigüedad de la clínica, Rosenbloom se dio cuenta de que esa no era una estrategia ganadora. Así que, en lugar de eso, en sus horas libres, diseñó unos folletos para los padres en los que documentaba cuántas vidas habían salvado las vacunas. Fotocopió estudios médicos y encontró vídeos educativos que mostrar durante las revisiones. Habló a los padres de la tristeza que sentía cuando los niños sin vacunar llegaban con enfermedades fáciles de prevenir y potencialmente letales. Probó todo lo que se le ocurría, normalmente en vano. «Cuanta más información les proporcionaba, más tercos se ponían ellos —me explicó—. A veces compartía mi investigación, les enviaba a casa con todos esos gráficos y folletos, y los padres me daban las gracias, y luego una semana más tarde descubría que se habían cambiado a otra clínica».

Una mañana, entró un padre con su hija de doce años y Rosenbloom le preguntó si podía administrarle una vacuna. «Dios, no —replicó el hombre—. No pensamos meter ese veneno en nuestros cuerpos. ¿Intenta usted matarnos?». Rosenbloom no insistió. «No vas a convencer a alguien así —me dijo—. Toda la imagen que tiene de sí mismo se erige sobre la idea de que las vacunas son para primos y los médicos son o idiotas o parte del complot».

Esta dinámica persistía cuando Rosenbloom concluyó su residencia y se unió a una consulta en Portland, Oregón. A lo largo de las dos décadas siguientes se acostumbró a recomendar las vacunas y luego a escuchar mientras una parte de los pacientes le explicaba por qué las inyecciones eran peligrosas o una conspiración. Llegó al punto en el que estas teorías, por extravagantes que fueran, ya no le sorprendían. Lo que le resultaba extraño, sin embargo, era la diversidad de los antivacunas. «Tienes a progresistas que rechazan las vacunas porque solo comen productos orgánicos, y a conservadores que creen que es una muestra de tiranía del Gobierno, y a libertarios que dicen que Bill Gates quiere meternos microchips en el cuerpo, y todas estas personas normalmente se odian unas a otras. Pero en lo que respecta a las vacunas, es como si todo el mundo siguiera el mismo manual».

Esto también chocaba a los investigadores. La gente que rechazaba las vacunas no parecía tener mucho en común con los típicos teóricos de la conspiración que se meten en honduras tras visitar páginas web marginales o hablar con familiares excéntricos. En realidad, el rechazo de los antivacunas parecía centrarse en cómo aceptaba la sociedad estos fármacos sin cuestionarlos.[164] Cuando los académicos empezaron a estudiar la psicología de la resistencia a las vacunas, muchos llegaron a creer que la aversión de los antivacunas tenía algo que ver con sus «identidades sociales»: las imágenes que todos nos formamos de nosotros mismos basándonos en los grupos a los que pertenecemos, la gente con la que entablamos amistad, las organizaciones a las que nos unimos y las historias que aceptamos o rechazamos.[165]

El último capítulo examinaba una conversación difícil —el debate sobre las armas—, en la que la gente se hallaba dividida por ideologías y política. Pero hay una separación distinta que puede hacer igual de difícil que la gente conecte. Este tipo de división proviene de nuestras identidades sociales, cómo nos ve la sociedad y cómo nos vemos a nosotros mismos como criaturas sociales. Estas son las diferencias —y los conflictos— que pueden surgir porque yo soy negro y tú blanco, o yo soy trans y tú eres cis, o yo soy inmigrante y tú no. En estas situaciones, si esperamos conectar, se necesita otro tipo de enfoque, algo más que el «bucle de comprensión» o demostrar que queremos entender.

Las identidades sociales, como explica un manual de psicología, son «esa parte de nuestra identidad que proviene de nuestra pertenencia a grupos sociales, el valor que atribuimos a esa pertenencia y lo que significa para nosotros emocionalmente».[166] Nuestras identidades sociales surgen de una mezcla de influencias: el orgullo o la actitud defensiva que experimentamos basándonos en los amigos que hemos escogido, las escuelas a las que hemos asistido, los lugares de trabajo a los que hemos accedido. Son las obligaciones que sentimos debido a nuestros legados familiares, cómo hemos crecido o dónde acudimos a rezar. Todos nosotros tenemos una identidad personal: cómo pensamos en nosotros mismos al margen de la sociedad. Y todos tenemos una identidad social: cómo nos vemos a nosotros mismos —y creemos que nos ven otros— como miembros de distintas tribus.[167]

Numerosos estudios han mostrado que las identidades sociales influyen en nuestros pensamientos y comportamientos de formas profundas.[168] Un famoso experimento llevado a cabo en 1954 descubrió que dividir de manera arbitraria a niños de once años en dos grupos en un campamento de verano —se llamaban a sí mismos las Serpientes y las Águilas— bastó para que empezaran a establecer fuertes vínculos con su propia facción, y luego demonizaran al otro grupo hasta el punto de rasgarle las banderas y tirarle piedras a la cabeza.[169] Otros experimentos han demostrado que, en contextos sociales, la gente mentirá sobre su pasado, pagará voluntariamente demasiado por un producto o fingirá no ver un crimen mientras se comete por el mero hecho de encajar.[170]

Todos poseemos numerosas identidades sociales —demócrata/ republicano, cristiano/musulmán, blanco/negro, millonario hecho a sí mismo/clase trabajadora— que se entrecruzan de formas complicadas: «Soy un ingeniero en informática gay e hindú del sur que vota a los libertarios».[171] Estas identidades nos empujan a nosotros mismos y a otros a dar cosas por sentado. Es posible que sutilmente nos hagan «exagerar las diferencias entre grupos» y poner demasiado énfasis en «las similitudes de cosas en el mismo grupo», como escribió un investigador de la Universidad de Manchester en 2019.[172] Nuestras identidades sociales nos empujan sin pensar a ver a la gente como nosotros —los miembros de nuestro grupo— como más virtuosos e inteligentes, mientras a aquellos que son diferentes —de otros grupos— como sospechosos, poco éticos y posiblemente amenazadores. Las identidades sociales nos ayudan a relacionarnos con los demás, pero también pueden perpetuar estereotipos y prejuicios.

Las tres conversaciones

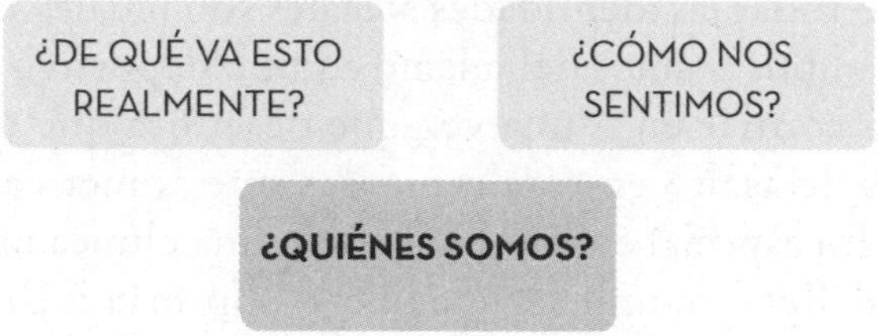

¿DE QUÉ VA ESTO REALMENTE?

¿CÓMO NOS SENTIMOS?

¿QUIÉNES SOMOS?

Todos poseemos identidades sociales que modelan cómo hablamos y escuchamos.

Estos impulsos sociales, buenos y malos, es probable que estén arraigados en nuestra evolución. «Si no hubiésemos desarrollado una profunda necesidad de pertenencia e interacción social hace mucho tiempo, nuestra especie se habría ido al garete —me dijo Joshua Aronson, profesor de Psicología de la Universidad de Nueva York—. Si un bebé no tiene instinto social o su madre no cuida de su descendencia, el pequeño muere. De modo que los rasgos que se transmiten son el cuidado de los miembros de tu grupo, querer defender a tu gente y encontrar formas de pertenecer».

El deseo de pertenecer se encuentra en el centro de la conversación «¿Quiénes somos?», que se produce siempre que hablamos de nuestras conexiones dentro de la sociedad. Cuando hablamos del último cotilleo de organización («He oído que van a despedir a todos los de contabilidad»), señalamos una afiliación («En esta familia somos de los Knicks»), descubrimos conexiones sociales («¿Fuiste a Berkeley? ¿Conoces a Troy?») o enfatizamos las disparidades sociales («Como mujer negra, esto no lo veo como tú») estamos entablando una conversación «¿Quiénes somos?».[173]

Este tipo de conversiones a menudo nos ayudan a crear vínculos: cuando descubrimos que ambos jugamos al baloncesto en el instituto y ambos asistimos a convenciones de Star Trek, es más probable que confiemos el uno en el otro. Y pese a que estas declaraciones tribales podrían presentar desventajas —es posible que miremos por encima del hombro a personas que no fueron deportistas o que no aprecian a Spock—, también hay claros beneficios: cuando descubrimos identidades sociales que se superponen, tenemos mayor tendencia a conectar.

Pero no todas las identidades sociales son iguales. Simplemente porque ambos seamos del mismo equipo deportivo no significa que vaya a confiar en ti una vez que descubra que tienes dieciséis fusiles de asalto en casa o piensas que comer carne debería ser delito. En especial en entornos como una clínica médica, algunas identidades —como ser médico— son más influyentes que otras.[174]

Dicho de otro modo, las identidades sociales cobran más o menos poder —destacan o más o menos— cuando lo que nos rodea cambia. Si estoy una barbacoa de un barrio en la que todo el mundo votó a Barack Obama, mi camiseta pro-Obama es probable que no cree fricciones. Pero si llevo esa camiseta en una concentración de la Asociación Nacional del Rifle y me encuentro con otra persona con la misma camiseta, es posible que sintamos cierta camaradería. El significado de distintas identidades —la importancia del sexo frente a la raza frente a la política frente a quién apoyamos en la Super Bowl— se vuelve más o menos destacado dependiendo de nuestro entorno y lo que ocurre a nuestro alrededor.

A lo largo de los años, a medida que el doctor Rosenbloom conocía a cada vez más padres que se negaban a vacunar a sus hijos, empezó a parecerle que ese rechazo estaba relacionado con sus identidades sociales: «Somos escépticos acerca de la profesión médica» o «No nos gusta que el Gobierno nos diga qué hacer». Parte de esto, sospechaba, tenía que ver con el entorno en el que se producían estas conversaciones: estos pacientes estaban en su consulta, donde él figuraba como el experto, y ellos se veían obligados a adoptar el papel de suplicantes en busca de consejo, una dinámica que podía desencadenar resentimiento. Un estudio publicado en 2021 encontró que tales desequilibrios de poder y otros factores han causado que «casi una quinta parte de los estadounidenses se identifiquen a sí mismos como antivacunas al menos parte del tiempo, y que muchos de estos individuos vean la etiqueta como central en su sentido de la identidad social».[175] Algunos estudios indican que los que se resisten a las vacunas se ven a sí mismos como más inteligentes que la persona media, mejores en pensamiento crítico y más volcados en la salud natural. Ser antivacunas proporciona «beneficios psicológicos», afirma el estudio de 2021, incluidos «una autoestima y un sentido de comunidad incrementados». Los que se identifican como escépticos acerca de las vacunas «es más probable que vean a los científicos y expertos médicos —que defienden la vacunación generalizada— como grupos marginales amenazadores».

Cuesta abrir brecha en estas actitudes, porque «estás pidiendo a alguien que abandone los valores y creencias que ocupan el centro de cómo se ve a sí mismo», me contó un autor de ese estudio, Matt Motta, de la Universidad de Boston. Nunca conseguirás que alguien cambie su conducta «si, como prerrequisito, le obligas a decir: todo lo que he creído hasta ahora es un error», dijo Motta.

Pero a Rosenbloom le daba la impresión de que el problema no eran solo sus pacientes. Los médicos también se veían influidos por las identidades sociales. Cuando Rosenbloom recordaba a sus mentores —como el médico que le dijo que contestara «Sé más que tú»—, reconocía esto como arrogancia causada por una identidad social que se había desviado. Ese médico pensaba que era superior porque pertenecía a una tribu de expertos. Daba igual cuánto tuviera ese médico en común con sus pacientes, si vivían en el mismo barrio y llevaban a sus hijos a la misma escuela, una vez que los pacientes habían rechazado su consejo, los veía como a un grupo ignorante, una tribu que merecía desdén. Rosenbloom odiaba reconocerlo, pero a veces también veía ese mismo impulso en sí mismo. «Te pones esa bata blanca y empiezas a pensar en ti mismo como en el equipo con todas las respuestas —me dijo—. Y luego, cuando un paciente discrepa de ti, empiezas a pensar en él como ingenuo o equivocado».

Si Rosenbloom esperaba hablar sobre vacunas con los que se resistían a ellas, iba a necesitar hablar mejor su lengua y mostrar que entendía sus preocupaciones. En otras palabras, necesitaba empezar a mantener conversaciones «¿Quiénes somos?».

Pero eso requería dos cosas:

- Primero, necesitaba descubrir cómo abordar los estereotipos dentro de su propia cabeza —y la de otros médicos— que le hacían ver a los que se resistían a las vacunas como ignorantes o irresponsables.
- Segundo, necesitaba mantener conversaciones en las que los pacientes se sintieran respetados y todo el mundo viera a los demás como miembros de una tribu común.

Entonces, a principios de 2020, Rosenbloom empezó a oír hablar de un nuevo y agresivo coronavirus en Wuhan, China. Pronto, el virus se había extendido por todo el mundo, y los países cerraban sus fronteras e iniciaban confinamientos. En junio de ese año, cuando el número de casos de covid-19 en Estados Unidos superó los dos millones, el Gobierno federal anunció que con el tiempo se proporcionarían vacunas a todo el mundo.[176] Los Institutos Nacionales de Salud calcularon que alrededor de un 85 por ciento de los estadounidenses tendrían que ponerse una inyección para que el país alcanzase la inmunidad de rebaño.[177]

¿Lo primero que pensó Rosenbloom? «Es ridículo. Es imposible que tanta gente acceda a ponerse una inyección».

«Pero yo sabía que debíamos intentarlo —me contó—. Si no lográbamos descubrir cómo conectar con los antivacunas, iban a morir millones de personas». Fue entonces cuando empezó a preguntarse por una forma potencial de avanzar: «¿Y si hiciéramos que todos comenzaran a reimaginarse esas conversaciones? ¿Y si hiciéramos que comenzaran a reimaginarse a sí mismos?».

Acallar los prejuicios dentro de nuestra cabeza

Todas las mujeres que entraban en el laboratorio para el experimento tenían al menos una cosa en común: eran excepcionalmente buenas en matemáticas. La mayoría eran alumnas de primero y segundo en la Universidad de Michigan, todas habían puntuado dentro del 15 por ciento más alto en la parte de matemáticas de las pruebas de admisión, habían sacado notas altas en al menos dos clases de cálculo de nivel universitario y habían declarado ante los investigadores que «las matemáticas eran importantes para sus objetivos personales y profesionales».[178] Había hombres entremezclados en el grupo también, pero los investigadores se concentraron en las mujeres, porque, como sospechaban, estas estaban en una desventaja que casi nadie, incluidos los mismos estudiantes, acababa de comprender del todo.

Las semillas del experimento se habían plantado unos años antes, cuando un profesor de Psicología de la Universidad de Washington llamado Claude Steele había empezado a buscar patrones en las notas de estudiantes universitarios. En general, lo que vio se correspondía con sus expectativas: estudiantes que iban bien en el instituto era más probable que siguiesen así en la universidad. Los alumnos que habían sacado notas altas en las pruebas de acceso, que está diseñadas para predecir el desempeño en la universidad, tendían a obtener resultados ligeramente mejores que los que obtuvieron notas bajas.

Pero había un patrón que no tenía sentido: si Steele tomaba a un grupo de estudiantes blancos y negros que habían obtenido notas similares en las pruebas —que, de acuerdo con ese test estandarizado, al menos, estaban igual de preparados para la universidad— y luego comparaba sus expedientes académicos universitarios, los estudiantes negros sistemáticamente sacaban notas inferiores. «No era capaz de averiguar por qué estaba ocurriendo», me dijo Steele. Como más tarde describió en su libro, *Whistling Vivaldi*, «en todos los niveles de las pruebas de acceso, incluso el más alto, los estudiantes negros sacaban notas más bajas que los demás [...] Estaba en todas partes, de Inglés a Matemáticas y Psicología».[179] Es más, escribió, «les ocurre a más grupos aparte de los negros. Les ocurre a los latinos, a los nativos americanos y a las mujeres en clases universitarias avanzadas de Matemáticas, Facultades de Derecho y de Medicina y escuelas de negocios».

Al principio, Steele se preguntaba si podría ser culpa de los instructores.[180] ¿Quizá los profesores eran racistas o sexistas? ¿O se veían influidos de manera inconsciente por los estereotipos?

Pero cuando Steele profundizó, empezó a preguntarse si ocurría algo más. Los datos indicaban que los estudiantes negros y las mujeres estaban obteniendo notas inferiores en clases de Matemáticas avanzadas debido a un factor principal: porque les iba peor en las tareas con límite de tiempo. Parecían saber tanto como sus compañeros, trabajaban igual de arduamente, pero en lo que se refería a exámenes con un límite de tiempo —una prueba de una hora, pongamos—, parecían dudar de sus respuestas a costa de unos minutos preciosos.

Así, en lugar de centrarse en los profesores, Steele se fijó en los estudiantes. ¿Sufrían de una baja autoestima? No lo parecía. ¿Habían dado por sentado, al principio del examen, que no les iría bien, de modo que se cumplían esos malos desempeños? No había prueba de ello. De hecho, todo lo contrario: esos alumnos sabían que estaban listos para esos exámenes y ansiosos por demostrar su habilidad. Estaba ocurriendo algo más, y Steele sospechaba que sabía lo que era. Esos estudiantes se veían restringidos por las identidades sociales: los grupos —mujeres, alumnos negros— a los que pertenecían y los prejuicios que sabían que existían en torno a esos grupos.[181]

Steele entendía, por experiencia personal, cuánto pueden impactar las identidades sociales en las vidas de la gente. De padre negro y madre blanca en Chicago en una época en la que el matrimonio interracial era ilegal en muchos estados, había experimentado el racismo de primera mano. Sus padres estaban implicados en el movimiento en pro de los derechos civiles, luchaban contra la segregación escolar y residencial, y la discriminación electoral. El activismo de Steele, a medida que crecía, adoptó una forma distinta: dejó Chicago para obtener un doctorado en Psicología en la Universidad Estatal de Ohio y empezó a centrarse en la psicología de los prejuicios. Ascendió por las universidades más prestigiosas del país con una rapidez inusual, con periodos en la Universidad de Utah, la Universidad de Washington, Stanford y Columbia. Cuando llegó, en torno a la mitad de su carrera, a la Universidad de Michigan, comenzó a diseñar experimentos para examinar los desconcertantes patrones que habían encontrado en las notas de los estudiantes.

El primer estudio, llevado a cabo con un colega llamado Steven Spencer y publicado en 1999, implicaba a esas mujeres dotadas para las matemáticas. Steele sabía, por distintas encuestas, que las alumnas con matemáticas como asignatura principal sentían que «tenían que demostrar su valía constantemente, que se cuestionaba su compromiso con su carrera». Las mujeres eran muy conscientes de la visión estereotipada según la cual por naturaleza tenían menos destreza en matemáticas que los hombres: era algo, como expresó Steele, «con lo que sabían que debían lidiar». El hecho de que no tuviese ninguna base en la realidad no hacía el estereotipo menos generalizado.

Para este experimento, Steele entregó a la mitad de los participantes un examen de Matemáticas complejo, y a la otra mitad, un examen de Lengua difícil (Lengua era una asignatura en la que, en general, las aptitudes de las mujeres no se veían menospreciadas por los estereotipos).[182] Los test eran relativamente breves —treinta minutos— y difíciles, teniendo en cuenta el examen de acceso a estudios de posgrado.

En los exámenes de Lengua, los hombres y las mujeres, de media, obtenían la misma puntación. En los de Matemáticas, sin embargo, los hombres superaban a las mujeres en veinte puntos de media. Durante los exámenes de Lengua, tanto las mujeres como los hombres asignaban el tiempo sabiamente. En el de Matemáticas, las mujeres parecían trabajar de un modo menos eficiente. «Comprobaban las respuestas el doble de a menudo y rehacían cálculos», dijo Steele. Se quedaron sin tiempo «porque estaban haciendo varias tareas a la vez, con parte del cerebro intentando responder a las preguntas y parte pensando "Tengo que comprobarlo todo dos veces, debo tener cuidado, porque sé que existe este estereotipo"».[183]

Para Steele, era como si las mujeres que se examinaban se hubiesen visto socavadas por el mero hecho de saber que existía un prejuicio dañino, aunque también supieran que no era cierto. Como escribió más tarde, «basándose en los estereotipos negativos de la habilidad femenina para las matemáticas, el mero hecho de hacer un examen de Matemáticas difícil expone a una mujer al riesgo de estigmatización, de ser vista como limitada en matemáticas *porque es mujer*». La existencia de este estereotipo generaba justo la ansiedad y la distracción suficientes para ralentizarlas, lo que se traducía en notas más bajas.

A continuación, Steele reclutó a estudiantes blancos y negros igual de bien preparados y les pidió que completaran la sección de razonamiento verbal del examen de acceso a estudios de posgrado. En este tipo de examen, escribió Steele, había, para los estudiantes negros, un feo «estereotipo de la capacidad intelectual menor del grupo».[184] Cuando volvieron los resultados, «en este examen difícil los estudiantes blancos obtuvieron un resultado mucho mejor que los negros» con «una gran diferencia que, si se mantenía a lo largo de todas las pruebas de acceso, sería muy sustancial».[185] Steele concluyó que esta disparidad se debía a que los estudiantes negros eran conscientes del estereotipo que sugería que no podía irles bien en el examen, el cual le había generado suficiente estrés y exigido suficiente energía mental para socavar sus notas. (En contraste, cuando se informaba a los alumnos negros de que el examen *no* evaluaba la capacidad intelectual, reduciendo la prominencia del estereotipo, sus notas eran similares a las de los estudiantes blancos).

Steele y sus colegas llamaban a este efecto minador «amenaza del estereotipo», y desde esos primeros experimentos a finales de los noventa, cientos de estudios más han confirmado su existencia y examinado su efecto pernicioso.[186] El mero hecho de saber que un estereotipo existe puede influir en cómo nos comportamos. Para los estudiantes negros, las mujeres en clases de Matemáticas avanzadas o muchos otros, «es la mera existencia del estereotipo sobre las habilidades de su identidad en sociedad lo que les amenaza, no necesariamente el racismo de la gente que les rodea», dijo Steele.[187] Incluso si nadie en la órbita del estudiante tiene prejuicios, este puede verse minado por el conocimiento de que existe un estereotipo, y de que su desempeño «podría tomarse, debido al estereotipo y a su efecto sobre el pensamiento de la gente, como confirmación del estereotipo».

Los estereotipos, por supuesto, nos rodean a todos. De hecho, fueron estos mismos —de un tipo muy distinto— lo que influyó a Jay Rosenbloom y tantos otros doctores para que pensaran mal de los pacientes que rechazaban su consejo. Había un estereotipo social —los médicos son expertos— que les empujaba a pensar en sí mismos como sabios. Otro estereotipo —que los médicos son sabelotodos sometidos a las recomendaciones de Gobiernos corruptos— empujaba a los pacientes a ver a sus médicos con recelo. Las identidades sociales pueden cambiar cómo actuamos, aunque no sea nuestra intención ni deseemos que no lo hagan. Esas identidades pueden empujarnos a comprobar dos veces nuestras respuestas o decir con arrogancia a un paciente «sé más que tú».

Steele y otros investigadores han encontrado algunos métodos para contrarrestar las amenazas de los estereotipos.[188] Cuando, en un experimento, dijeron a las participantes que habían diseñado especialmente un examen para esquivar las diferencias de sexo percibidas, y, en otro, dijeron a los estudiantes negros que un examen «no medía la capacidad intelectual de una persona» sino más bien «la de resolver problemas en general», disminuyó el impacto de la amenaza del estereotipo. «Con esta instrucción liberamos a estos participantes negros de la amenaza del estigma que de otro modo podrían haber experimentado», escribió Steele en su libro.

Dicho de otra manera, cuando los investigadores cambiaron el entorno, los estereotipos perdieron prominencia y, por tanto, se volvieron menos amenazadores. «Puedes hacer eso en una clase, lo cual es bueno —me dijo Steele—. Pero cuesta hacerlo en sociedad, donde todo el mundo sabe que existen esos estereotipos».

En 2005 invitaron a otro grupo de estudiantes de Matemáticas, mujeres y hombres, a participar en otro experimento. En esta ocasión, sin embargo, el estudio iba a llevarse a cabo en el campus de la Universidad Cristiana de Texas, bajo la supervisión de un grupo distinto de investigadores, que habían cambiado el protocolo ligeramente.[189] Para asegurarse de que había un estereotipo amenazador en la mente de todos, la investigadora jefa, Dana Gresky, dijo a los participantes al comienzo del experimento: «Estoy estudiando el examen de acceso debido al conocido estereotipo de que los hombres normalmente superan a las mujeres en los exámenes de Matemáticas». Estudios previos habían mostrado que este tipo de manipulación manifiesta aseguraría que un número de mujeres estarían pensando en este estereotipo y obtendrían peores puntuaciones en el examen como resultado.

Luego dividieron a los participantes en tres grupos y los llevaron a salas separadas.

Un grupo empezó con la parte de matemáticas de la prueba de acceso de inmediato, sin preámbulo ni más instrucciones.

A los miembros del segundo grupo, antes de empezar el examen, se les pidió que describieran brevemente cómo se veían a sí mismos. Una forma fácil de hacerlo, les indicó Gresky, era que hicieran un croquis que describiera algunas de sus identidades y roles. Pero el tiempo era escaso, les advirtió, así que debían incluir solo la información más básica. Les mostró un ejemplo que había esbozado:

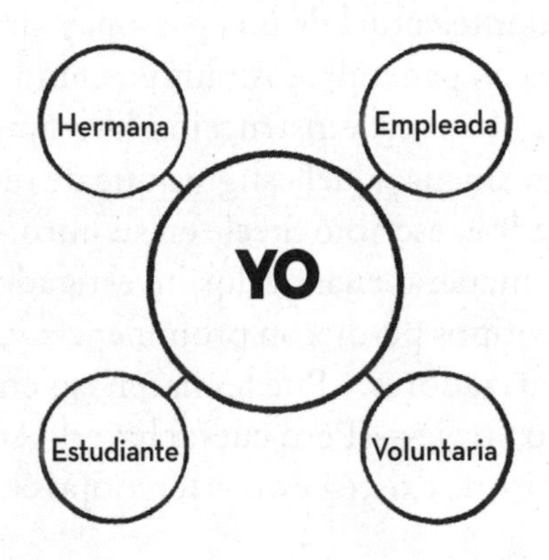

Al tercer grupo también le pidieron que describiera cómo se veían a sí mismos antes de empezar el examen. Esta vez, sin embargo, se les ordenó que «escribieran todo lo posible» e hicieran esbozos detallados que proporcionaran abundante información acerca de los distintos clubes a los que pertenecían, sus pasatiempos y las numerosas identidades y roles que ocupaban en distintas partes de sus vidas. También se les dio un ejemplo.

Tras hacer sus croquis, los participantes de los grupos dos y tres empezaron el examen de Matemáticas.

Los investigadores querían ver si «la amenaza del estereotipo podía mitigarse recordando a cada mujer sus múltiples roles e identidades —escribieron después—. Una típica universitaria quizá se identificase por su sexo, raza, etnia, clase social, religión, hermandad, clase en la escuela, trabajo, equipo de atletismo, membresía de un club, familia [...] ¿Ayudaría el desempeño medio de la mujer en matemáticas a pensar en las identidades sociales aparte de ser mujer, incluso si esas otras no sugerían ningún talento extraordinario para las matemáticas?». La hipótesis de los investigadores consistía en que, al instar a la estudiante que hacía el examen a recordar todas sus identidades complejas, podían cambiar el entorno, justo lo suficiente, para disminuir la ansiedad que se había generado cuando Gresky, en su preámbulo acerca de los estereotipos del examen de acceso a los estudios de posgrado, había empujado a todo el mundo a centrarse en una sola identidad: mujeres que sacan malas notas en exámenes de Matemáticas.

Más tarde, los investigadores puntuaron los exámenes. Los resultados de las mujeres en los grupos uno y dos fueron, de media, peores que los de los hombres. Justo como esperaban los investigadores, preparar a esas mujeres para que piensen en un estereotipo negativo había socavado su desempeño, incluso en el caso del grupo dos, que había descrito brevemente cómo se veían a sí mismas.

Pero las mujeres del grupo tres, a las que habían instado a pensar en las distintas facetas de sus vidas y todas las identidades que poseían, acabaron desempeñándose igual de bien que los hombres. No había diferencia en las calificaciones. La amenaza del estereotipo se había neutralizado al recordar a las mujeres la multitud de identidades que poseían. «Trazar mapas de identidad con pocos nodos demostró ser inefectivo —escribieron los investigadores—. Trazar mapas de identidad con muchos nodos, en contraste, permitía a las mujeres que se habían expuesto a la amenaza de estereotipo obtener un desempeño significantemente mejor».

Como descubrió el doctor Rosenbloom, ese tipo de estudios parecían sugerir una solución a uno de sus problemas: cómo contrarrestar los estereotipos de «el médico sabe más» en la cabeza de tantos doctores. Rosenbloom sabía lo fácil que era, una vez que se ponía la bata blanca, empezar a sentirse unidimensional, a convertirse en «El Doctor». «Pero si puedes recordar que eres padre, entonces sabes el miedo que da hacer elecciones de salud para tus hijos, y eso despierta algo de simpatía —me dijo—. Si puedes recordar que eres vecino, entonces sabes que los vecinos no dicen cosas como "Sé más que tú"».

En una conversación «¿Quiénes somos?», a veces nos agarramos a una sola identidad: «Soy tu padre» o «Soy el profesor» o «Soy el jefe». Al hacerlo, sin embargo, nos limitamos a nosotros mismos, porque empezamos a ver el mundo solo a través de esa única lente. Olvidamos que somos todos complejos y que, si pensásemos como padres en lugar de como médicos, quizá también haríamos preguntas sobre los fármacos que un desconocido quiere inyectar a nuestros hijos. Quizá queramos recordar que formular preguntas es lo que se *supone* que hacen los buenos padres.

Con esta lección en mente, Rosenbloom empezó una nueva rutina: cada vez que conocía a los padres de un paciente, pasaba varios minutos buscando una identidad en común. «Si hablaban sobre otros miembros de la familia, entonces yo mencionaba a mi propia familia o, si decían que vivían cerca, entonces les contaba dónde vivía yo —me contó—. Se supone que los médicos no deben hablar de su vida personal pero pensé que era importante demostrar que teníamos un vínculo».

A los pacientes podría haberles parecido que estaba intentando que se sintiesen cómodos. Pero también lo hacía por sí mismo. «Me recordaba que era más que un médico —dijo—. Entonces, cuando alguien decía algo irracional, como que las vacunas son una gran conspiración, en lugar de molestarme, sentía alguna conexión, porque sé cómo es que te mangoneen los expertos. Lo he experimentado».

Es fundamental, en una conversación «¿Quiénes somos?», recordarnos a nosotros mismos que todos poseemos múltiples identidades: somos padres, pero también hermanos; expertos en algunos temas y novatos en otros; amigos y compañeros de trabajo, y personas que adoran a los perros pero odian salir a correr. Somos todos ellos simultáneamente, así que ningún estereotipo nos describe por completo. Todos contenemos multitudes que solo están esperando a expresarse.

Esto significa que una conversación «¿Quiénes somos?» podría requerir más digresiones y preliminares. O quizá necesite profundizar e invitar a los demás a hablar sobre de dónde vienen, cómo se ven a sí mismos, cómo los prejuicios a los que se enfrentan —racismo, sexismo, las expectativas de padres y comunidades— han impactado en sus vidas. «Cuando mi hijo va a la escuela, le digo, recuerda, ese examen puede que hoy sea difícil, pero piensa en quién más eres —explicó Gresky, la investigadora de la Universidad Cristiana de Texas—. Podemos bajar el volumen de todas las voces negativas en nuestra cabeza recordando el resto de las que contiene».

El proceso para ahuyentar estas voces es relativamente sencillo: en una conversación «¿Quiénes somos?», invita a la gente a hablar de su familia, lealtades, cómo les han modelado sus comunidades. («¿De dónde eres? Ah, ¿de verdad? ¿Cómo fue crecer allí?»). Luego corresponde a estas respuestas describiendo cómo te ves a ti mismo. («¿Sabes?, como sureño, yo creo que...»). Finalmente, evita la trampa de la unidimensionalidad evocando las numerosas identidades que todos poseemos a medida que se desarrolla la conversación: «Entiendo que, como abogado, apoyas a la policía, pero, como padre, ¿te preocupa que los agentes paren a tu hijo al volante?».

Esto, por supuesto, no es más que una parte de la conversación «¿Quiénes somos?». Recordar que todos contenemos multitudes puede ayudarnos a vernos unos a otros con más claridad, pero no convencerá necesariamente, pongamos por ejemplo, a un padre que se opone a las vacunas de que confíe en un médico.

Para hacer eso, necesitamos encontrar una identidad que podamos compartir.

Enemigos jugando al fútbol

En la primavera de 2018 empezaron a aparecer folletos en Qaraqosh, Irak, que anunciaban la formación de una nueva liga de fútbol.[190] Resultaba algo sorprendente porque, en ese momento, Qaraqosh apenas estaba recuperándose de una guerra brutal. En los años anteriores, la población cristiana de la ciudad se había visto atacada de manera implacable por el Estado Islámico de Irak y Siria. Cientos de cristianos habían sido asesinados y unos cincuenta mil se habían visto obligados a huir de sus casas.[191] Los combatientes del Estado Islámico habían saqueado iglesias, prendido fuego a negocios de propietarios cristianos y abusado de mujeres cristianas.[192] Cuando el Estado Islámico por fin se retiró de Qaraqosh en 2016 y los refugiados cristianos empezaron a regresar, muchos se sentían traicionados por sus vecinos musulmanes. «Ahora, cuando me encuentro con ellos, giran la cara y se alejan —declaró un cristiano de sesenta años a un reportero en 2017—. Saben lo que hicieron. Saben que son culpables».[193]

Antes de la invasión del Estado Islámico, había habido numerosos equipos de fútbol aficionado para adultos en Qaraqosh, pero la mayoría eran solo para jugadores cristianos. Cristianos y musulmanes casi nunca jugaban juntos. De hecho, cristianos y musulmanes no se entremezclaban prácticamente jamás, tampoco fuera del campo: siempre había habido restaurantes cristianos y restaurantes musulmanes, tiendas de alimentación cristianas y tiendas de alimentación musulmanas, todos con porteros que comprobaban la identificación que registraba la religión de las personas.

Cuando los refugiados cristianos de Qaraqosh empezaron a volver a casa, poco a poco sus equipos de fútbol comenzaron a jugar de nuevo. Entonces llegó el día en que aparecieron los folletos en los barrios cristianos que anunciaban una nueva liga e invitaban a los jugadores a una reunión informal. Dentro de una iglesia medio destruida por el fuego, los organizadores de la liga explicaron que iban a patrocinar un torneo. Sería gratuito, abierto a cualquier equipo existente, y todos los que participasen obtendrían una camiseta con su nombre estampado en la espalda. Habría árbitros profesionales en cada partido, redes y balones nuevos, y trofeos para los ganadores. No obstante, había una pega: solo podían participar equipos ya existentes y pese que era costumbre, en Qaraqosh, que los equipos tuvieran nueve componentes, cada equipo de la liga necesitaría doce jugadores. Es más, mientras la mitad de los equipos tendrían permiso para añadir todos los jugadores que quisieran —y todos serían, presumiblemente, cristianos—, en la otra mitad de los equipos, los tres jugadores adicionales serían musulmanes seleccionados por el personal de la liga.[194]

La liga se le había ocurrido a Salma Mousa,[195] una estudiante de doctorado en Stanford que estaba interesada en probar lo que se conoce como la «hipótesis del contacto»,[196] la teoría según la cual, si reúnes a personas con identidades sociales opuestas en condiciones específicas, puedes superar viejos odios. La idea de que una liga de fútbol pudiera superar profundas enemistades en Qaraqosh, donde una gran mayoría de residentes cristianos, al ser encuestados, decían que los vecinos musulmanes les habían traicionado, parecía absurda. Y, de hecho, en la reunión informal, cuando entrenadores y jugadores se enteraron de que la mitad de los equipos tendrían que aceptar a jugadores musulmanes, muchos se marcharon. «Nos dijeron que eso arruinaría a los equipos —me contó Mousa—. Dijeron que íbamos a provocar otra guerra».

Sin embargo, el atractivo de los árbitros profesionales y los grandes trofeos convenció a algunos equipos para apuntarse. Entonces llegaron las nuevas camisetas y pronto todo el mundo quiso participar. Al final se unieron cuarenta y dos equipos a la liga. Mousa y sus ayudantes asignaron jugadores musulmanes a la mitad, entregaron calendarios y se sentaron a mirar.

Al principio, los entrenamientos fueron tensos. Algunos jugadores cristianos se negaban a presentarse a sus compañeros de equipo musulmanes y se situaban todo lo lejos que podían unos de otros en las bandas. «Los jugadores musulmanes intentaban encajar», explicó Mousa, pero los cristianos eran abiertamente hostiles. No obstante, Mousa había establecido una norma por la que todos los miembros del equipo debían jugar el mismo tiempo, así que, aunque cristianos y musulmanes no se mezclaban en el banquillo, se veían obligados a cooperar durante los entrenamientos y los partidos.

Con eso solo bastaba para producir un cambio. Algunos equipos habían insistido inicialmente en hablar siriaco —la lengua que hablan los cristianos en Oriente Próximo, pero prácticamente nadie más, incluidos la mayoría de los musulmanes— y, no es de extrañar, eso había causado problemas de comunicación en el campo. De modo que los entrenadores de dos equipos implantaron una nueva norma para sus jugadores: todo el mundo debía hablar árabe, que tanto musulmanes como cristianos entendían. Cuando aquellos equipos empezaron a ganar, otros entrenadores se dispusieron a copiar la regla.

Alrededor de una semana más tarde, un grupo de jugadores cristianos se quejó de que sus compañeros de equipo musulmanes solían llegar tarde, lo que les costaba un precioso tiempo de entrenamiento. Los jugadores musulmanes explicaron que venían del otro lado de la ciudad y tenían que pasar por múltiples puestos de control en autobuses que avanzaban lentamente. De modo que los jugadores cristianos reunieron donativos para pagar taxis y que los musulmanes cruzaran la ciudad más rápido.

Con el tiempo, a Mousa le costaba distinguir a los jugadores cristianos de los musulmanes. Se sentaban juntos en los bancos. Celebraban juntos los goles. Un equipo escogió a un musulmán como capitán. Algunos de los equipos exclusivamente cristianos comenzaron a quejarse de que estaban en una desventaja injusta porque no contaban con musulmanes. Cuando Mousa sondeó a los jugadores, descubrió que los que estaban en equipos mixtos «era 13 puntos de porcentaje más probable que declararan que no les importaría que les asignaran a un equipo mixto la temporada siguiente, 26 puntos de porcentaje más probable que votaran porque un jugador musulmán (no en su equipo) recibiera un premio al espíritu deportivo y 49 puntos de porcentaje más probable que entrenase con musulmanes seis meses después de que concluyera la intervención».[197] Los prejuicios no desaparecieron, por supuesto. Los jugadores cristianos reconocieron que aún no estaban seguros de los demás musulmanes, los que no jugaban en sus equipos. Pero el cambio era notable: un día, cuando Mousa y sus colegas caminaban por Qaraqosh, vieron a varios jugadores cristianos en un bar viendo un Barça-Madrid. A su lado estaban los compañeros musulmanes del equipo, a quienes los cristianos se las habían arreglado para colar allí.

Antes de la final del campeonato de Qaraqosh, que enfrentaba a la Juventud de Qaramlesh con los Guardias de las Llanuras de Nínive, los jugadores posaron para una foto de grupo. Ambos equipos eran una mezcla de musulmanes y cristianos, y algunos de los jugadores llevaban retratos de miembros de la familia que habían muerto asesinados; «esas fotos enormes de tíos y primos que habían muerto —dijo Mousa—. Y justo al lado hay un musulmán, y se rodean con el brazo el uno al otro». Después de que ganaran los Guardias de las Llanuras de Nínive, todos los equipos votaron por el jugador del año. Eligieron a un musulmán. Según encuestas realizadas cinco meses más tarde, los cristianos siguieron jugando con musulmanes y, como expresó un jugador, «cuando acaba el partido, nos abrazamos, nos besamos, nos felicitamos unos a otros incluso cuando perdemos [...] Nos vemos por el barrio, nos llamamos unos a otros, nos invitamos a té o café en casa». Los jugadores musulmanes dijeron a los entrevistadores que «no existe esa idea de la comunidad de la que provienes» y «propusieron al personal de la liga que invitasen a los equipos de musulmanes de la zona a participar en el futuro».[198]

Los resultados superaron incluso las expectativas de Mousa. «Tal vez algunas personas digan, bueno, eso es porque el deporte rompe barreras —me dijo Mousa—. Pero no es solo eso. Es cómo lo estructuramos todo lo que marcó la diferencia».

De hecho, hubo tres decisiones al diseñar liga que cambiaron el entorno para que los jugadores pudieran establecer vínculos. Son las mismas elecciones que ocupan el centro de cualquier conversación «¿Quiénes somos?» exitosa.

La primera decisión recurría a la misma psicología que ayudó a elevar las calificaciones de las estudiantes de Matemáticas al recordarles sus identidades no matemáticas: los equipos de fútbol estaban deliberadamente estructurados para conceder a los jugadores papeles que les llevaran a pensar en identidades más allá de la religión. Un jugador podía ser musulmán, pero también era el portero, y guiaba los estiramientos durante el medio tiempo. Otro era cristiano, pero asimismo se encargaba de llevar bebidas isotónicas, era el capitán del equipo y siempre daba un discurso inspirador antes de los partidos. «Hubo un esfuerzo, realizado por los mismos equipos, para proporcionar a todo el mundo distintas identidades —afirmó Mousa—. Y esas se volvían más importantes que la religión porque estaban relacionadas con ganar».

La siguiente decisión crucial fue asegurarse de que, en el campo, todos los jugadores fueran iguales. En Qaraqosh había jerarquías: los cristianos, históricamente, habían tenido más dinero y educación que los musulmanes. La invasión había cambiado temporalmente las tornas al expulsar a gran parte de la clase alta de la ciudad, pero cuando los cristianos volvieron, el viejo orden social se reinstauró de nuevo. «Pero en el campo, como todo el mundo tenía que jugar lo mismo, todos los jugadores eran iguales —explicó Mousa—. No había factores diferenciales de poder». Eso significaba que las viejas rivalidades y rencores —identidades sociales que sitúan a un grupo por encima del otro— se dejaron de lado, al menos en lo que duraba un partido.[199]

La última razón por la que funcionó este experimento es la misma por la que una conversación «¿Quiénes somos?», si va bien, es fructífera: permitía a los jugadores formar nuevos grupos, establecer identidades sociales que tenían en común. Y esos grupos eran poderosos porque se erigían sobre identidades que los jugadores ya poseían. Puede resultar sorprendente, para alguien ajeno, que los jugadores musulmanes y cristianos crearan vínculos tan rápido. Pero tampoco chocó del todo a Mousa, porque no les estaba pidiendo que se redefinieran a sí mismos. Simplemente estaba haciendo más prominente una identidad que ya poseían —compañeros de un equipo de fútbol— y, como resultado, sus identidades religiosas eran algo menos ruidosas.

Este tipo de cambios ambientales apuntan a lo que se necesita para una conversación «¿Quiénes somos?» fructífera:

Primero, intenta sacar a la luz las múltiples identidades de tus compañeros de conversación. Es importante recordar a todo el mundo que todos contenemos multitudes; ninguno de nosotros se reduce a una sola dimensión. Reconocer estas complejidades durante una conversación ayuda a alterar los estereotipos en nuestra cabeza.

Segundo, intenta asegurar que todo el mundo esté en pie de igualdad. No ofrezcas consejo no solicitado ni pregones tu riqueza o conexiones. Busca temas en los que todo el mundo tenga algo de experiencia o conocimiento, o sea principiante. Anima a los callados a hablar y a los habladores a escuchar, de modo que todo el mundo participe.

Finalmente, busca similitudes sociales ya existentes. Esto lo hacemos de manera natural cuando nos presentan a alguien nuevo y empezamos a buscar a conocidos en común. Pero es importante llevar esas conexiones un paso más lejos y hacer nuestras cosas en común más prominentes. Nuestras similitudes se vuelven poderosas cuando arraigan en algo significativo: es posible que los dos seamos amigos de Jim, pero no es una gran conexión hasta que empezamos a hablar sobre lo que su amistad significa para nosotros, cómo Jim es una parte importante de nuestras vidas. Puede que todos seamos fans de los Lakers, pero eso solo se vuelve poderoso cuando compartimos cómo fue, para cada uno de nosotros, ir a los partidos con nuestros padres y ver anotar a Magic Johnson, cómo compartimos el recuerdo de aquella emoción.

Cómo hablar de quiénes somos

1. Saca a la luz múltiples identidades.
2. Pon a todo el mundo en igualdad de posiciones.
3. Crea nuevos grupos a partir de identidades existentes.

Los diálogos sociales —conversaciones «¿Quiénes somos?»— son puertas de acceso a una comprensión más profunda y a conexiones más significativas. Pero debemos permitir que estas conversaciones se vuelvan profundas, para evocar nuestras numerosas identidades y expresar nuestras experiencias y creencias compartidas. La conversación «¿Quiénes somos?» es poderosa no solo porque establecemos vínculos por lo que tenemos en común, sino porque nos permite compartir quiénes somos en realidad.

Abordar el problema del covid

En la primavera de 2021, Jay Rosenbloom estaba desesperado. El covid ya había matado a más de dos millones de personas en todo el mundo y había llevado a confinar a miles de millones más.[200] Se habían iniciado campañas de inoculación, pero Rosenbloom estaba convencido de que no alcanzarían los objetivos. «Montones de expertos estaban diciendo, bueno, si enseñamos a las personas que las vacunas son seguras, si les damos datos, cambiarán de opinión —me contó—. Pero cualquiera que haya trabajado con estos pacientes sabe que no funcionará. ¡Ya tienen un montón de datos! ¡Han pasado horas investigando en internet! No vas a convencerles de que se equivocan».

Rosenbloom había comenzado a trabajar como voluntario con un grupo llamado Boost Oregon para buscar nuevos enfoques. Por todo el planeta habían surgido cientos de grupos similares, una amplia red de médicos y científicos sociales centrados en convencer a la gente de que se pusiera la inyección.[201] Muchos de estos grupos ya habían pasado años estudiando la vacilación ante las vacunas y habían concluido que el enfoque más efectivo era algo conocido como «entrevistas motivacionales», un método desarrollado originalmente en los ochenta para ayudar a los alcohólicos.[202] En la entrevista motivacional, explica un trabajo de 2012, «los consejeros rara vez intentan convencer o persuadir. En lugar de eso, el consejero guía sutilmente al cliente a pensar y expresar verbalmente sus propias razones a favor y en contra del cambio».[203] La entrevista motivacional busca sacar a la luz las creencias, valores e identidades sociales de una persona, con la esperanza de que, una vez que todas estas complejidades y creencias complicadas estén encima de la mesa, quizá aparezcan oportunidades inesperadas de cambio.

Los Centros de Control y Prevención de Enfermedades llevaban más de una década instando a los médicos a utilizar técnicas de motivación con pacientes que se resisten a las vacunas. Para Rosenbloom y sus colegas, eso significaba hablar con gente que era escéptica acerca de las vacunas contra el covid de modos muy específicos. Cuando un paciente mayor entró en la clínica de la doctora Rima Chamie en Portland, por ejemplo, y dijo que no quería una vacuna contra el covid porque había oído rumores sobre que la ciencia no estaba probada, la doctora no discutió con él. En lugar de eso, empezó a hacerle preguntas abiertas sobre cómo se veía a sí mismo. El paciente dijo que tenía tres nietos y era policía jubilado. También era muy religioso. La iglesia era el lugar más importante de su vida.

—Por eso no necesito la inyección —le dijo—. Dios cuidará de mí. Me lavo las manos, llevo la mascarilla. Dios proveerá. Conoce mi camino.

Chamie es la clase de médico que todo el mundo espera: segura y cálida, alguien que puede calmar los berridos de un bebé con una caricia o a sus padres crispados con una risa empática. Ella también es madre, y sus hijos saben que si ignoran sus consejos se ponen en peligro. Ha pasado su carrera atendiendo a migrantes y niños, a pobres y gente sin hogar. Sabe lo que significa su pertenencia a la tribu de expertos médicos. «La bata blanca tiene cierto poder», me dijo.

Pero, con este paciente en particular, también sabía que no había datos suficientes para mostrarle que la vacuna del covid era segura, ni menciones suficientes a que el Papa había dicho que la gente debía vacunarse, para hacerle cambiar de opinión. «Lo único que habría conseguido era que dejase de escuchar», aseguró. Así que Chamie adoptó un enfoque distinto. No volvió a mencionar el covid.

—Es maravilloso que tu fe te dé tanta fuerza —le dijo—. Está claro que tienes una relación muy estrecha con Dios.

Entonces, casi como un comentario al margen, Chamie sacó a relucir otra identidad.

—Imagino que la salud de tus nietos será muy importante para ti —aventuró.

Sí, respondió él, le encantaba ser abuelo.

«Entonces pasamos a otros temas —me contó Chamie—. Pero hacia el final de la cita, como forma de concluir las cosas, dije "Debería saber que normalmente no hablo de religión con los pacientes, pero me siento muy agradecida porque Dios nos diera estos cerebros, y estos laboratorios, y la capacidad de hacer vacunas. ¿Tal vez él nos diera las vacunas para mantenernos a salvo?"». Luego se marchó.

No hizo más que reconocer que ambos tenían numerosas identidades, y que algunas —la devoción religiosa, el cuidado de los niños— se solapaban y ofrecían diferentes perspectivas de lo que constituye la «seguridad». Con eso, la cita terminó.

Treinta minutos más tarde, el hombre seguía en la consulta. Chamie se llevó a una enfermera a un lado.

—¿Por qué sigue aquí? —preguntó.

—Quería la vacuna —contestó la enfermera.

Chamie y Rosenbloom han utilizado las entrevistas motivacionales con cientos de pacientes. «Es muy distinto cada vez, por supuesto —dijo Chamie—. A veces hablamos de religión, a veces de nuestros hijos. A veces yo me limito a preguntar: en una escala del uno al diez, ¿qué te parece esta vacuna? Y cuando dicen "tres", pregunto: ¿por qué no dos?, ¿por qué no cuatro? Siento verdadera curiosidad sobre por qué eres un tres, qué dice eso de ti».

Al mismo estilo que la liga de fútbol de Salma Mouse, las conversaciones de Chamie ponían a todo el mundo en pie de igualdad, nadie es un experto en la crianza de los hijos o la voluntad de Dios. Y se basan en identidades sociales existentes para construir un nuevo grupo: todos somos personas que quieren hacer lo correcto para su familia. A pesar de otras diferencias, tenemos eso en común.

«Una familia llegó a la consulta con dos niños —me dijo Rosebloom—. Acababan de mudarse a la ciudad y eran de clase media alta, con estudios, pero no habían puesto ninguna vacuna a los dos niños. Los padres me dijeron que habían oído alguna información alarmante sobre vacunas, pero cuando formularon preguntas a su médico anterior, este las rechazó con cierto desdén».

De modo que Rosenbloom habló con la pareja durante un rato. Les preguntó dónde vivían, dónde tenían pensado enviar a sus hijos a la escuela, lo que disfrutaban haciendo los fines de semana. Les habló de sí mismo, y descubrieron algunos restaurantes y parques que les gustaban a los tres. Les pidió que describieran sus preocupaciones acerca de las vacunas, pero también inquirió acerca de otros desasosiegos: ¿les inquietaba que sus hijos empezaran la escuela? ¿Qué pensaban de cosas como el azúcar y las bebidas carbonatadas? No insistió en las vacunas. En lugar de eso, se limitó a hacer preguntas y, después de que respondieran, compartió sus propios pensamientos. Al final de la conversación, los padres dijeron que querían empezar un plan de vacunación para los niños ese día. «Funcionó porque sintieron que les prestaba atención —me contó Rosenbloom—. Tienes que encontrar alguna forma de conectar si quieres que la gente escuche lo que estás diciendo».

La conversación «¿Quiénes somos?» es fundamental porque nuestras identidades sociales ejercen una influencia muy poderosa en lo que decimos, cómo escuchamos o lo que pensamos, aunque no queramos. Nuestras identidades pueden ayudarnos a encontrar valores que compartimos o pueden empujarnos a los estereotipos. A veces, el mero hecho de recordarnos a nosotros mismos que todos contenemos multitudes puede cambiar cómo hablamos y escuchamos. La conversación «¿Quiénes somos?» puede ayudarnos a comprender cómo las identidades que escogemos, y las que nos impone la sociedad, nos convierten en quienes somos.

Pero ¿qué ocurre cuando el mero hecho de hablar de nuestras identidades resulta amenazador? ¿Cómo, en momentos así, aprendemos a hablar y a escuchar?

7

¿CÓMO HACEMOS MÁS SEGURAS LAS CONVERSACIONES MÁS DIFÍCILES?

El problema con el que vive Netflix[204]

Si preguntases a los trabajadores de Netflix cuándo empezaron a ir mal las cosas dentro de la empresa, muchos apuntarían a una tarde de febrero de 2018. El departamento de publicidad de Netflix —en torno a una treintena de personas— se hallaba reunido en una sala de conferencias en la sede de la firma en Los Ángeles. En ese momento, la empresa iba camino de su mejor año, con más de quince mil millones de dólares en ingresos y 124 millones de suscriptores. Todos habían acudido para una reunión de personal semanal, y la gente charlaba y se ponía al día cuando su jefe, el director de comunicaciones, Jonathan Friedland, se levantó para hablar.

Friedland comenzó diciendo al grupo que Netflix había estrenado hacía poco un especial de comedia titulado *Tom Segura: Disgraceful*. La mayoría de los presentes no habían oído hablar del programa, que, si vamos al caso, tampoco tenía muchos espectadores. En cualquier momento, Netflix presenta decenas de miles de programas; los suscriptores pasan en torno a setenta mil millones de horas al año en la plataforma. Este especial de comedia, como muchos otros, era probable que pasase sin pena ni gloria. Pero Friedland mencionaba el programa, explicó, porque figuraba un cómico que se mostraba inusualmente ofensivo: poniéndose nostálgico de una época en la que la gente podía utilizar términos como «retrasado», riéndose de gente con síndrome de Down, quejándose porque ya no puede decir «enano».

Algunos grupos de defensa de personas con discapacidad ya habían opuesto objeciones, y la empresa tenía que prepararse para más críticas. Era importante, insistió Friedland, que trataran esas quejas seriamente. Todo el mundo debía constatar lo hiriente que podía ser la palabra «retrasado». Escucharla era un «puñetazo en el estómago» de cualquier padre cuyo hijo fuese cognitivamente distinto, dijo Friedland. Entonces, para subrayar ese punto, ofreció una analogía: sería «como si una persona afroamericana hubiese oído» y aquí pronunció la palabra *nigger*, que muchos consideran la palabra más ofensiva que existe en inglés, por lo que se refieren a ella como «la palabra que empieza por "n"».[205]

Todo el mundo guardó silencio. El ambiente se alteró al instante. ¿De verdad acababa de decir aquello?

Friedland no pareció advertir el cambio. Pasó a otros asuntos. Cuando concluyó la reunión, los trabajadores regresaron a sus mesas. Algunos parecieron no dar más vueltas al incidente.[206] Otros mencionaron lo ocurrido a algunos colegas, quienes, a su vez, se lo contaron a otros, que se lo contaron a otros. Dos empleados se acercaron a Friedland para quejarse acerca de su lenguaje y le dijeron que utilizar esa palabra, en cualquier escenario, era inaceptable. Resultaba especialmente ofensivo viniendo de uno de los ejecutivos de mayor rango de la empresa. Friedland se mostró de acuerdo, se disculpó y notificó lo ocurrido a Recursos Humanos.

«Y fue entonces —me dijo un empleado a mí— cuando empezó la guerra civil».

Netflix fue fundada en 1997 por Reed Hastings, un empresario con una filosofía de negocios poco común: cuantas menos reglas, mejor.[207] Hastings creía que las empresas se veían perjudicadas por gerentes entrometidos; la burocracia llevaba a la ruina. Con el tiempo dejó constancia de sus creencias en un PowerPoint de ciento veinticinco páginas que se compartía con todo el personal y se convirtió en lectura obligada para los nuevos empleados. Cuando subieron a internet «Netflix Culture Deck», aquel manual de cultura corporativa se descargó millones de veces.[208]

En Netflix, explicaba el manual, «buscamos la excelencia» y, a cambio, los empleados gozaban de libertades poco habituales. Los empleados podían tomarse todas las vacaciones que quisieran, trabajar los días y horas que deseasen, autorizar casi cualquier tipo de compra —un billete de avión en primera clase, un ordenador nuevo, millones de dólares para adquirir una película— sin permiso previo, siempre que pudieran justificar su elección.

Mientras en la mayoría de las empresas se consideraba traición pedir trabajo a la competencia, en Netflix se alentaba a los empleados a presentar solicitudes a otras empresas, y si les ofrecían un sueldo más alto, Netflix o lo igualaría o les alentaría a marcharse.[209] La compañía esperaba «cantidades increíbles de trabajo importante», decretaba el manual de cultura empresarial, y para alcanzar eso los empleados tenían permiso para probar casi cualquier cosa, mientras produjera mayores beneficios o revelara nuevas perspectivas.

A los empleados que no podían cumplir con esa excelencia superior de manera constante se les advertía que «un desempeño [meramente] adecuado conlleva una generosa indemnización por despido». Y siempre que despedían a alguien —lo que ocurría con frecuencia— se iniciaba otro ritual de Netflix: se enviaba una nota al equipo de esa persona, o a su departamento o a veces a toda la empresa, en la que se explicaba por qué habían dejado que se fuese la persona en cuestión.[210] Los hábitos laborales decepcionantes del empleado, sus errores y decisiones cuestionables... todo se explicaba en detalle para todos los que se quedaban. Un trabajador actual de Netflix me contó: «Cuando llegué a Netflix, el segundo día, recibí un e-mail de "por qué despedimos a Jim", y aluciné. Era muy ingenuo». Se preguntó «¿He cometido un error viniendo aquí? ¿Este lugar es un nido de víboras?». «Pero con el tiempo me di cuenta de que en realidad resulta útil recibir e-mails así porque, si has leído unos cuantos, sabes qué espera la empresa. Acaba con todo el misterio».

A medida que la compañía se expandía, llegaron los problemas típicos del crecimiento. En 2011, Hastings, sin grandes debates internos, anunció que tenía intención de dividir la firma en dos: una compañía se encargaría de los DVD por correo, y la otra proporcionaría servicios de *streaming*. El anuncio no tuvo una buena acogida. Las acciones cayeron un 77 por ciento, lo que obligó a Hastings a dar marcha atrás casi de inmediato.

Los altos ejecutivos más tarde achacarían este tropiezo, y la crisis consiguiente, a una falta de escepticismo interno. Los ejecutivos deberían haber dicho a Hastings que no estaban de acuerdo con él, tendrían que haberle hecho frente de forma más enérgica. De hecho, como norma, todos los trabajadores debían cuestionar la toma de decisiones del resto con más empuje. Se corrigió el manual de cultura para advertir que «la discrepancia silenciosa es inaceptable». Hastings llegó al punto de decir a los trabajadores que «es deslealtad hacia Netflix cuando discrepas de una idea y no expresas esa discrepancia» y que deberían «cultivar la disensión» entre pares. Las reuniones no tardaron en llenarse de gente que desbarataba las propuestas de los demás. Los equipos organizaban «cenas de retroalimentación» en las que todo el mundo que rodeaba la mesa comentaba algo que valoraba —y las cinco o seis cosas que no valoraba— de cada uno de sus compañeros de trabajo.

Para algunos, esta atmósfera era estimulante. «Toda esa ansiedad que sueles sentir mientras tratas de averiguar lo que piensa tu superior, y lo que piensa su superior, y te preguntas qué está pasando en realidad, todo eso desaparece», me contó un empleado. Para otros, la sinceridad radical podía resultar cruel. «Daba permiso para ser salvajes —me contó otro trabajador, Parker Sanchez—. Había días en que me pasaba una hora llorando».

Una ventaja de esta cultura, sin embargo, era que facilitaba tratar casi cualquier cosa. «No hay nada fuera de la mesa —me explicó un ejecutivo de algo rango—. ¿Crees que tu jefe está cometiendo un error? Díselo. ¿No te gusta cómo dirige alguien las reuniones? Dilo. Es más probable un ascenso que un castigo». Los empleados enviaban e-mails de manera regular a Hastings para criticar sus estrategias o lo que había dicho durante las reuniones, o lo criticaban de forma abierta en tablones de anuncios internos, «y Reed les daba las gracias públicamente —dijo el ejecutivo—. Yo nunca había trabajado en una cultura como esta. Es increíble».

También era efectivo. Las acciones de Netflix se recuperaron, y la compañía fue creciendo año tras año. Su cultura poco común permitió contratar a algunos de los mejores ingenieros de programación, productores de televisión, ejecutivos tecnológicos y directores de cine del mundo. Rápidamente se convirtió en una de las firmas más admiradas y exitosas tanto de Silicon Valley como de Hollywood. La revista *Fortune* nombró a Hastings empresario del año.[211]

Entonces llegó la reunión en la que Jonathan Friedland pronunció la palabra que empieza por «n».

Por qué importan las conversaciones sobre identidad

A lo largo de los últimos cinco años —tras las noticias de racismo y sexismo en numerosas empresas, las pruebas de agresiones sexuales ignoradas dentro de organizaciones, y el crecimiento de movimientos sociales centrados en la igualdad y la inclusión—, se ha puesto un foco renovado en hacer los lugares de trabajo más correctos y justos. Miles de firmas han contratado a «coaches de inclusión» o han adquirido currículos de diversidad, equidad e inclusión, con la esperanza de promover conversaciones significativas muy esperadas acerca de cómo combatir el racismo, el sexismo y otros prejuicios. Hoy en día, de las compañías incluidas en la lista de *Fortune* de las mil empresas más grandes, casi todas tienen al menos un ejecutivo de alto rango centrado en deshacer los sesgos e injusticias estructurales que perjudican a algunos empleados y clientes.

Estos programas son correctivos necesarios para problemas reales, recordatorios de que hay injusticias que dificultan a algunas personas conseguir el trabajo que desean, el salario que merecen o el respeto del que son dignas simplemente por el color de su piel, su país de origen o algún otro aspecto de su identidad que no debería tener ningún impacto en su carrera.

Sin embargo, muchos de estos programas bienintencionados no parecen especialmente efectivos.[212] Cuando un equipo de investigadores de Princeton, Columbia, y la Universidad Hebrea examinaron más de cuatrocientos estudios de intentos de reducir los prejuicios, descubrieron que, en el 76 por ciento de los casos, lo mejor que podía decirse era que el impacto a largo plazo «sigue siendo poco claro».[213] Un artículo de 2021 de la *Harvard Business Review* relativo a ochenta mil personas que se habían sometido a una formación sobre sesgos inconscientes encontró que tal «formación no cambió la conducta sesgada».[214] Otro examen de tres décadas de datos concluyó que «los efectos positivos de la formación en diversidad rara vez perduran más de un día o dos, y [...] pueden activar los sesgos o desatar una reacción negativa».[215] Un cuarto estudio descubrió que tras la formación sobre sesgos inconscientes, «la probabilidad de que los hombres y mujeres negros ascendiesen en organizaciones a menudo decrecía», porque esas formaciones hacían la raza y el sexo más prominentes.[216] Un sumario en la *Annual Review of Psichology* de 2021 descubrió que pese a que, «según muchas métricas, el estudio de intervenciones diseñado para reducir los prejuicios es un sector próspero», los autores «concluyen que gran parte del esfuerzo de investigación es teórica y empíricamente equivocado si el objetivo es proporcionar recomendaciones factibles, sólidas y basadas en evidencias para reducir los prejuicios del mundo».[217]

Como sea, esto no sugiere que deban abandonarse los esfuerzos para abordar la desigualdad o desarraigar los prejuicios. No significa que reducir los sesgos y la injusticia estructural sea imposible. Hay percepciones —como hemos visto con la «amenaza del estereotipo»— que pueden ayudar a gente marginalizada históricamente a tener éxito. Hay intervenciones —como las que se llevaron a cabo en los campos de fútbol de Qaraqosh, Irak— que han salvado diferencias.

No obstante, averiguar exactamente cómo afrontar la desigualdad y los prejuicios es más complicado que contratar a un asesor de diversidad o pedir a los trabajadores que asistan a una sesión de formación vespertina. Y estas complicaciones se ven intensificadas por el hecho de que mucha gente siente que hablar de «¿Quiénes somos?» plantea verdaderos riesgos. Aunque cabe esperar que todos reconozcamos que utilizar un insulto racial es inaceptable, en lo que se refiere a otros tipos de diálogos, puede costar saber qué queda fuera del límite. ¿Cuánto podemos preguntar a un compañero de trabajo acerca de su vida más allá del trabajo, su familia, sus creencias, su identidad, sin correr el riesgo de pasarnos de la raya? ¿Cómo superamos la preocupación por el hecho de decir algo inadecuado, o hacer una pregunta ingenua, pueda destruir amistades o carreras?

Las conversaciones «¿Quiénes somos?» tienen un espacio más allá de las conversaciones de raza, etnia y sexo, por supuesto. Muchas de nuestras conversaciones más difíciles lo son precisamente porque atañen a identidades sociales que no tienen nada que ver con nuestra ascendencia. Cuando criticamos a un empleado que rinde poco o a un cónyuge, o le decimos a un jefe que no nos da lo que necesitamos, es fácil que nos salga como una denuncia de quien es, un golpe a sus habilidades y juicios, o un ataque a su identidad.

Así pues, ¿cómo mejoramos a la hora de hablar de «¿Quiénes somos?» cuando tratamos los temas más sensibles? ¿Cómo animamos a la gente a hablar de diferencias de maneras que nos unan en lugar de alejarnos? ¿Cómo mantenemos estas conversaciones vitales en escenarios como el trabajo, donde pueden parecer tan peligrosas?

Apenas unos días después de que Friedland usara la palabra que empieza por «n», daba la impresión de que todos y cada uno de los cinco mil quinientos trabajadores de Netflix se habían enterado del incidente, y la mayoría tenía una opinión firme acerca de lo que debía ocurrir a continuación.[218]

Recursos Humanos abrió una investigación. Friedland se disculpó con los participantes en la reunión, todo su equipo y luego el resto de las divisiones de la empresa. Asistió a una reunión externa con empleados de alto rango para explicar lo que había ocurrido y lo que había aprendido de ello. Se reunió con Recursos Humanos para expresar su arrepentimiento, pero, durante ese encuentro, mientras contaba el incidente, volvió a pronunciar la palabra que empieza con «n». Pronto todo el mundo se enteró de eso también.

Dentro de la comunidad más amplia de Netflix, algunos empleados empezaron a publicar cartas enfadadas en tablones internos en las que alegaban que la compañía llevaba años ignorando las tensiones raciales. Críticos de esas publicaciones respondían diciendo que el problema no era el racismo, sino más bien la hipersensibilidad de algunas personas que no estaban hechas para la factura que pasaba la cultura de Netflix. Había encuestas a trabajadores que mostraban que los empleados de Netflix de raza negra se sentían excluidos, marginados y en desventaja cuando se producían ascensos. Otros, que obedecían a la máxima de que «la discrepancia en silencio es inaceptable», sostenían que esas personas se habían perdido ascensos no a causa de prejuicios, sino porque no habían trabajado lo suficiente.[219]

Entre estos extremos había muchos empleados que reconocían que Friedland había hecho algo ofensivo e inapropiado pero que sentían que había que perdonarle. «Sí, Jonathan cometió un error, pero reconoció el error, se disculpó e intentó compensarlo —me contó un ejecutivo de alto rango—. Es lo que se supone que debemos hacer. Se supone que si la fastidiamos, debemos dar y aceptar retroalimentación, aprender de ello y continuar. Pero algunas personas no pensaban dejarlo estar».

Para complicar aún más las cosas, estaba el hecho de que todos los altos ejecutivos de Netflix eran blancos, y casi todos hombres. «Reinaba esa sensación de que, si el jefe de comunicaciones puede usar la palabra que empieza por "n" y no hay consecuencias, ¿por qué no iban a sentirse todos los trabajadores negros como ciudadanos de segunda? —me contó un empleado—. Creo que fue un momento clave... ah, espera, algunas personas pensaron que esto era un punto de inflexión, pero, en realidad, hay cosas que el "el cultivo de la disensión" no puede arreglar».

La controversia parecía hacerse más grande cada semana. Finalmente, meses después del incidente inicial, Hastings le dijo a Friedland que tenía que marcharse. A continuación envió un e-mail de «por qué ha sido despedido Jonathan» a toda la empresa explicando que el «uso de la palabra que empieza por "n" por parte de Friedland en al menos dos ocasiones en el trabajo demostraba una consciencia y una sensibilidad raciales inaceptablemente bajas [...] No hay forma de neutralizar la emoción y la historia subyacentes en ningún contexto». Hastings decía que lamentaba no haber actuado antes.[220]

El movimiento fue celebrado por algunos empleados y molestó a otros. Más que nada, sin embargo, creó confusión: Netflix se jactaba de una cultura en la que los empleados podían decirse casi cualquier cosas unos a otros. Los insultos raciales, claramente, quedaban fuera de los límites. Pero ¿y si estás hablando de un programa que, en sí, utiliza insultos raciales? ¿Está bien precisar lo que dice un personaje, si tu objetivo es averiguar qué es apropiado y qué no? Netflix presentó un especial de comedia llamado *Private School Negro*. ¿Estaba bien decir el título en las reuniones? ¿Qué estaba prohibido y qué se permitía? «Era realmente confuso —me dijo un ejecutivo—. Y el e-mail de Reed no aclaró las cosas, cuando ese es el objetivo de correos así».

El año anterior, Netflix había añadido una sección de «Inclusión» al manual de cultura, en la que se pedía a los empleados que «muestren curiosidad acerca de cómo nos afectan nuestros distintos trasfondos en el trabajo, en lugar de fingir que no» y «reconozcan que todos tenemos sesgos y trabajemos en superarlos». La compañía empujaba a los empleados a hablar de los sesgos e «intervenir si alguien más está siendo marginado». Una cosa en la que todo el mundo podía estar de acuerdo era que, según estos valores, la compañía no lo hacían muy bien. De modo que Netflix empezó a contratar a nuevos ejecutivos, incluida una mujer llamada Vernā Myers, para supervisar una división recién creada dedicada a la equidad y la diversidad. El objetivo era fomentar diálogos, afrontar sesgos y hacer de Netflix un destacado ejemplo de inclusividad.

Pero ¿cómo tratas los temas más sensibles, el tipo de asuntos en los que una pregunta mal formulada o un comentario extraño podría provocar ira o dolor, en una cultura en la que el debate incansable y la discrepancia mordaz son la norma?

Por qué son tan difíciles algunas conversaciones

En 2019, dos investigadores la Universidad de California, Berkeley, y Columbia pidieron a más de mil quinientas personas que describieran sus conversaciones más duras de la semana anterior.[221]

Su objetivo era averiguar los detalles de por qué algunos temas —como la raza, el sexo y la etnia— pueden ser tan difíciles de hablar. Para obtener un amplio espectro de perspectivas, reclutaron a gente de todos los ámbitos de la vida. Las edades iban de los dieciocho a los setenta y tres años; algunos eran ricos, otros pobres. Los investigadores los habían encontrado a través de anuncios online, de modo que en algunos aspectos el grupo representaba los mismos tipos de diversidad que cabría encontrar en una gran compañía.

Los investigadores formularon a cada participante una serie de preguntas: «¿Has mantenido una conversación reciente en la que hayas sentido que no encajabas?», «¿Has mantenido una conversación en la que alguien ha expresado creencias basadas en prejuicios?», «¿Has oído a alguien hacer chistes sobre "gente como tú" o fingir hablar como tú o dar por sentado que eres amigo de alguien porque perteneces a la misma etnia o sexo?».

Enseguida quedó patente a partir de las respuestas de los participantes que algunas de sus conversaciones recientes habían sido desafiantes debido a los temas que habían abordado; habían tratado cosas como política o religión, donde es normal cierto grado de tensión. Pero muchas otras conversaciones habían empezado de forma relativamente benigna —sobre, digamos, deportes o trabajo o lo que ponen por televisión— hasta que alguien había dicho algo que había hecho que alguien más se sintiese incómodo o enfadado.

Eran esos momentos de desasosiego lo que los investigadores querían explorar. ¿Qué habían dicho exactamente y cómo, para hacer que otra persona se pusiese nerviosa o se enfadase? ¿Qué había llevado al oyente a retirarse, a ponerse a la defensiva, a querer luchar?

Los investigadores —Michael Slepian y Drew Jacoby-Senghor— descubrieron que había montones de cosas que podrían hacer que una conversación acabase mal.[222] Alguien podía decir algo ofensivo, o algo ignorante o cruel. Alguien podía alienar a sus compañeros de manera intencionada o por accidente. Pero había un comportamiento en particular que constantemente hacía sentir incómoda y enfadada a la gente: si uno de los hablantes decía algo que metía a un oyente en un grupo contra su voluntad, lo más probable era que la conversación se fuese al traste.

A veces los hablantes asignaban a los oyentes su pertenencia a un grupo que no les gustaba —«Eres rico, así que sabes que la mayoría de los ricos son esnobs»— y el oyente se ofendía por la insinuación de que era un esnob. A veces un hablante negaba la pertenencia de alguien a un grupo que le importaba —«No has estudiado Derecho, así que no entiendes cómo funciona la ley en realidad»— y el oyente se sentía insultado por la acusación de ser un ignorante.

En ocasiones, cuando los hablantes hacían tales comentarios, eran indirectos: «Tú eres uno de los buenos republicanos, pero la mayoría solo se preocupan por sí mismos» o «Tú entraste en esa universidad porque eres inteligente, pero algunas personas como tú lo consiguen debido a la discriminación positiva». Otras veces la persona que hacía un comentario parecía no tener ni idea de estar ofendiendo: «Como no tienes hijos, es posible que no entiendas lo que siente un padre al ver que tratan así a un niño». Independientemente del modo de expresarse, el resultado era consistente: ira y alienación, una conversación que se iba al traste.

Esta clase de comentarios despertaban irritación porque los oyentes habían sido asignados a un grupo (los esnobs adinerados, los egoístas republicanos, los universitarios sin mérito) con el que no se sentían identificados. O se les negaba la pertenencia a un grupo (gente que entiende cómo funciona la ley, gente que empatiza con los niños) del que se sentían miembros de pleno derecho. De manera que el oyente, ofendido, pasaba a la defensiva en el momento en que su identidad se veía atacada.

En psicología, esto se conoce como «amenaza de la identidad», y es muy corrosivo para la comunicación. «Cuando alguien dice que no perteneces a un grupo, o te sitúa en uno que no aprecias, puede causar un malestar psicológico extremo», me explicó Slepian. Estudios han mostrado que cuando alguien afronta una amenaza de la identidad, puede subirle la tensión, su cuerpo puede inundarse de hormonas del estrés, empieza a buscar formas de escapar o defenderse.[223]

Las amenazas de la identidad son una de las razones por las que pueden resultar tan difíciles las conversaciones «¿Quiénes somos?». Cuando algunos empleados de Netflix acusaron a sus compañeros de ser «hipersensibles» o «no material de Netflix», a los acusados les dio la impresión de que los empujaban a un grupo —«quejicas petulantes»— que aborrecían o de que les excluían de un grupo —«los preparados para tener éxito en Netflix»— al cual todo el mundo quería pertenecer. Y cuando aquellos que habían sido criticados respondieron sosteniendo que los comentarios de sus críticos provenían de una posición privilegiada y eran en sí prueba de insensibilidad racial, los críticos tuvieron la impresión de que les habían agrupado con racistas e intolerantes, lo que en respuesta les ponía a la defensiva.

La amenaza de la identidad no es exclusiva del lugar de trabajo, claro. Puede producirse en cualquier parte: en una fiesta, dentro de un bar, durante una conversación con un desconocido mientras se espera el autobús. Tampoco es poco común, como descubrieron Slepian y Jacoby-Senghor. De los más de mil quinientos participantes que intervinieron en su estudio, solo el uno por ciento no había encontrado una amenaza de la identidad reciente. «Los participantes de media habían experimentado 11,38 amenazas de la identidad la semana anterior —escribieron en su trabajo de 2021 en *Social Psychology and Personality Science*—. En alrededor del 40 por ciento de nuestras observaciones, los participantes se sentían amenazados en una sola identidad, y el 60 por ciento representa percibir una amenaza en múltiples identidades».[224]

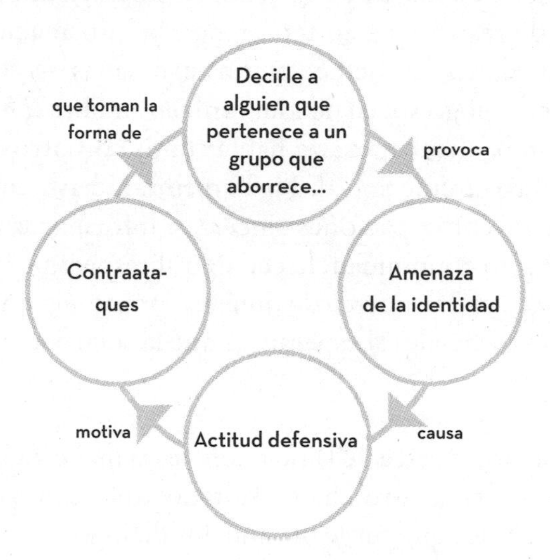

Los participantes del estudio informaron de haber experimentado amenazas de la identidad debido a dónde vivían, dónde trabajaban, con quién estaban casados, con quién salían, dónde habían nacido, cómo hablaban, cuánto dinero ganaban y decenas de razones más. Ser rico o blanco o hetero —o contar con cualquier otra ventaja social— no les protegía. Y ser pobre o negro o parte de otro grupo minorizado significaba que probablemente se enfrentaban a amenazas de la identidad a diario.[225]

Todos hemos sentido el aguijonazo de la amenaza de la identidad en algún momento o hemos dicho algo que no pretendíamos que fuese ofensivo pero que ha resultado ser insensible. La mera *posibilidad* de amenaza de la identidad frecuentemente impide que la gente hable de «¿Quiénes somos?». En un estudio de 2021, el 70 por ciento de los participantes declaró que veía riesgos reales en participar en un diálogo sobre la raza, incluso con amigos.[226] «A los amigos negros les preocupa que sus amigos blancos digan algo racista, tal vez sin querer, y eso dañe la amistad —declaró Kiara Sanchez, la investigadora que lideró ese estudio—. Y a los amigos blancos les preocupa decir algo prejuicioso por accidente. Así que hay mucho nerviosismo por ambas partes».

Pero, si nos preocupa hacer el mundo más inclusivo y justo, entonces es crucial hablar de «¿Quiénes somos?». «El problema del racismo puede resolverse, en teoría, con la información, la inversión, la estrategia y la implementación apropiadas —escribe Robert Livingston, psicólogo social de Harvard, en su libro *The Conversation*—. Tenemos que empezar a hablar unos con otros, en especial fuera de nuestro círculo social. Nada mejorará hasta que comencemos a mantener conversaciones sinceras e informadas sobre raza y decidamos, como comunidad, hacer algo al respecto».[227]

Las conversaciones acerca de quiénes somos —y quiénes queremos ser— son esenciales si esperamos que la sociedad cambie.

Las conversaciones acerca de la raza son de las más difíciles, de modo que, para los investigadores, han resultado útiles como modelo para estudiar la dinámica que surge durante los diálogos complicados. En 2020, por ejemplo, en un intento de averiguar cómo mantener conversaciones más sinceras y abiertas sobre raza y etnia, otro grupo de científicos reclutó a más de cien pares de amigos íntimos y los llevó a hablar, cara a cara, de sus experiencias con la raza y el racismo.[228] El objetivo de los investigadores era averiguar si hay algo que pueda hacerse *antes* de que empiece una conversación que facilite abordar asuntos complicados.

Cada pareja de amigos era similar en dos aspectos: un miembro era negro y el otro era blanco. Y, antes del experimento, no se había informado a ninguna de las dos personas de que hablarían sobre raza.

Al comienzo del experimento, algunas parejas de amigos recibieron instrucciones genéricas; servirían como grupo de control. A esas parejas se les dijo que hablaran «sobre algo que os haya ocurrido recientemente o una experiencia que hayáis tenido que esté relacionada con tu raza o etnia». Primero se invitó a los participantes negros y, dado que cada pareja ya se conocía, se les alentó a contar «una historia que no hayáis compartido con este amigo antes».[229] La conversación, sugirieron, debía durar en torno a diez minutos.

Al segundo grupo de participantes —el grupo experimental— lo prepararon de otra forma.[230] También les dijeron que hablaran de «algo que os haya ocurrido hace poco o una experiencia que hayáis tenido que esté relacionada con vuestra raza y etnia». Pero, antes de que empezara la conversación, los individuos de este grupo recibieron un adiestramiento rápido: «Queremos tomarnos un tiempo para compartir algunas cosas que hemos descubierto [acerca de] conversaciones sobre raza con amigos de distintos grupos raciales —indicaron a estos participantes—. A veces resulta normal hablar sobre raza, y a veces puede ser un poco extraño o incómodo al principio. Y es razonable, porque la gente tiene experiencias diferentes. Te sientas como te sientas está bien». Entonces pidieron a los participantes que escribieran brevemente «algunos beneficios que creas que pueden producirse de hablar sobre raza con amigos de distintos grupos raciales». Les preguntaron: «¿Qué, si es que hay algo, podría impedir que tú y un amigo experimentaseis estos beneficios?». Finalmente les instaron a que describieran lo que podían «hacer para ayudar a superar estos obstáculos y experimentar estos beneficios».

Este ejercicio —reconocer que la conversación podría ser incómoda; pensar en qué obstáculos podrían surgir y luego trazar un plan para superarlos— llevó tan solo unos minutos, y se produjo antes de que los participantes se encontraran cara a cara. Los investigadores no instruyeron a nadie sobre cómo hablar unos con otros y no declararon ningún tema vedado. No recordaron a las personas que fueran respetuosas o educadas ni cómo evitar las amenazas de la identidad. A los participantes tampoco se les dijo que compartieran sus respuestas a estas preguntas previas a la conversación entre ellos. Podían limitarse a garabatear algunas ideas y luego dejarlas a un lado, si querían.

Pero los investigadores sospechaban que hacer que alguien reconociera para sí sin más, de frente, que una conversación acerca de la raza o la etnia puede ser incómoda quizá volviera esa incomodidad más soportable.[231] Y empujar a la gente a pensar en la estructura de su conversación —sus esperanzas para el diálogo, qué tensiones podrían surgir y cómo manejarlas— podría hacer esos obstáculos menos probables o intimidantes.

Dicho de otro modo, los investigadores conjeturaron que impulsar a los participantes a pensar, solo un poco más, en cómo se desarrollará una conversación, antes de que empiece, podría atenuar las amenazas de la identidad.

Las conversaciones, cuando por fin tenían lugar, eran relativamente similares en ambos grupos. Pero, cuando las parejas del grupo de control —aquellas que no habían recibido instrucción especial— empezaron a hablar, algunas tuvieron dificultades. Parecían vacilar a la hora de meterse de lleno. Huían a temas más seguros, como las clases o los deportes. Para una pareja, la conversación resultó tan incómoda que, pese a que eran amigos íntimos, se despidieron al cabo de apenas tres minutos.[232]

Sin embargo, en el grupo experimental, las conversaciones a menudo fueron mejor. Algunos amigos hablaron largo y tendido. Ahondaron, se formularon preguntas el uno al otro, debatieron sobre sus experiencias. Trataron sobre las sensaciones que producían la raza y el racismo, y describieron momentos dolorosos o significativos de su propia vida, en lugar de limitarse a generalizaciones insípidas. Todas las conversaciones por lo general fueron bien, pero entre los del grupo experimental hubo momentos de verdadera conexión. En una conversación, un hombre negro le contó a su amigo blanco cómo se sintió cuando un dependiente le siguió por una tienda. «Notaba al dueño de la tienda mirándome y vigilándome a mí y vigilaba todo lo que tocaba», explicó el hombre negro. Ambos participantes eran amigos de la universidad, pero nunca habían hablado acerca de la raza entre ellos. «No se me olvida quién soy en Estados Unidos y esas cosas —dijo el participante negro—. Soy un hombre negro».[233]

Acababa de describir una situación que, en otro entorno, era perfecta para la amenaza de la identidad. Su amigo blanco podría haber cuestionado si el culpable de aquella situación era en realidad el racismo («¿Quizá hubiera otras razones para el comportamiento del dependiente?») o podría haber restado importancia a las preocupaciones de su compañero («Pero tus amigos no son racistas»). En un intento desacertado de consolar a su amigo negro, podría haber minimizado esta experiencia insinuando que estaba demasiado susceptible o innecesariamente nervioso. Y el participante negro, en respuesta, podría haber sugerido que su compañero blanco no estaba dispuesto a reconocer el racismo, que se veía cegado por el privilegio blanco y perpetuaba de forma involuntaria una mentalidad supremacista. Los dos podrían haber amenazado la identidad del otro sin pretenderlo.

En lugar de eso, cuando el participante negro dejó de hablar, su amigo blanco, aunque claramente incómodo, empezó por reconocer y validar lo que había oído. «Cualquiera de nuestro grupo parece más sospechoso que tú —le dijo—. La idea de que alguien... —Su voz se fue apagando, tenía aspecto triste—. Siento que, aunque el grupo de amigos es realmente multirracial, no hablamos demasiado de ello». El participante blanco no restó importancia ni menoscabó las emociones de su amigo o cuestionó los detalles. No ofreció soluciones. Se limitó a reconocer lo que había dicho su amigo.

«Te lo agradezco», respondió el amigo negro. Dijo que había tensiones por el hecho de ser un hombre negro en un entorno mayoritariamente blanco, pero «en especial con vosotros, chicos, siempre va bien. Siento que puedo olvidarme de esas presiones raciales externas y pasar el rato sin más».

Durante esta y otras conversaciones hubo algunos momentos dramáticos, grandes revelaciones o estallidos apasionados. Pero para los investigadores ese era el objetivo: esta clase de diálogos eran notables precisamente porque parecían tan *normales*. Eran dos amigos hablando de un tema difícil, en lugar de evitándolo.

Cuando los investigadores calcularon los datos, descubrieron que, tras estas conversaciones, los participantes a menudo se sentían más cerca el uno del otro y más cómodos hablando sobre la raza.[234] Los participantes negros, en particular los que habían recibido la instrucción especial, dijeron que sentían que podían ser más auténticos con sus amigos blancos.[235] Una de las investigadoras, Kiara Sanchez, de Darmouth, me dijo que piensa que esos resultados surgieron «porque, cuando escuchas las conversaciones, oyes mucho apoyo: "Debió de doler", "Siento que te ocurriera eso", "Es horrible que te discriminaran"». A veces reconocer sin más las experiencias y sentimientos de alguien puede suponer una gran diferencia».

Aquí tenemos lecciones para conversaciones difíciles de todo tipo, incluso más allá de las relacionadas con nuestras identidades. La primera idea es que, como hemos visto antes, prepararse para una conversación antes de que empiece —pensar solo un poco más cuando abrimos la boca— puede tener impactos enormes. Anticipar obstáculos, planear qué hacer cuando surgen, considerar lo que esperas decir, pensar en lo que podría ser importante para otros: antes de cualquier conversación desafiante, piensa unos momentos en lo que esperas que ocurra, lo que crees que podría ir mal y cómo reaccionar cuando lo haga.

La segunda lección es que solo porque estás preocupado por una conversación no significa que debas evitarla. Cuando tenemos que dar una noticia decepcionante a un amigo, quejarnos a un jefe o hablar de algo desagradable con nuestro socio, es normal experimentar vacilación. Pero podemos reducir esa tensión recordándonos a nosotros mismos por qué es importante esta conversación y disminuir nuestras inquietudes reconociendo, para nosotros mismos y para otros, que estas conversaciones pueden resultar incómodas al principio, pero se volverán más fáciles.

Tercero, pensar en cómo se producirá una conversación es igual de importante que lo que se dice, en especial durante una conversación «¿Quiénes somos?». ¿Quién hablará primero? (Los estudios sugieren que debería empezar la persona con menor poder). ¿Qué tipo de emociones deberíamos anticipar? (Si nos preparamos para la incomodidad y la tensión, las hacemos más soportables).[236] ¿Qué obstáculos deberíamos esperar? Cuando surjan, ¿qué haremos?

Lo más importante: ¿qué beneficios esperamos obtener de este diálogo, merecen los riesgos? (La respuesta casi siempre es sí, casi todo el mundo en el experimento de Sanchez declaró que se alegraba de haber participado).

ALGUNAS PREGUNTAS QUE HACERTE A TI MISMO ANTES DE QUE EMPIECE UNA CONVERSACIÓN

- ¿Cómo esperas que se desarrollen las cosas?
- ¿Cómo empezará esta conversación?
- ¿Qué obstáculos podrían surgir?
- Cuando aparezcan esos obstáculos, ¿cuál es tu plan para superarlos?
- Finalmente ¿cuáles son los beneficios de este diálogo?

Hay una lección final aquí también: en cualquier diálogo difícil, y en especial en una conversación «¿Quiénes somos?», hacemos bien en evitar las generalizaciones y debemos hablar, en cambio, de nuestras propias experiencias y emociones. Las amenazas de la identidad suelen surgir porque generalizamos: metemos a las personas en grupos («Los abogados son todos deshonestos») o achacamos a otros rasgos que odian («Todos los que votaron por ese tío son racistas»). Estas generalizaciones nos empujan a todos —nuestras perspectivas únicas e identidades complicadas— a abandonar la conversación.[237] Nos vuelven unidimensionales.

Sin embargo, cuando describimos nuestras propias experiencias, sentimientos y reacciones —cuando nos sentimos lo bastante seguros para revelar quiénes somos—, empezamos a neutralizar amenazas de la identidad. Esto requiere algo de trabajo, porque evitar las generalizaciones significa no solo describirnos a nosotros mismos con sinceridad, sino también escuchar atentamente a nuestros compañeros para poder oír su dolor y frustraciones concretos. No debemos ceder a la tentación de restar importancia a las dificultades de alguien o intentar resolver sus problemas, simplemente porque resulta tan difícil ser testigo de su incomodidad. No debemos insinuar que, como no hemos experimentado en persona su sufrimiento, este por lo tanto no es real.

Pero cuando asimilamos cómo ven otros el mundo y sus identidades en él, cuando escuchamos sus historias concretas y reconocemos sus sentimientos, empezamos a comprender por qué dos personas, que por lo demás están de acuerdo en tantas cosas, podrían ver algunos aspectos de la vida —como el mantenimiento del orden público, la crianza de los hijos o las relaciones románticas— de un modo tan distinto debido a sus diferentes historias. Empezamos a apreciar cómo nuestros mundos han sido modelados por nuestras crianza, nuestra raza y etnia, nuestro sexo y otras identidades. Empezamos a entender cuánto puede revelar hablar de «¿Quiénes somos?». Comenzamos a conectar.

En Netflix no hay reglas

Cuando Vernā Myers llegó a Netflix como vicepresidenta para la estrategia de inclusión, cuatro meses después de que despidieran a Jonathan Friedland, la compañía seguía alborotada. Todos en Netflix decían que aborrecían la discriminación. Todos decían que aspiraban a crear un lugar de trabajo justo. Pero eso no significaba que todos estuviesen seguros de que la empresa necesitaba *cambiar*. «Había mucha gente buena y bienintencionada que pensaba que si odias el racismo y crees en la igualdad, con eso basta —dijo Myers—. No funciona así».[238]

Antes de unirse a Netflix, Myers había trabajado como abogada y posteriormente como directora ejecutiva de un consorcio de bufetes de letrados que presionaban para aumentar la diversidad racial en la abogacía. Se convirtió en jefa de personal de la fiscalía general de Massachusetts, donde lideraba las iniciativas de diversidad de la oficina, y luego fundó un bufete de asesoría para ayudar a las empresas a hacerse más inclusivas.[239] «Es quizá la persona más carismática que he conocido —me dijo uno de sus antiguos empleados en la asesoría—. Puede hacer sentir cómodo a cualquiera». Myers había empezado a pasar tiempo con Netflix mientras trataban de resolver el problema con Friedland, de modo que tenía alguna idea de su cultura empresarial. Y, lo más importante, sabía cómo ayudar a la gente a pensar más profundamente antes de abrir la boca.

El problema en Netflix, sin embargo, era que la cultura de la firma estaba *diseñada* para empujar a la gente a hablar y actuar rápidamente, a menudo antes de que las ideas estuvieran del todo formadas. El manual de cultura de la compañía proclamaba que el «objetivo es ser Grande y Rápido y Flexible» y «a medida que crecemos, minimizamos las reglas».[240] Alentaban a los empleados a actuar sin restricciones, sin estructuras, a desafiarlo todo. «Puede que hayas oído que evitar un error sale más barato que arreglarlo... pero no en entornos creativos», decretaba el manual de cultura empresarial. Cuando Hastings escribió un libro sobre sus experiencias, alentó a los lectores a «operar un poco más cerca del límite del caos» y «mantener las cosas un poco más libres. Acoge bien el cambio constante».

Pero cuando se atenía a los temas más difíciles y sensibles —incluidos prejuicios y sesgos— esa clase de cultura caótica y sin restricciones podía ser desastrosa. «Nadie en Netflix sabía cómo hablar de estas cosas sin hacer saltar todo por los aires», me dijo un empleado. Y desde el despido de Friedland, había habido confusión sobre qué tipos de conversaciones estaban bien. ¿Es la sinceridad radical apropiada para hablar de «¿Quiénes somos?»? ¿Hay temas que deberían evitarse? «Nadie entendía dónde trazar la línea —dijo el ejecutivo—. Así que todo el mundo se limitó a dejar de hablar de ello por completo».

El equipo de Myers sentía que este tipo de silencio era parte del problema. Necesitaban que la empresa se pusiera a hablar de temas difíciles, sensibles, para que la gente pudiera entender lo que estaban experimentando sus colegas, pudieran luchar contra las injusticias dentro de la firma y el mundo, y entender cómo, sin quererlo, tal vez estaban contribuyendo a crear problemas.

Pero esas conversaciones debían desarrollarse de la forma correcta. Tenían que producirse de un modo en el que todo el mundo se sintiese seguro. La cultura de Netflix de la sinceridad implacable debía apartarse lo justo, con el fin de empujar a la gente a preguntarse a sí mismos, y a los demás, a las preguntas correctas.

En otras palabras, Netflix necesitaba algunas reglas.

Por supuesto, no podían llamarlas «reglas». ¡Las reglas estaban prohibidas en Netflix! De modo que Myers y su equipo las llamaron «pautas». Cuando empezaron a llevar a cabo talleres, a fomentar conversaciones con distintas divisiones y a ofrecer sesiones de formación para líderes en diversidad e inclusión, las pautas quedaron claras: al hablar de temas de identidad, nadie tiene permitido culpar, avergonzar o atacar a nadie más.[241] Está bien plantear preguntas, si se hacen de buena fe.[242] Los objetivos se detallaban al inicio de cada sesión —«Haz todo lo que puedas para conectar con compasión y coraje»; «Abraza la incomodidad y la sensación de no saber»— y las conversaciones las estructuraban moderadores a través de recordatorios como «Quiero centrar nuestra atención en algunas cosas que acaban de decirse» o «Algunas personas son muy emotivas acerca de este tema; quizá podamos tomarnos todos un descanso».

Se reconocía, sin tapujos, que era probable que estas conversaciones resultaran incómodas y que la gente inevitablemente cometería errores.[243] No pasaba nada. Se pedía a los asistentes que hablaran de sus propias experiencias y describieran sus propias historias. No generalices. Cuando un colega hable sobre algo doloroso, escucha. No des soluciones ni le restes importancia. Dile que sientes que ocurriera y reconoce el dolor que se ha expresado.

ALGUNAS PAUTAS PARA CONVERSACIONES DIFÍCILES

Empieza una conversación hablando de pautas.
¿Qué está bien y qué queda fuera de los límites?

Reconoce la incomodidad.
Puede ser una conversación desafiante y que incomode a la gente. No pasa nada.

Cometeremos errores.
El objetivo no es la perfección, sino la curiosidad y la comprensión.

La meta es compartir tus experiencias y perspectivas,
no convencer a alguien de que cambie de opinión.

Nada de culpar, avergonzar o atacar.

Habla de tus propias opiniones y experiencias.
No pases tiempo describiendo lo que piensan otras personas.

La confidencialidad es importante.
La gente debe sentirse segura, y eso significa saber que nuestras palabras no se repetirán.

El respeto es esencial.
Aunque discrepemos, demuestra que respetamos el derecho del otro a ser escuchado.

A veces necesitamos hacer una pausa.
Algunas preguntas pueden volver a traumatizar. Ve despacio, alienta a la gente a hacer una pausa o alejarse. Cabe esperar incomodidad, pero el dolor o el trauma son una señal para parar.

Se animaba a todo el mundo a hablar —no era justo que algunas personas se esforzasen en describir sus vidas mientras otras observaban sin más— y a reflexionar sobre cómo la raza, la etnia, el sexo y otros marcadores de identidad habían modelado sus vidas. Esto era importante: todo el mundo tiene una identidad racial y étnica, dijeron a los trabajadores, además de una identidad de género y muchas más. Todos podemos reconocer el aguijonazo de la exclusión.[244] Este elemento en común, en lugar de dividirnos, puede ayudarnos a empatizar.[245]

Myers empezó los talleres como de costumbre, enfatizando sus propios errores. Compartía que se había dirigido a la gente por el sexo equivocado; que, para vergüenza suya, en una ocasión le había dicho a un amigo trans que los pronombres neutros quizá no fueran la mejor opción. Describió una ocasión en la que estaba «en un avión y oyó la voz de una piloto por megafonía, y empezó a haber turbulencias y pensó: "¡Espero que sepa pilotar!"». Entonces se dio cuenta de que nunca se había preguntado por las habilidades del piloto cuando este era un hombre. «Ni siquiera sabía que tenía ese sesgo en mi cabeza —contó a un grupo—. Pero ahí estaba».

A continuación pedía a los participantes que describieran un momento en el que se habían sentido excluidos.[246] A menudo se producía un largo silencio y, luego, cierto diálogo tranquilo. Con el tiempo Myers subía el listón y pedía a la gente que describiera cuándo había excluido a *otros*, qué desearía haber hecho de otra forma. Eso era aún más aterrador.[247]

En otro taller para ejecutivos, Wade Davis, uno de los lugartenientes de Myers, empezó la sesión describiendo su historial: era un hombre gay negro que había crecido en la pobreza en Louisiana y Colorado. Antiguo defensa lateral de la Liga Nacional de Fútbol Americano, le habían rescindido el contrato en numerosas ocasiones hasta que quedó fuera de la liga por completo. Dolía ser rechazado así, dijo. Había cometido multitud de errores en su vida en lo que se refería a racismo y sexismo. Había hecho suposiciones ignorantes, inconscientemente había dicho cosas ofensivas.

Entonces Davis pidió al grupo que reflexionara sobre sus propias experiencias con el privilegio y la exclusión. Al final, mencionó que había pasado mucho tiempo hablando con gerentes acerca de las prácticas de contratación de Netflix. Varias personas le habían dicho que se habían comprometido a encontrar diversidad de candidatos, pero también había advertido que algunos de ellos, en especial aquellos procedentes de entornos infrarrepresentados, a la larga se veían rechazados porque alguien decía que no «alcanzaban el nivel».

—Entonces ¿cuál es el nivel de Netflix? —preguntó Davis—. ¿Y cómo sabéis que alguien lo alcanza?

Los ejecutivos de la sala empezaron a describir lo que buscaban al contratar. Un diseñador de mediana edad dijo que quería a candidatos que hubiesen estudiado en lugares como la Escuela de Diseño de Rhode Island o Parsons, o que tuvieran experiencia en firmas como Apple o Facebook.

—La diversidad es importante para mí —aseguró a los presentes—. Pero lo más importante es saber que alguien puede tener éxito aquí.

Dejó de hablar.

—Oh, mierda —dijo—. Me estoy escuchando y me doy cuenta de que acabo de describirme a mí mismo. He descrito mi propio entorno. Defino el nivel a partir de mí. —Miró alrededor—. Eso no es bueno, ¿verdad?

Davis me contó después que, en este tipo de conversaciones, lo importante es darnos cuenta de cómo quizá contribuimos de manera involuntaria a problemas como la desigualdad. El objetivo no es decir lo que es exactamente correcto, o llegar a la idea perfecta. La perfección no puede ser la meta, «porque si estás intentando decir lo perfecto, no va a ocurrir nada auténtico —declaró—. «El objetivo es permanecer en la conversación, encontrar espacio para un aprendizaje complicado y apoyarnos unos en otros».

Estos talleres, al principio, alarmaron a algunos empleados de Netflix. No querían asistir. Y cuando lo hacían, no querían hablar. Cuando hablaban, no querían ser los primeros. A la gente le daba miedo decir algo ofensivo, formular una pregunta insultante por accidente o revelar algo de sí mismos que pudiese indicar que era racista o sexista. Pero, poco a poco, corrió la voz de que los talleres no eran tan arriesgados como temían los trabajadores.[248] La gente podía ser sincera y hacer preguntas. No se atacaba a nadie por cometer un error. Los talleres fueron creciendo, y hablar de estos temas se hizo más fácil, hasta que, con el tiempo, miles de empleados habían asistido a una sesión, muchos de ellos a más de una. Empezaron a hacerse unos a otros la clase de preguntas que pueden llevar al verdadero entendimiento: «¿Qué significa ser transgénero?», «Como madre negra, ¿qué sientes por la policía?», «Como padre, ¿te preocupa compaginar las responsabilidades laborales con las familiares?».[249] Y, dado que estas conversaciones se modelaban mediante pautas, todos entendieron que habría momentos incómodos y que algunas personas dirían algo inapropiado, pero luchar con esa incomodidad, y ver cómo impactan nuestras palabras en otros, es parte de ese objetivo.

En las conversaciones «¿Quiénes somos?» más difíciles —esas en las que, digamos, no tenemos la oportunidad de jugar al fútbol juntos o no podemos experimentar con distintos enfoques para hablar de las vacunas—, ¿qué debemos hacer? ¿Cómo hablamos sobre racismo, sexismo y otros temas sensibles cuando sabemos que hacerlo mal podría impactar en amistades y carreras?

El enfoque de Netflix ofrece una solución: establecer pautas y asegurarse de que se comunican con claridad. Invita a todo el mundo al diálogo y proporciona a todo el mundo una voz, y deja que todos sepan que se espera que se examinen a sí mismos. Concéntrate en la pertenencia y en crear la sensación de que todo el mundo es bienvenido. «Si la primera lección que oyes es que tienes sesgos y prejuicios inherentes, para la mayoría esto no es empezar con buen pie. Resulta amenazador», dijo Greg Walton, profesor de Psicología en Stanford.[250] Pero cuando las conversaciones se centran en crear pertenencia para todos, además de diversidad e inclusión, «estás invitando a la gente a participar y aprender, a responsabilizarse de improvisar las cosas».

Es importante advertir que esta clase de conversaciones casi nunca serán perfectas. Pero la perfección no es el objetivo. Como me dijo Myers, «la mayor parte del trabajo consiste en cobrar consciencia de ti mismo, tu cultura y la cultura de otros». El objetivo es reconocer tus sesgos, «a quién podríamos estar excluyendo o incluyendo».

O, como lo expresó Kiara Sanchez, el objetivo no es «neutralizar la incomodidad, sino más bien dar a la gente un marco para perseverar a pesar de ella. Parece una distinción menor, pero la teoría subyacente es que la incomodidad puede resultar de ayuda». La incomodidad nos empuja a pensar antes de hablar, a intentar comprender que otros ven u oyen las cosas de un modo distinto. La incomodidad nos recuerda que perseveremos, que el objetivo merece la pena.

El impacto

Para 2021, casi todos los empleados de Netflix habían recibido alguna clase de formación en los conceptos de pertenencia, diversidad e inclusión.[251] Había grupos de recursos para empleados negros, sudasiáticos, hispanos, indígenas, trans, gais y lesbianas, y para aquellos que eran veteranos, padres o se veían afectados por discapacidades o salud mental. Pese a que los investigadores habían descubierto que algunos programas de reducción de prejuicios eran ineficaces porque eran demasiado breves y no atraían a todo el mundo, en Netflix, las intervenciones prolongadas y las pautas claras habían facilitado hablar de «¿Quiénes somos?».

Tan solo tres años después de que contrataran a Myers, Netflix publicó datos que mostraban que ya había dejado atrás a todas las demás grandes empresas de Silicon Valley, además de Hollywood, en la contratación de grupos infrarrepresentados.[252] Las mujeres constituían el 52 por ciento de la fuerza laboral de Netflix, y el 45 por ciento de los altos ejecutivos de la compañía. La mitad de los empleados de Netflix eran de al menos una etnia o grupo racial históricamente excluido, y el 19 por ciento de los trabajadores estadounidenses eran negros o hispanos.[253]

Dentro de la industria tecnológica, esas cifras son pasmosas. Son igual de extraordinarias en la industria del entretenimiento. Cuando los investigadores de la Universidad del Sur de California compararon Netflix con otras empresas de entretenimiento, hallaron que los programas de Netflix tenían a más guionistas que la mayoría de los estudios, y un número inusualmente grande de directores, actores y productores negros y otros grupos infrarrepresentados.[254] Netflix por fin parecía, para muchos empleados, una empresa distinta de aquella en la que Jonathan Friedland había pronunciado un insulto racial.

Entonces, en octubre de 2021, Netflix emitió un nuevo especial de Dave Chappelle llamado *The Closer*. Chappelle es uno de los cómicos y monologuistas más populares del mundo, conocido por sus comentarios mordaces sobre la raza, el sexo y la sexualidad. En *The Closer*, bromeaba sobre que le habían «engañado» para que llamara guapa a una mujer trans. Decía que «el sexo es un hecho» —lo que muchos vieron como deslegitimación de la comunidad trans— y satirizaba a los supervivientes de la violencia sexual. Lamentaba el tratamiento que daba la sociedad al rapero DaBaby, que fue aceptado tras matar a otro hombre, pero se convirtió en un paria tras hacer comentarios homófobos.

GLAAD, una organización que monitoriza los medios en busca de sesgos contra la comunidad LGTBI, declaró que el especial «ridiculizaba a personas trans y otras comunidades marginalizadas». Un empleado de Netflix se quejaba en Twitter de que el especial «ataca a la comunidad trans, y la validez misma de la transexualidad». Grupos externos organizaron protestas y propusieron boicots.

La presión instó a Ted Sarandos, codirector de Netflix, a defender públicamente el programa y declarar en un e-mail enviado a todos los trabajadores que «creemos firmemente que el contenido en pantalla no se traduce directamente en daños en el mundo real». Apuntó a que *The Closer* es «nuestro especial de monólogos más visto, más pegadizo y más premiado hasta la fecha». Aquello inspiró aún más críticas. Páginas web y periódicos intervinieron en la controversia, y se publicaron más de dos mil artículos en apenas dos meses. Cuando los manifestantes marcharon ante la sede de Netflix en Los Ángeles para protestar contra el especial de Chappelle, aparecieron contramanifestantes y se produjeron escaramuzas.

Para el mundo exterior, de nuevo parecía que Netflix estaba en guerra consigo misma. Pero dentro de la compañía se veían las cosas de otro modo. Solo un pequeño número de los que formaron piquetes eran empleados de Netflix.[255] «No necesitábamos hacer eso», declaró un trabajador que había presentado una queja formal a distintos ejecutivos sobre el especial de Chappelle. Hubo múltiples reuniones internas en las que los trabajadores tuvieron la oportunidad de expresar sus quejas y su ira. Los ejecutivos se enfrentaron a preguntas; circularon peticiones en las que se sugerían reformas. Las críticas internas se compartieron de manera extensa, y la empresa instauró procedimientos para escuchar y responder. «Sabíamos cómo ser escuchados —me dijo el mismo empleado—. Había un sistema para asegurarse de que todo el mundo sabía cómo nos sentíamos».

Aun así, hubo discrepancias, por supuesto: el grupo de recursos para empleados trans instó a los ejecutivos a incluir un descargo de responsabilidad antes del especial olas partes más ofensivas; los ejecutivos declinaron y dijeron que se consagraban a la expresión artística, incluso cuando era ofensiva. Varios trabajadores, decepcionados por las respuestas de los ejecutivos, abandonaron la empresa.

Pero incluso los empleados que se quejaron del especial me dijeron que, cuando se producían las conversaciones tensas, el tono era generalmente empático, estructurado para dar voz a todo el mundo. Unos días después de defender públicamente el especial, Sarandos entonó un mea culpa para *The Hollywood Reporter*. «He metido la pata», dijo. Reconoció que no había escuchado las preocupaciones de los trabajadores. «Antes que nada, debería haber reconocido en esos e-mails que un grupo de nuestros empleados estaba sufriendo, y realmente se sentían heridos [...] Diría que esos e-mails carecían de humanidad». Desde entonces, continuó, se había centrado en «escuchar a la gente y prestar atención a cómo se sentía».

Uno de los empleados que ayudó a organizar peticiones internas sobre el especial de Chappelle me dijo que «este tipo de conversaciones siempre contienen un montón de emociones acaloradas», pero que Netflix ha aprendido a mantenerlas. «Celebramos una gran reunión después de que empezara todo esto y las normas se dejaron claras al principio: todo el mundo tenía permitido hablar, pero no avergonzar ni culpar ni atacar. Tenías que pensar antes de hablar. Tenías que contribuir, en lugar de criticar sin más». Durante esa reunión, la gente criticó a los líderes de la empresa a la cara, «y los empleados trans hablaron de lo que habían experimentado en la empresa y lo que debía cambiar —declaró el trabajador—. Y había más gente que decía "No estoy de acuerdo contigo en todo, pero gracias, entiendo que estás sufriendo y me comprometo a mantener esta conversación". Fue como un diálogo real».

Las empresas, como las sociedades, siempre tendrán discrepancias. El acuerdo no siempre es posible, o a veces ni siquiera es la meta. A menudo lo mejor que cabe esperar es la comprensión. Es a través de ella, y del diálogo, como una comunidad, y una democracia, prospera. Cuando creamos espacio para tratar creencias encontradas, aumentamos la probabilidad de que se produzca una conexión.

Netflix, por supuesto, no ha resuelto problemas como el racismo y los prejuicios. «Son problemas grandes, estructurales, y no existe ninguna fórmula mágica», me dijo Myers. El cambio real requiere transformaciones no solo en cómo Netflix contrata, asciende y apoya a los trabajadores, sino en la sociedad en general.[256] «Pero si no enseñas a la gente a mantener esta clase de conversaciones, entonces no les das la oportunidad de escucharse unos a otros —explicó Myers—. No es la solución, pero sí el primer paso.[257]

La conversación «¿Quiénes somos?» puede resultar difícil, pero también es vital. «Si no podemos acabar ahora con nuestras diferencias, al menos podemos ayudar a hacer el mundo seguro para la diversidad —dijo John F. Kennedy a alumnos de la Universidad Americana en 1963, cinco meses antes de que lo asesinaran—. En última instancia, nuestro vínculo más básico es que todos vivimos en este pequeño planeta. Todos respiramos el mismo aire. Todos tenemos en mente el futuro de nuestros hijos. Y todos somos mortales».

Las cosas en común son lo que nos permite aprender unos de otros, salvar distancias, empezar a hablar, comprender y trabajar juntos. Las conversaciones sobre identidad son lo que revela estas conexiones y nos permite compartir todo nuestro ser.

UNA GUÍA PARA UTILIZAR ESTAS IDEAS

CUARTA PARTE

Facilitar las conversaciones difíciles

Se producen conversaciones difíciles constantemente. A veces se centran en temas como la raza, la etnia o el sexo. Con la misma frecuencia, son desafiantes en otros sentidos: un empleado tiene problemas de rendimiento y necesita oír retroalimentación directa; un jefe no te paga lo suficiente y necesita comprender tus quejas; un cónyuge tiene que cambiar si una relación va a sobrevivir; un tío tuyo bebe demasiado y te preocupa.

Este tipo de conversaciones son difíciles porque pueden amenazar el sentido de identidad de una persona: nuestra conversación con un empleado acerca de su rendimiento podría parecer una crítica a su ética de trabajo, inteligencia o personalidad. Decirle a un jefe que mereces un salario más alto podría sonarle como si lo acusases de mostrarse indiferente. Pedir a un cónyuge que cambie a veces puede surgir como un ataque a quién es. Es probable que tu tío escuche tus preocupaciones acerca de su consumo de alcohol como una crítica a cómo vive.

Pero estas conversaciones no son solo esenciales, son inevitables. De modo que es importante que tengamos presente la última regla para una conversación de aprendizaje.

Cuarta regla:
Explora si las entidades tienen importancia en esta conversación.

Esta regla nos dice que consideremos nuestras acciones durante tres periodos definidos: *antes* de una conversación, al *comienzo* de la conversación y durante el *desarrollo* de la conversación.

Antes de la conversación

Antes de que se pronuncie una palabra de una conversación «¿Quiénes somos?», deberíamos considerar algunas preguntas. El objetivo de este ejercicio es empujarte a ti mismo a pensar en cómo esperas que se desarrolle una conversación y qué esperas que se diga.

Pregúntate:

- **¿Qué esperas conseguir?** ¿Qué es lo que más deseas decir? ¿Qué esperas aprender? ¿Qué crees que *otros* esperan decir y aprender? Si hemos aclarado los objetivos antes de una conversación es más probable que los alcancemos.
- **¿Cómo empezará esta conversación?** ¿Cómo asegurarás que todo el mundo tiene voz y siente que puede participar? ¿Qué se necesita para atraer a todo el mundo?
- **¿Qué obstáculos podrían surgir?** ¿La gente se enfadará? ¿Se retirará? ¿La vacilación por si decimos algo controvertido nos impedirá decir lo necesario? ¿Cómo podemos hacer que sea más seguro que todo el mundo manifieste sus pensamientos?
- **Si aparecen esos obstáculos, ¿cuál es el plan?** La investigación muestra que ser consciente previamente de situaciones que nos ponen nerviosos o nos dan miedo puede reducir el impacto de dichas preocupaciones. ¿Cómo te calmarás a ti mismo y a los demás si la conversación se pone tensa o animarás a alguien que se ha quedado callado a que participe más?
- **Finalmente ¿cuáles son los beneficios de este diálogo?** ¿Valen la pena los riesgos? (La respuesta normalmente es sí). Cuando la gente se enfada o entristece, o es más fácil alejarse, ¿cómo te recordarás a ti mismo y a los demás por qué es tan importante este diálogo?

Antes de una conversación, pregúntate a ti mismo

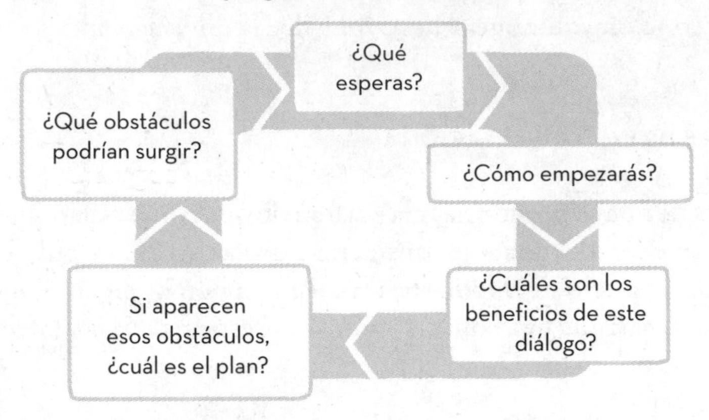

Al principio de la conversación

Las conversaciones difíciles suelen empezar con cierta inseguridad. En especial cuando hablamos de «¿Quiénes somos?», normalmente nos pone nerviosos decir algo incorrecto o tensos por lo que podríamos oír.

Podemos reducir esas inquietudes abordando algunas cosas de forma directa.

Cuando empieza una conversación:

- **Primero, establece pautas.** Resulta útil aclarar las normas: por ejemplo, nadie tiene permitido **culpar, avergonzar o atacar a otros.** El objetivo es **compartir nuestros sentimientos, no litigar sobre quién tiene la culpa.** También resulta útil definir si **está bien hacer preguntas**, y si hay algunos tipos —sobre, pongamos, asuntos muy personales o especialmente sensibles— que requieren reflexión previa. Deberíamos afirmar que **se anima a todo el mundo a hablar**, que todo el mundo tiene derecho a participar en la conversación, y quizá identificar a alguien que sirva como moderador para asegurarse de que todo el mundo tiene espacio. Finalmente, resulta útil pedir a la gente **que hable de sus propias experiencias y describa sus propias historias.** No generalices. No resuelvas ni restes importancia a los problemas de los demás, a menos que te pidan ayuda. Cuando un colega describa algo doloroso, **escucha** y luego dile que sientes que ocurriera. Reconoce lo que sintió.

- **Segundo, saca a la luz los objetivos de todo el mundo.** Es probable que tengas algunas metas en mente. Compártelas. Luego pregunta a otros qué esperan conseguir de esta conversación. Identifica «objetivos emocionales» («Quiero asegurarme de que seguimos siendo amigos» o «Necesito sacarme algo de encima, desahogarme»); y «objetivos prácticos» («Me gustaría irme de aquí con un plan»); además de «objetivos de grupo» («Es importante que todos mostremos compasión por los demás»).
- **Finalmente, reconoce, y sigue reconociendo, que la incomodidad es natural, y útil.** Nos expresaremos mal. Haremos preguntas ingenuas. Diremos cosas que no nos damos cuenta de que son ofensivas. Cuando estas incomodidades emergen, en lugar de retraernos, deberíamos utilizarlas como oportunidades para aprender.

Al principio de una conversación

Establece las pautas
- ¿Cuáles son las normas?
- Nada de culpar, avergonzar o atacar.
- ¿Está bien hacer preguntas?

Un moderador puede alentar
- ... a hablar a todo el mundo.
- ... a la gente a contar sus propias historias y no restar importancia a los problemas de los demás.
- ... a escuchar a todo el mundo.

Saca a la luz
- ... los objetivos emocionales de todos.
- ... los objetivos prácticos de todos.
- ... objetivos más efímeros.

Reconoce que esto será incómodo
- Podemos expresarnos mal.
- Podemos hacer preguntas ingenuas.
- Cuando surgen esas incomodidades, no nos retraeremos. En lugar de eso, las veremos como oportunidades para aprender.

Durante el desarrollo de la conversación

Una vez que nos hemos preparado para una conversación difícil, y hemos tratado de pautas y objetivos, deberíamos recordar:

- **Saca a la luz múltiples identidades.** Pregunta a la gente acerca de su entorno, comunidades, las organizaciones y causas que apoyan, y de dónde vienen. Comparte tus identidades a cambio. Todos contenemos múltiples identidades; ninguno de nosotros es unidimensional. Ayuda que te lo recuerden.
- **Trabaja para asegurarte de que todo el mundo está en la misma posición.** Las conversaciones «¿Quiénes somos?» funcionan mejor cuando todo el mundo tiene una voz igual y la facultad de hablar. Concéntrate en acoger las perspectivas de todo el mundo. No pregones tu riqueza y conexiones, tus privilegios o veteranía, tu pericia. Procura enmarcar temas para que todo el mundo sea un experto o un principiante. (Este, de hecho, es el motivo por el que hablar de experiencias resulta tan poderoso: todos somos expertos en lo que hemos visto y sentido).
- **Reconoce las experiencias de la gente y busca auténticas similitudes.** Pregunta a la gente acerca de sus identidades y trabaja a partir de lo que tenéis en común. («¡Fuiste al instituto Valley High? ¡Yo también!»). Pero recuerda: las similitudes deben ser auténticas. Y las conexiones cobran más significado cuando las llevamos un poco más lejos y las utilizamos para

entendernos mejor unos a otros. («El instituto me resultó duro. ¿Cómo fue para ti?»). Aunque no tengamos similitudes, reconocer sin más las experiencias de otros —mostrar que les has oído— puede crear una sensación de unión.

- **Controla el entorno.** Las identidades sociales ganan y pierden poder según su prominencia y el entorno en el que se produce una conversación. A veces un simple cambio —trasladar una conversación de un escenario de grupo a algo más personal; hablar lejos del lugar de trabajo; empezar una reunión comentando el fin de semana antes de entrar en materia— puede cambiar lo que produce seguridad y quién se siente bienvenido. (Y, de igual modo, cuando un entorno hace que alguien se sienta excluido, puede minar nuestra sensación de seguridad).

Durante la conversación

1. Saca a la luz múltiples identidades.

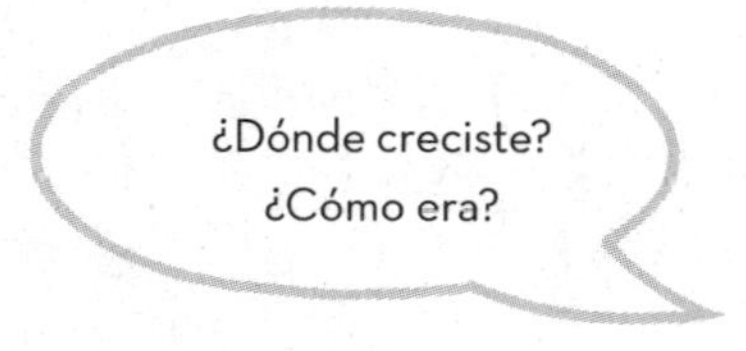

2. Sitúa a todo el mundo en la misma posición.

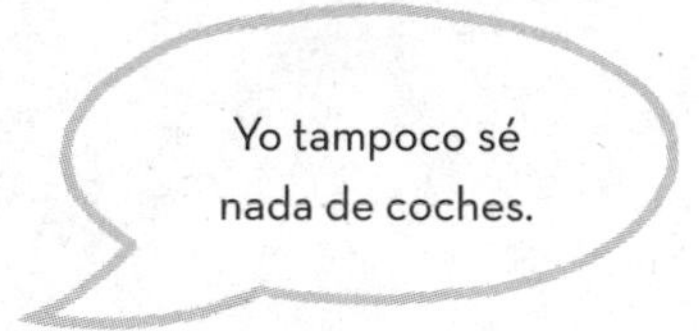

3. Busca similitudes para crear grupos.

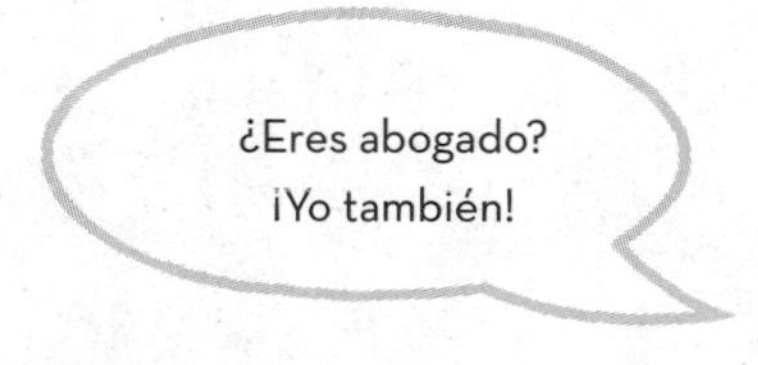

4. Controla el entorno.

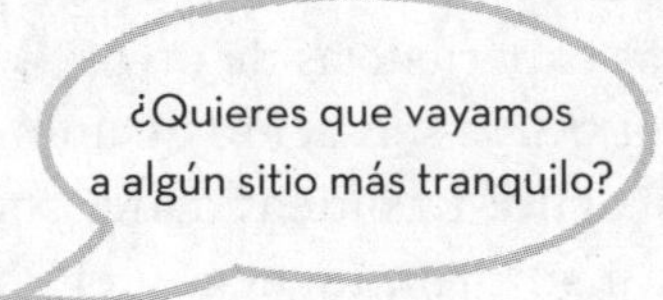

Es posible que parezca mucho. Las conversaciones difíciles, incluso con la organización más meticulosa y atenta, pueden desviarse en direcciones que no hemos previsto. Pero cuando somos conscientes de influencias nocivas como la amenaza de la identidad o la del estereotipo, cuando tenemos un plan y nos preparamos para los obstáculos, cuando sabemos que las cosas se pondrán incómodas y no pasa nada, se hace un poco más fácil tratar de cosas difíciles.

EPÍLOGO

En la primavera de 1937, un magnate de una cadena de tiendas llamado Billy Grant acudió a la Universidad de Harvard con una propuesta. Grant había dejado el instituto décadas antes, pero había pasado a hacer una fortuna vendiendo material de cocina y artículos del hogar en «Tiendas de 25 centavos» por todo el país. Para entonces, a los sesenta y un años, había anunciado que quería compensar a la sociedad a través de un gran donativo y, como dijo a los administradores de Harvard, conseguir un objetivo secundario, más práctico: supervisaba un imperio creciente y contrataba rápidamente. Sus ejecutivos necesitaban investigación, datos y perspectivas científicas para ayudarles a elegir a los mejores gerentes de tienda y a los empleados más hábiles. De modo que Grant ofreció donar una pequeña fortuna a la universidad para financiar la investigación general de la escuela, siempre que los académicos consideraran su problema y le ofrecieran consejo.[258]

Los administradores de Harvard pensaron que la petición era un poco burda. Pero un donativo es un donativo, y ya sabían cómo usarían el dinero, así que dijeron que sí. Durante años, el profesorado de la Facultad de Medicina había querido llevar a cabo un estudio longitudinal a largo plazo de, como expresaron, «hombres jóvenes sanos». En particular, querían reclutar a cientos de estudiantes de Harvard y seguirlos durante décadas, examinando aspectos como «el problema de la naturaleza frente a la crianza; las conexiones entre personalidad y salud; si pueden predecirse las enfermedades mentales y físicas; cómo podrían influir las consideraciones constitucionales en la elección de carrera». El plan, en esencia, consistía en tomar el dinero de Grant y —aparte de intentar averiguar qué hacía a alguien bueno para vender espátulas— recoger información acerca de la forma física, familia, educación, trabajo, impulsos emocionales y características físicas. Los participantes se sometían a extensos exámenes médicos y entrevistas psicológicas en el campus, y luego se les pedía que realizaran encuestas detalladas, enviadas por correo y en visitas a casa de los investigadores, durante el resto de sus vidas. Una vez que empezaron a llegar todos esos datos, los investigadores buscaron patrones que explicaran por qué algunos participantes se convertían en adultos felices, sanos y con trabajos bien retribuidos, mientras otros no.

El proyecto se conoció inicialmente como Estudio Grant y durante los años siguientes se expandió poco a poco. Con el tiempo, se incorporó al estudio a un grupo de adolescentes de las casas de vecindad del sur de Boston y luego, cuando varios participantes se casaron y tuvieron hijos, muchos de sus cónyuges y descendientes se incluyeron también. A la larga, pincharon, palparon, entrevistaron y analizaron psicológicamente a más de dos mil hombres y mujeres. Hoy el Estudio de Desarrollo Adulto de Harvard es uno de los más grandes, largos y famosos del mundo.

Entre los primeros participantes que entrevistaron se contaban dos hombres jóvenes que habían entrado en Harvard en los años que precedieron a la Segunda Guerra Mundial. El primero fue un estudiante que, como acabaron determinando los investigadores, era un neurótico hipocondríaco. Godfrey Camille, escribió un investigador (no demasiado amablemente), «era un desastre».[259] Lo habían criado lejos de las demás familias y niños porque sus padres eran «patológicamente desconfiados». Cuando un investigador entrevistó a la madre de Camille, la definió como «una de las personas más nerviosas que he conocido nunca» y un psicólogo determinó que Camille había tenido una de «las infancias más lúgubres que he visto nunca». Camille llegó a Harvard en 1938 y pareció abrumado casi al instante. Visitaba la enfermería regularmente, donde se quejaba de tantas enfermedades misteriosas que un médico anotó en su informe que «este chico se está convirtiendo en un psiconeurótico clásico». Estaba flaco, físicamente débil y le costaba hacer amigos. Cuando Estados Unidos entró en la guerra, Camille, como la mayoría de los hombres de Harvard, se alistó en el ejército. Pero mientras muchos de sus compañeros de clase fueron nombrados oficiales y regresaron a casa con galones y medallas, Camille seguía siendo un soldado raso cuando lo licenciaron con honores, sin logros significativos de los que hablar. A continuación asistió a la Facultad de Medicina, pero poco después de graduarse intentó suicidarse, lo que le convirtió en un paria de la comunidad médica de Boston. Se alejó tanto de su familia que, cuando su hermana y su madre murieron, apenas mencionó sus muertes en las encuestas de seguimiento. A los treinta y cinco años lo hospitalizaron durante catorce meses por tuberculosis pulmonar. «Me alegré de estar enfermo —contó después a un investigador—. Puedo estar acostado un año entero».

El otro joven de esa época era distinto. John Marsden era un estudiante excepcional y provenía de una familia rica y prominente que llevaba una franquicia de prendas de confección en Cleveland. Marsden también fue como voluntario a la Segunda Guerra Mundial, sirvió valientemente y luego, en lugar de acceder a los deseos de su padre de que se uniera al negocio familiar, siguió su pasión y se matriculó en la Facultad de Derecho de la Universidad de Chicago, donde se graduó entre los mejores de su clase. Se convirtió en abogado del Estado, se casó y acabó abriendo un exitoso bufete privado.

El Estudio Grant se había diseñado con intención de ser objetivo. Los investigadores querían evitar suponer por anticipado qué participantes era probable que llegaran alto o iban a tropezar, mucho menos permitir que esos prejuicios contaminasen los datos. Pero en lo que se refería a Camille y a Marsden, costaba evitar las predicciones. Estaba claro para todos que era probable que Camille acabara solo y deprimido, o quizá muerto por sus propias manos. «Todo el mundo había predicho que sería un perdedor», escribió un investigador. Mientras que Marsden, asumieron los científicos, se convertiría en un líder en su comunidad, otro capítulo más en el orgulloso legado de su familia. Marsden, advirtió un investigador, es «uno de los miembros de mayor éxito profesional del estudio».

Luego, en 1954, dieciséis años después de que empezara, se acabaron los fondos para el estudio. Para entonces Billy Grant había donado el equivalente a siete millones de dólares actuales y estaba frustrado porque el estudio no había revelado mucho que sirviera para seleccionar a gerentes de almacenes. Aún peor, Harvard no había mencionado lo suficiente su generosidad cuando publicaba trabajos del estudio. Grant dijo a los administradores que les cortaba el grifo. Los investigadores se pusieron a buscar a toda prisa fuentes alternativas de financiación; en un momento dado convencieron a un grupo de empresas tabacaleras para financiar el proyecto sugiriendo que su trabajo quizá revelase «razones positivas» para fumar, pero con el tiempo aquel apoyo también cesó. Se redactaron informes finales. Hubo despedidas e intentos esporádicos de mantenerse en contacto con algunos participantes, pero principalmente el estudio se guardó en una caja en el sótano de la Facultad de Medicina.

Ese habría sido el final de la historia, salvo que, a principios de los setenta, un grupo de jóvenes profesores de psiquiatría empezó a hurgar en esas cajas y dio con las encuestas del proyecto. Intrigados, comenzaron a buscar a los participantes, les enviaron nuevos cuestionarios y programaron entrevistas de seguimiento. Esperaban encontrar que la mayoría de los participantes habían seguido manteniendo las mismas trayectorias que cuando había concluido el estudio. Cuando hablaron con Camille y Marsden, sin embargo, descubrieron que esa conjetura era completamente errónea.

En las décadas que transcurrieron, al parecer, Camille se había convertido en una persona distinta. Para entonces estaba en la cincuentena, casado, era un líder en su iglesia, y había conquistado al establishment médico de Boston al fundar una gran clínica independiente especializada en el tratamiento de alergias. Era un experto reconocido en pacientes asmáticos a nivel nacional, lo invitaban a simposios y lo entrevistaban en televisión. Cuando los investigadores hablaron con sus hijas, que ya eran jóvenes adultas, le llamaron «padre ejemplar», alguien con «la habilidad innata de dar sin más. Era capaz de jugar como los niños de cinco años».

Los investigadores, recurriendo a los protocolos previos del estudio, llevaron a cabo encuestas de seguimiento cada dos años. Cada vez que hablaban con Camille, parecía más feliz que nunca. «Antes de que existiesen las familias disfuncionales, yo provenía de una», escribió Camille en 1994, a los setenta y cinco años. Pero consiguió escapar de ese legado, continuó, convirtiéndose «en la persona en la que poco a poco he llegado a ser: estable, feliz, conectada y efectiva». A los ochenta, Camille celebró una fiesta de cumpleaños en la que cada invitado aportaba un plato y aparecieron más de trescientas personas. Un poco después, informó a los científicos de que volaría a los Alpes para hacer senderismo de altura con amigos. Murió de un ataque al corazón en ese viaje, a los ochenta y dos años de edad. En su funeral, la iglesia estaba atestada. «Poseía una autenticidad profunda y sagrada», dijo el obispo en su panegírico. El hijo de Camille dijo a la multitud que «llevaba una vida muy sencilla, pero muy rica». Camille, determinaron más tarde los investigadores de Harvard, se encontraba entre los primeros participantes —quizá fuera el primero— en el estudio según felicidad, salud y satisfacción de la vida y el trabajo. «¿Quién iba a prever —escribió uno de ellos— que moriría feliz, entregado y amado?».

En contraste, Marsden, el abogado, se hallaba en una forma pésima cuando los investigadores lo encontraron tras el paréntesis en el estudio. Ya en la cincuentena, estaba divorciado y alejado de sus hijos y su familia en Cleveland. Aunque su bufete tenía éxito, contaba con pocos amigos y pasaba la mayor parte del tiempo solo. Informó de que se sentía enfadado, solo y decepcionado por la vida. Con el tiempo volvió a casarse, pero justo unos años después, informó de que la relación era «sin amor». «¿Alguna vez acudes a tu esposa cuando estás triste?», preguntaba una encuesta. «No, decididamente no —escribió Marsden—. No obtendría simpatía. Me diría que es una señal de debilidad». Cuando le preguntaron cómo sobrellevaba las dificultades, Marsden escribió: «Me lo guardo para mí. Lo afronto». Un investigador rompió el protocolo y se ofreció a encontrar a Marsden un terapeuta de pareja. Marsden y su esposa acudieron a una sesión, pero luego abandonaron. «Parecía una persona rota», me dijo aquel investigador, Robert Waldinger. Al final, Marsden dejó de responder a las peticiones de entrevista. Los investigadores descubrieron por qué cuando el Servicio Postal de Estados Unidos devolvió una encuesta sin abrir. El destinatario había muerto, según una nota en el sobre. Los residentes actuales no tenían ni idea de si había familiares cercanos.

¿Cómo era posible, se preguntaban los investigadores, que las cosas pudieran haber resultado de manera tan inesperada para esos dos hombres? Aquello no se limitaba a Camille y a Marsden. Cuando los científicos compararon las vidas contemporáneas de otros participantes con los planes y aspiraciones que habían descrito como adolescentes, encontraron que muchos de ellos —hombres y mujeres que parecían tener futuros brillantes y daban la impresión de estar destinados a la grandeza— habían acabado, en cambio, como adultos solos y deprimidos, insatisfechos con sus vidas. Mientras otros, que se habían enfrentado a obstáculos atroces, como la salud mental y la pobreza, habían llegado a viejos felices, con éxito y rodeados de familiares y amigos.

Los investigadores, a esas alturas, contaban con siete décadas de datos de los que tirar y empezaron a avanzar lentamente por ellos. Examinaron la genética y la infancia de las personas, observaron su propensión al alcoholismo y la esquizofrenia, midieron cuántas horas había trabajado cada participante y a cuántos niños había criado, todo con la esperanza de determinar qué variables podían predecir de manera fiable cómo resultarían las cosas más adelante en la vida. Descubrieron algunas correlaciones: tener unos padres cariñosos hacía más fácil encontrar la felicidad como adulto. Poseer genes relacionados con la dureza física y la longevidad ayudaba, como hacer suficiente ejercicio y comer bien. La educación temprana en la vida, además de una vida de compromiso con el aprendizaje, también proporcionaba impulso.

Sin embargo, por importantes que fueran estos factores, había algo más relevante que nada. No fue una sorpresa; había sido evidente para todo el mundo, a lo largo de las décadas, mientras llevaban a cabo las entrevistas. La variable más importante para determinar si alguien acababa feliz y sano, o triste y enfermo, era «lo satisfecho que estaba en sus relaciones —escribió un investigador—. La gente que más satisfecha estaba en sus relaciones a los cincuenta años eran los más sanos (mental y físicamente) a los ochenta».

Otro investigador lo expresó con más claridad: «La influencia más importante, con diferencia, en una vida próspera es el amor». No el amor romántico, sino, más bien, el tipo de conexiones profundas que formamos con nuestra familia, amigos y compañeros de trabajo, además de vecinos y gente de nuestra comunidad. «El amor pronto en la vida facilita no solo el amor más tarde, sino también otras cosas que acompañan al éxito, como el prestigio o incluso ingresos altos. También alienta el desarrollo de estilos de supervivencia que facilitan la intimidad, en oposición a los que lo desalientan».

Todos los participantes que acabaron felices tenían «relaciones cariñosas de adultos» con numerosas personas. Tenían buenos matrimonios, estaban unidos a sus hijos y se habían dedicado a amistades fuertes. La gente «que prosperaba encontró el amor —observó un investigador—, y fue por eso por lo que prosperaron».

Por otro lado, la mayoría de las personas que no habían invertido en relaciones —que habían priorizado su carrera por encima de la familia y amigos o habían tenido dificultades para conectar por otros motivos— eran, en su mayoría, miserables. Tomemos a John Marsden, por ejemplo. A los cuarenta y tres años —con casi la mitad de la vida por delante—, esto es lo que escribió cuando los investigadores le pidieron que describiera en qué pensaba a menudo:[260]

1. Me estoy haciendo mayor. Por primera vez me doy cuenta de la realidad de la muerte.
2. Siento que es posible que no consiga lo que quería.
3. No estoy seguro de saber cómo criar a mis hijos. Pensaba que sí.
4. Las tensiones en el trabajo son fuertes.

Marsden no mencionó a otras personas, o relaciones, excepto en un sentido negativo. Cuando se sentía deprimido, en lugar de buscar compañía, se iba a su despacho e intentaba utilizar el trabajo para distraerse. Cuando discutía con su mujer y sus hijos, se iba pisando fuerte y se retraía, en lugar de hablar de los problemas hasta dar con una solución, o al menos un entendimiento. «Era muy crítico consigo mismo —dijo Waldinger, que en la actualidad lidera el proyecto de Harvard—. Se presionaba mucho y se juzgaba con bastante dureza, y eso le hizo exitoso en su profesión. Pero eso también implicaba que era crítico con otros, razón por la cual probablemente alejó a tantas personas». Como expresa un resumen de las encuestas de Marsden, «desarrolló un recelo hacia la gente y formas de soportar el mundo habitualmente negativas. Tenía dificultades para conectar con los demás y, cuando se topaba con retos, su instinto era retraerse de la gente más allegada. Se casó dos veces y nunca sintió que le quisieran de verdad».

Comparad eso con Camille, el médico. Durante el año que pasó en el ala de tuberculosis, Camille empezó a desarrollar relaciones con otros pacientes. Se reunía con algunos para el estudio de la Biblia, y con otros para jugar a las cartas, y formó relaciones con enfermeras y celadores. Más tarde contó a los investigadores que esa época en el hospital había sido como volver a nacer para él. «Le importaba a Alguien, con A mayúscula —escribió en una encuesta—. Nada ha sido tan duro desde aquel año». Cuando salió del hospital, se unió a una iglesia y se lanzó a comités, comidas multitudinarias, catequesis, cualquier cosa donde pudiera conocer a otras personas. Los investigadores determinaron después que, hasta la edad de treinta años, Camille no había tenido una amistad real y duradera; una década más tarde, estaba entre las personas socialmente más activas del estudio y, a medida que su red se expandía, su carrera despegó. «Mi vida profesional no ha sido decepcionante (nada más lejos), pero el resultado realmente gratificante ha sido la persona en la que me he convertido poco a poco —escribió en una encuesta a la edad de setenta y cinco—. La conexión es algo que debemos dejar que nos ocurra. Qué criaturas tan duraderas y flexibles somos, y qué mina de buena voluntad se esconde en el tejido social». Hablar con otras personas, conectar con ellas, compartir sus alegrías y penas, dijo, habían transformado su vida. «¿Sabes lo que he aprendido? —dijo a un entrevistador—. He aprendido a amar».

A lo largo de las décadas y las encuestas han surgido hallazgos similares una y otra vez: los participantes más felices llamaban a otros de manera regular, quedaban para comer y para cenar, enviaban notas a amigos diciendo que estaban orgullosos de ellos o querían ayudarles a sobrellevar noticias tristes. Sobre todo, los participantes felices entablaron muchas muchas conversaciones a lo largo de los años que les acercaron más a otras personas. «A lo largo de todos los años estudiando estas vidas, un factor crucial sobresale por la consistencia y poder de sus vínculos con la salud física, la salud mental y la longevidad —afirma un resumen de 2023 de los datos de Harvard—. Las buenas relaciones nos mantienen más sanos y felices». Y, en muchos casos, esas relaciones se establecieron, y mantuvieron con vida, a través de largas conversaciones íntimas.

Este hallazgo central se ha reproducido en cientos de estudios más a lo largo de las últimas décadas. «Ahora tenemos pruebas sólidas de que estar conectado socialmente tiene una fuerte influencia en la longevidad, como tener más y mejores relaciones se asocia con la protección y, a la inversa, que tener menos y más pobres relaciones se asocia con el riesgo», afirma un trabajo publicado en 2018 en la *Annual Review of Psychology*.[261] Otro estudio, publicado en 2016, examinó decenas de biomarcadores de salud y encontró que «un grado más alto de integración social se asociaba a un riesgo inferior» de enfermedad y muerte en todas las etapas de la vida. El aislamiento social, escribieron los investigadores, era más peligroso que la diabetes y una gran cantidad de enfermedades crónicas más.[262]

En otras palabras, conectar con los demás podía hacernos sentir más sanos, más felices y contentos. Las conversaciones pueden cambiar nuestro cerebro, nuestro cuerpo y cómo experimentamos el mundo.

Lo que me lleva de vuelta a mi confesión del prólogo: en muchos sentidos escribo este libro para mí mismo. Después de haber fracasado como gestor en el trabajo y preguntarme por qué me había convertido en alguien que parecía incapaz de leer pistas o escuchar lo que otros decían, me di cuenta de que era posible que necesitase reevaluar cómo me comunicaba. Así, una noche —y sé que esto suena un poco extraño—, me senté y garabateé una lista de todas las veces, en el último año, que recordaba haber estropeado una conversación. Anoté las veces que solo había escuchado a medias a mi mujer, cuando no había logrado empatizar con compañeros de trabajo mientras me contaban algo vulnerable, cuando había ignorado una buena idea porque ya había decidido seguir mis propias nociones, todas esas comidas que había pasado hablando de mí mismo en lugar de preguntando por los demás, las veces (me avergüenza decirlo) en que les dije a mis hijos que por favor dejaran de preguntarme cosas para poder trabajar. Todos nosotros, creo, llevamos alguna versión de esta lista en nuestra cabeza. Pero ponerla por escrito me obligó a afrontar algunas preguntas difíciles: ¿por qué, a veces, me costaba tanto oír lo que alguien trataba de decirme? ¿Por qué me ponía a la defensiva, o pasaba por alto las emociones que las personas sin duda intentaban compartir con tanta claridad? ¿Por qué, a veces, hablaba tanto y escuchaba tan poco? ¿Por qué no había comprendido cuando un amigo necesitaba consuelo en lugar de consejo? ¿Cómo podía dejar a un lado a mis hijos cuando estaba tan claro que ellos querían estar conmigo? ¿Por qué me costaba explicar lo que tenía en mi propia cabeza?

Me parecían preguntas significativas, que merecía la pena explorar, y quería respuestas. Así que empecé a llamar a neurólogos, psicólogos, sociólogos y otros expertos, para preguntarles cómo era posible que yo —¡que llevo toda la vida de comunicador!— aún pudiera entenderlo tan mal. Este libro es el resultado de ese viaje. Lo que me aportaron todas esas lecturas, informes y examen de datos, al final, es algo inestimable: me han ayudado a conectar mejor, a tener más presente cuando otras personas revelan algo personal, a saber que siempre hay una conversación en marcha —ya sea práctica, emocional o social— y que no seremos capaces de conectar hasta que lleguemos a un entendimiento acerca de lo que todos queremos y necesitamos. Sobre todo, me han convencido de la importancia de mantener conversaciones de aprendizaje, en las que mi objetivo es prestar atención a qué *tipo* de conversación se está produciendo: para identificar nuestros objetivos para un diálogo; preguntar por las emociones de los demás y compartir mis propios sentimientos; y explorar si nuestras identidades influyen en lo que decimos y oímos.

LA CONVERSACIÓN DE APRENDIZAJE

Regla 1:
Presta atención al *tipo* de conversación que se produce.

Regla 2:
Comparte tus objetivos y pregunta qué buscan los demás.

Regla 3:
Pregunta por los sentimientos de los demás y comparte los tuyos.

Regla 4:
Explora si las identidades tienen importancia en esta conversación.

He intentado mantener conversaciones de aprendizaje en todos los ámbitos de mi vida y me ha ayudado escuchar más que antes. (Voy mejorando, aunque mi mujer, la semana pasada mismo, me preguntó cómo encajaba un monólogo de divagaciones a la hora de cenar con algunos de los consejos de este libro). Trato de formular más preguntas, tanto para determinar lo que quiere la gente de una conversación como para explorar las partes profundas, significativas y emocionales en las que se produce una conexión real. Intento reflejar la felicidad y la tristeza de los demás, además de sus reconocimientos y vulnerabilidades, cuando tengo la suerte de encontrarlos, y confesar con más libertad mis propios errores, sentimientos y quién soy. Como resultado, me siento más cerca de la gente que me rodea, más conectado con mi familia, amigos, colegas, y, sobre todo, más agradecido que nunca por estas relaciones. (Y espero que esto no haga más que continuar: si me envías un e-mail a charles@charlesduhigg.com, prometo responder).

No hay una sola forma correcta de conectar con otras personas. Hay destrezas que hacen las conversaciones más fáciles y menos incómodas. Hay consejos que incrementan las probabilidades de que entiendas a tus compañeros, y será más probable que ellos oigan lo que estás intentando decir tú. La efectividad de distintas tácticas conversacionales oscila según nuestro entorno, los tipos de conversación que mantenemos, la clase de relación que esperamos alcanzar. A veces llegamos ahí; a veces no.

Pero lo importante es *querer* conectar, *querer* comprender a alguien, *querer* mantener una conversación profunda, incluso cuando es duro y da miedo, o cuando sería mucho más fácil alejarse. Hay destrezas e ideas que pueden ayudarnos a satisfacer ese deseo de conexión, y vale la pena aprenderlas, practicarlas y comprometernos con ellas. Porque, tanto si lo llamamos amor, como amistad o simplemente mantener una gran conversación, alcanzar la conexión —la conexión auténtica, significativa— es lo más importante en la vida.

AGRADECIMIENTOS

Debo empezar dando las gracias a la gente que ha compartido sus pensamientos, opiniones y experiencias conmigo. A lo largo de los tres años que he pasado preparando este libro, centenares de científicos y pensadores han sido generosos con su tiempo, por lo que estoy sumamente agradecido. Un aspecto desafortunado de los grandes proyectos informativos es que parte de las personas que más ayudan —y de las más fascinantes— nunca aparecen en la página, de modo que quería ofrecer un agradecimiento especial a Dacher Keltner, de Berkeley, a Lisa Fledman Barrett, de la Northeastern, y las numerosas personas afiliadas al Dartmouth Social Systems Lab, NASA, y el equipo de guionistas de *The Big Bang Theory*, entre otros, que accedieron a hablar conmigo.

Algunas de mis conversaciones favoritas —tanto al escribir este libro como en la vida en general— se han producido con Andy Ward, mi editor. Es un dotado artífice de la palabra, exigente y con visión de futuro, y un amigo entregado. En Reino Unido, Nigel Wilcockson me ofreció sugerencias y un apoyo maravillosos, y en Brooklyn, Scott Moyers fue una inestimable caja de resonancia. De un modo similar, he tenido la suerte de trabajar con Gina Centrello, que ha hecho de Random House un refugio para escritores, además de Tom Perry, Maria Braeckel, Greg Kubie, Sanyu Dillon, Ayelet Durantt, Windy Dorresteyn, Azraf Khan y Joe Perez. Estoy en enorme deuda con el personal de ventas de Random House.

Andrew Wylie, como somos conscientes todos los que le conocemos, ha hecho el mundo infinitamente mejor para los escritores, y su colega James Pullen, también de la Wylie Agency, presenta batalla valientemente en el extranjero. Previamente trabajé en el *New York Times*, donde tuve muchos colegas maravillosos, y ahora escribo para el *New Yorker*, donde David Remnick y Daniel Zalewski demuestran, a diario, que la amabilidad, la inteligencia y la exigencia en el periodismo son compañeros naturales. Y un agradecimiento especial a David Kortava, que proporcionó verificación de datos para el libro, Asha Smith y Olivia Boone, mis ayudantes, y Richard Rampell, quien siempre ofrece consejo sabio.

La parte gráfica del libro es obra de Darren Booth, un ilustrador maravilloso. La mayor parte de este libro se ha escrito en Santa Cruz, California, que ha acogido a mi familia.

Finalmente, mi más profundo agradecimiento a mis hijos, Oli y Harry, y, por supuesto, a mi mujer, Liz, cuyo amor, apoyo, orientación, inteligencia y amistad constantes han hecho posible este libro.

Julio de 2023

NOTAS

Prólogo

1. Felix Sigala habló conmigo con la condición de mantener el anonimato. Los detalles —incluido el nombre de Sigala, además de datos concretos sobre su carrera— se han cambiado para ocultar su identidad. El FBI recibió peticiones de verificación de los hechos en relación con los acontecimientos descritos. Citando la política de prensa de la agencia, declinaron hacer comentarios al margen de confirmar detalles generales.

2. La procedencia de esta cita, como la de otras muchas grandes ocurrencias, es algo turbia, pero suele atribuirse a George Bernard Shaw.

Capítulo 1. El principio de encaje

3. Jim Lawler pasó veinticinco años como agente de la Agencia Central de Inteligencia y sigue sujeto a compromisos de confidencialidad en torno a numerosos temas. Pese a que pasó muchas horas compartiendo sus experiencias conmigo, en ningún momento reveló información confidencial. Como resultado, algunos detalles de esta historia se han cambiado, me los describió solo en términos generales o los confirmaron otras fuentes. Yasmin es un seudónimo. Lawler no especificó de qué país provenía, solo dijo que era «un país rico en petróleo hostil a Estados Unidos». Lawler también declinó identificar la nación en la que estaba destinado, diciendo únicamente que era una «nación alpina de Europa». Si estás interesado en saber más sobre las experiencias de Lawler, por favor permíteme que te recomiende sus maravillosas novelas de espionaje: *Living Lies* e *In the Twinkling of an Eye.*

4. Randy Burkett, «An Alternative Framework for Agent Recruitment: From MICE to RASCLS», *Studies in Intelligence*, vol. 57, núm. 1 (2013), pp. 7-17.

5. Marta Zaraska, «All Together Now», *Scientific American* 323 (octubre 2020), pp. 4, 64-69; Lars Riecke *et al.*, «Neural Entrainment to Speech Modulates Speech Intelligibility», *Current Biology*, vol. 28, núm. 2 (2018), pp. 161-169; Andrea Antal y Christoph S. Herrmann, «Transcranial Alternating Current and Random Noise Stimulation: Possible Mechanisms», *Neural Plasticity,* (2016), pp. 3616807; L. Whitsel *et al.*, «Stability of Rapidly

Adapting Afferent Entrainment vs. Responsivity», *Somatosensory & Motor Research*, vol. 17, núm. 1 (2000), pp. 13-31; Nina G. Jablonski, *Skin: A Natural History*, Berkeley, University of California Press, 2006.

6. Thalia Wheatley *et al.*, «From Mind Perception to Mental Connection: Synchrony as a Mechanism for Social Understanding», *Social and Personality Psychology Compass*, vol. 6, núm. 8 (2012), pp. 589-606.

7. Wheatley cita aquí al autor Michael Dorris.

8. Ulman Lindenberger *et al.*, «Brains Swinging in Concert: Cortical Phase Synchronization While Playing Guitar», *BMC Neuroscience*, vol. 10 (2009), pp. 1-12; Johanna Sänger, Viktor Müller y Ulman Lindenberger, «Intra- and Interbrain Synchronization and Network Properties When Playing Guitar in Duets», *Frontiers in Human Neuroscience* (2012), p. 312; Viktor Müller, Johanna Sänger y Ulman Lindenberger, «Hyperbrain Network Properties of Guitarists Playing in Quartet», *Annals of the New York Academy of Sciences*, vol. 1423, núm. 1 (2018), pp. 198-210.

9. Daniel C. Richardson, Rick Dale y Natasha Z. Kirkham, «The Art of Conversation Is Coordination», *Psychological Science*, vol. 18, núm. 5 (2007), pp. 407-413. En respuesta a peticiones de verificación de los hechos, el autor de este estudio, Daniel Richardson, declaró que, pese a que los científicos han documentado este tipo de efectos físicos, «no son específicamente efectos que haya demostrado en persona en mi propio laboratorio. He hablado de esos efectos antes en trabajos publicados o introducciones a mis propios experimentos relacionados (sobre los movimientos del ojo o la coordinación de los movimientos del cuerpo, por ejemplo)». Sievers advirtió que si bien vemos este tipo de alineaciones en actividades colaborativas, los investigadores no están seguros de la dirección de la causalidad.

10. Ayaka Tsuchiya *et al.*, «Body Movement Synchrony Predicts Degrees of Information Exchange in a Natural Conversation», *Frontiers in Psychology*, vol. 11 (2020), p. 817; Scott S. Wiltermuth y Chip Heath, «Synchrony and Cooperation», *Psychological Science*, vol. 20, núm. 1 (2009), pp. 1-5; Michael J. Richardson *et al.*, «Rocking Together: Dynamics of Intentional and Unintentional Interpersonal Coordination», *Human Movement Science*, vol. 26, núm. 6 (2007), pp. 867-891; Naoyuki Osaka *et al.*, «How Two Brains Make One Synchronized Mind in the Inferior Frontal Cortex: fNIRS-Based Hyperscanning During Cooperative Singing», *Frontiers in Psychology*, vol. 6 (2015), p. 1811; Alejandro Pérez, Manuel Carreiras y Jon Andoni Duñabeitia, «Brain-to-Brain Entrainment: EEG Interbrain Synchronization While Speaking and Listening», *Scientific Reports*, vol. 7, núm. 1 (2017), pp. 1-12.

11. Greg J. Stephens, Lauren J. Silbert y Uri Hasson, «Speaker-Listener Neural Coupling Underlies Successful Communication», *Proceedings of the National Academy of Sciences*, vol. 107, núm. 32 (2010), pp. 14425-14430; Lauren J. Silbert *et al.*, «Coupled Neural Systems Underlie the Production and Comprehension of Naturalistic Narrative Speech», *Proceedings of the National Academy of Sciences*, vol. 111, núm. 43 (2014), pp. E4687-4696.

12. Greg J. Stephens, Lauren J. Silbert y Uri Hasson, «Speaker-Listener

Neural Coupling Underlies Successful Communication», *Proceedings of the National Academy of Sciences*, vol. 107, núm. 32 (2010), pp. 14425-14430.

13. J. M. Ackerman y J. A. Bargh, «Two to Tango: Automatic Social Coordination and the Role of Felt Effort», en *Effortless Attention: A New Perspective in the Cognitive Science of Attention and Action,* ed. Brian Bruya, Cambridge (Massachussets), MIT Press Scholarship Online, 2010; Sangtae Ahn *et al.*, «Interbrain Phase Synchronization During Turn-Taking Verbal Interaction —A Hyperscanning Study Using Simultaneous EEG/MEG», *Human Brain Mapping*, vol. 39, núm. 1 (2018), pp. 171-188; Laura Astolfi *et al.*, «Cortical Activity and Functional Hyperconnectivity by Simultaneous EEG Recordings from Interacting Couples of Professional Pilots», *2012 Annual International Conference of the IEEE Engineering in Medicine and Biology Society,* pp. 4752-4755; Jing Jiang *et al.*, «Leader Emergence Through Interpersonal Neural Synchronization», *Proceedings of the National Academy of Sciences*, vol. 112, núm. 14 (2015), pp. 4274-4279; Reneeta Mogan, Ronald Fischer y Joseph A. Bulbulia, «To Be in Synchrony or Not? A Meta-Analysis of Synchrony's Effects on Behavior, Perception, Cognition and Affect», *Journal of Experimental Social Psychology*, vol. 72 (2017), pp. 13-20; Uri Hasson *et al.*, «Brain-to-Brain Coupling A Mechanism for Creating and Sharing a Social World», *Trends in Cognitive Sciences*, vol. 16, núm. 2 (2012), pp. 114-121; Uri Hasson, «I Can Make Your Brain Look Like Mine», *Harvard Business Review*, vol. 88, núm. 12 (2010), pp. 32-33; Maya Rossignac-Milon *et al.*, «Merged Minds: Generalized Shared Reality in Dyadic Relationships», *Journal of Personality and Social Psychology*, vol. 120, núm. 4 (2021), p. 882.

14. En respuesta a peticiones de verificación de hechos, Sievers, escribió que si bien la comprensión y la alineación neuronal pueden ir acompañadas de acoplamiento fisiológico del pulso, la expresión facial o la experiencia emocional, no está garantizado. «Es posible escuchar a alguien, comprenderle y no acoplarse fisiológicamente [...] Parte de lo que dota de significado a la conversación y la música es ver cómo cambia la gente al interactuar, alineándose y desalineándose, guiándose unos a otros y dejándose guiar».

15. Laura Menenti, Martin J. Pickering y Simon C. Garrod, «Toward a Neural Basis of Interactive Alignment in Conversation», *Frontiers in Human Neuroscience* 6 (2012); Sivan Kinreich *et al.*, «Brain-to-Brain Synchrony During Naturalistic Social Interactions», *Scientific Reports*, vol. 7, núm. 1 (2017), p. 17060; Lyle Kingsbury y Weizhe Hong, «A Multi-Brain Framework for Social Interaction», *Trends in Neurosciences*, vol. 43, núm. 9 (2020), pp. 651-666; Thalia Wheatley *et al.*, «Beyond the Isolated Brain: The Promise and Challenge of Interacting Minds», *Neuron*, vol. 103, núm. 2 (2019), pp. 186-188; Miriam Rennung y Anja S. Göritz, «Prosocial Consequences of Interpersonal Synchrony», *Zeitschrift für Psychologie* (2016); Ivana Konvalinka y Andreas Roepstorff, «The Two-Brain Approach: How Can Mutually Interacting Brains Teach Us Something About Social Interaction?», *Frontiers in Human Neuroscience*, vol. 6 (2012), p. 215; Caroline Szymanski *et al.*, «Teams on the Same Wavelength Perform Better: Inter-brain

Phase Synchronization Constitutes a Neural Substrate for Social Facilitation», *Neuroimage*, vol. 152 (2017), pp. 425-436.

16. Sievers escribió que su investigación se centra principalmente en cómo la conversación crea alineamiento en el futuro, distinguiéndolo de la alineación en el momento. Además, su investigación se centraba en la percepción emocional en la música y el movimiento. B. Sievers *et al.*, «Music and Movement Share a Dynamic Structure That Supports Universal Expressions of Emotion», *Proceedings of the National Academy of Sciences*, vol. 110, núm. 1 (2012), pp. 70-75; B. Sievers *et al.*, «A Multi-sensory Code for Emotional Arousal», *Proceedings of the Royal Society B*, vol. 286 (2019), p. 20190513; B. Sievers *et al.*, «Visual and Auditory Brain Areas Share a Representational Structure That Supports Emotion Perception», *Current Biology*, vol. 31, núm. 23 (2021), pp. 5192-5203.

17. En este estudio, Sievers «estaba interesado en saber quién era mejor creando consenso para ser convincente —escribió—. Y a mí me interesaba saber por qué e intentar después establecer una base científica y neurobiológica para comprender por qué la gente podría ser más o menos convincente o crear más o menos cohesión de grupo [...] No estaba pensando en supercomunicación. [Pero] Creo que hay gente a la que esto se le da mucho mejor que el resto. Y tiene sentido intentar comprender científicamente por qué y si podemos mejorar en la comunicación».

18. Beau Sievers *et al.*, «How Consensus-Building Conversation Changes Our Minds and Aligns Our Brains», *PsyArXiv*, 12 de julio de 2020.

19. Sievers escribió: «Descubrimos que los grupos con personas a las que se atribuía un estatus social alto mostraban una alineación neuronal inferior, y que la gente de alto estatus utilizaba diferentes estrategias de conversación, entre ellas hablar más, dar órdenes y rechazar de forma implícita las ideas de los demás. El Sujeto 4 del grupo D se consideró de alto estatus social y esta conversación no produjo una mayor alineación, de modo que parece un buen ejemplo. Sin embargo, el análisis estadístico no nos deja «hacer zoom» en una sola persona, así que no podemos saber con certeza si el Sujeto 4 contenía su grupo; podría haber habido otros factores en juego».

20. El diálogo de los participantes en el estudio a lo largo de este capítulo se ha editado y condensado, en algunos puntos, en aras de la brevedad y la claridad. En el estudio original se hace referencia a los participantes con significantes codificados y en las transcripciones no se hace referencia a ellos como «participantes de alta centralidad».

21. Dado que la transcripción de esta conversación está repleta de incisos y solapamientos verbales, he aligerado este intercambio en busca de brevedad y claridad. He suprimido pegas, sonidos como «hum», digresiones y fragmentos de diálogo que no guardan relación con los temas que nos ocupan. No he alterado el significado de nada de lo que se dijo ni he puesto palabras en boca de nadie. A lo largo del libro, cada vez que se ha editado una transcripción textual de esta forma, se menciona en las notas.

22. Sievers escribió que «los participantes de alta centralidad que facilitaron el consenso no hablaban ni más ni menos que otros, sino que centraban

la atención en otros hablantes, y hacían eso más que las personas de alto estatus. Pedían aclaraciones con más frecuencia [...] Su grupo no los calificaba como más influyentes y eran más susceptibles a la influencia neuronal [...] Esto enlaza con otros estudios acerca de los rasgos que llaman a un alto autocontrol [...] una tendencia a acoplar el comportamiento a los grupos de los que formas parte. Y no medimos ese rasgo en nuestro estudio, pero deberíamos haberlo hecho».

23. Esta transcripción, como la anterior, fue editada y condensada en aras de la brevedad y la claridad.

24. Sievers, «How Consensus-Building Conversation Changes Our Minds».

25. Sievers dejó claro que este estudio no se centraba en el liderazgo en la comunidad, de modo que es una «explicación propuesta, no [es] parte de la ciencia [...] Sería posible que la gente se hiciese central en su red social y entonces otras personas tuviesen que hablar con ellos porque podrían haberse vuelto centrales por alguna razón, como puede ser tener un yate o algo así».

26. Sievers advirtió que «la localización de la función cerebral —qué partes del cerebro son responsables de qué tipos de comportamiento o pensamiento— es uno de los temas más debatidos en neurociencia [...] Sin embargo, en términos generales, parece que áreas cerebrales y redes realizan múltiples funciones (Suárez *et al.*, 2020). Esto parece aplicarse a todo el cerebro, desde las redes neuronales hasta las neuronas individuales (Rigotti *et al.*, 2013). Así, es probable que las mentalidades identificadas en este apartado las procesen varias redes neuronales que se coordinan a lo largo del tiempo. Para decirlo de un modo sencillo, el cerebro es muy complejo, y afirmar que solo una red o una parte de él es responsable de un tipo de comportamiento o pensamiento concreto —o una mentalidad en particular— es simplificar en exceso.

27. Piercarlo Valdesolo y David DeSteno, «Synchrony and the Social Tuning of Compassion», *Emotion*, vol. 11, núm. 2 (2011), p. 262.

28. Matthew D. Lieberman, *Social: Why Our Brains Are Wired to Connect* (Oxford: Oxford University Press, 2013). La red por defecto incorpora la red frontoparietal media. Sievers escribió que «algunos científicos han teorizado que la red frontoparietal media es específica de los estímulos sociales (como Schilbach *et al.*, 2008), pero también hay fuertes evidencias de que su función puede ser mucho más general. La red frontoparietal media puede hallarse implicada en la recuperación de la memoria (Buckner y DiNicola, 2019) y la creatividad (Beaty *et al.*, 2016; Beaty *et al.*, 2021). Es posible que la red frontoparietal media esté implicada en generar información de manera interna, cuando esta está desconectada del input sensorial inmediato (Buckner & DiNicola, 2019) o en integrar esa información con la información sensorial (Yeshurun, Nguyen y Hasson, 2021). Además, existen otras partes que es probable que jueguen un papel en la cognición social fuera de la red frontoparietal media como el giro fusiforme para el reconocimiento facial y la amígdala para el reconocimiento de la emoción en expresiones

faciales. Así, pese a que una gama de tareas sociales emplea la red frontoparietal media, la activación de la misma no siempre implica cognición social».

29. Esto es una simplificación de cómo funciona nuestro cerebro, aunque resulte útil con propósitos ilustrativos. Normalmente muchas partes distintas de nuestro cerebro funcionan al mismo tiempo y las distinciones entre estas porciones de nuestro cerebro pueden ser poco claras.

30. Como escribió Beau Sievers, hay «pruebas que sustentan poderosamente que cuando la gente utiliza las mismas redes cerebrales, no hay ninguna garantía de que estén en la misma mentalidad, y viceversa». Sievers escribió que, en lugar de pensar en ciertas redes neuronales que se activan, es mejor utilizar la noción de mentalidad, que no requiere el empleo específico de redes neuronales separadas. Una mentalidad podría ser una predisposición a utilizar el cerebro entero de un modo concreto ante ciertos tipos de información. En este sentido, un cerebro inmerso en una mentalidad es como una orquesta que toca una sinfonía; son posibles muchas sinfonías pero solo una cada vez.

31. Caleb Kealoha, «We Are (Not) in Sync: Inter-brain Synchrony During Interpersonal Conflict» (tesis de honor), Universidad de California, Los Ángeles, 2020.

32. John M. Gottman, «Emotional Responsiveness in Marital Conversations», *Journal of Communication*, vol. 32, núm. 3 (1982), pp. 108-120. Hay muchas razones diferentes por las que las parejas experimentan conflictos y tensión, y muchas formas de superarlos. Algunas se describen aquí y en el capítulo 5. También merece la pena destacar que son cientos los enfoques de diagnóstico y tratamiento de los retos maritales. El mismo Gottman ha escrito abundantemente sobre los «cuatro jinetes» de los problemas de comunicación que pueden dañar las relaciones: la crítica, el desdén, estar a la defensiva y negarse a contestar. En respuesta a las peticiones de verificación de datos, Gottman escribió que «hay varios hallazgos para los maestros de la relación: mantener la confianza y el compromiso durante el conflicto en una ratio positiva a negativa igual o superior a 5 a 1, ninguna de cuatro jinetes (la crítica, el desdén, estar a la defensiva y negarse a contestar), buscar la conexión al menos el 86 por ciento del tiempo, los mapas del amor (conocer el mundo psicológico interior de la otra persona), expresar cariño y admiración, recurrir al inicio con suavidad, la reparación y la tranquilidad psicológica efectivas durante el conflicto, una capacidad de lidiar con la parte existencial del conflicto en un punto muerto».

33. Adela C. Timmons, Gayla Margolin y Darby E. Saxbe, «Physiological Linkage in Couples and Its Implications for Individual and Interpersonal Functioning: A Literature Review», *Journal of Family Psychology*, vol. 29, núm. 5 (2015), p. 720.

34. Lawler mencionó que su decisión de jugar con el niño mientras la mujer estaba el teléfono, en su opinión, también ha ayudado en parte a forjar una conexión. «En realidad, creo que es eso lo que la emocionó —me dijo—. Lo hice simplemente porque era lo correcto, no porque estuviese intentando vender ningún acero. Solo estaba siendo humano y era lo correcto».

35. Randy Burkett, «An Alternative Framework for Agent Recruitment: From MICE to RASCLS», *Studies in Intelligence*, vol. 57, núm. 1 (2013), pp. 7-17.

Una guía para utilizar estas ideas. Primera parte: las cuatro reglas para una conversación significativa

36. Este proyecto me lo describieron algunos participantes con la condición de que guardara la confidencialidad.

Capítulo 2. Toda conversación es una negociación

37. Las deliberaciones del jurado en *Wisconsin vs. Leroy Reed* fueron filmadas por productores de televisión y parte de esas grabaciones acabaron convirtiéndose en un programa para *Frontline* titulado «Inside the Jury Room». Estoy en deuda con Douglas Maynard, que tuvo la amabilidad de compartir las transcripciones de todas las deliberaciones conmigo (el programa de *Frontline* solo contiene una selección parcial de los comentarios de los miembros del jurado). También quiero dar las gracias a los productores del episodio de *Frontline*. Las transcripciones se citan casi palabra por palabra, aunque muchos de los intercambios, incisos y diálogos intercalados no se han incluido. También me he basado en «But Did He Know It Was a *Gun*?», International Pragmatics Association Meeting, Ciudad de México, 5 de julio de 1996; «Truth, But Not the Whole Truth», *The Wall Street Journal*, 14 de abril, 1986; Douglas W. Maynard y John F. Manzo, «On the Sociology of Justice: Theoretical Notes from an Actual Jury Deliberation», *Sociological Theory* (1993), pp. 171-193.

38. Extraído de Wis JI-Criminal 460, Wisconsin Criminal Jury Instructions.

39. Para más información sobre el trabajo de los doctores Ehdaie y Malhotra, por favor, véanse «Negotiation Strategies for Doctors—and Hospitals», *Harvard Business Review*, 21 de octubre de 2013; «Bargaining Over How to Treat Cancer», *The Wall Street Journal*, 2 de septiembre de 2017; Behfar Ehdaie *et al.*, «A Systematic Approach to Discussing Active Surveillance with Patients with Low-Risk Prostate Cancer», *European Urology*, vol. 71, núm. 6 (2017), pp. 866-871; Deepak Malhotra, *Negociar lo imposible: cómo destrabar y resolver conflictos difíciles: sin dinero ni fuerza*, Madrid, Empresa Activa, 2016. En respuesta a la verificación de los hechos, Ehdaie aclaró que sentía que los pacientes le oían, pero no hablaba del riesgo de cáncer de próstata de un modo efectivo.

40. Laurence Klotz, «Active Surveillance for Prostate Cancer: For Whom?», *Journal of Clinical Oncology*, vol. 23, núm. 32 (2005), pp. 8165-8169; Marc A. Dall'Era *et al.*, «Active Surveillance for Prostate Cancer: A Systematic Review of the Literature», *European Urology*, vol. 62, núm. 6 (2012), pp. 976-983.

41. Ehdaie explicó que «la supervisión activa tiene por objeto vigilar el cáncer de cerca e intervenir en la ventana de cura para tratar el cáncer de próstata [...] Morir con cáncer de próstata puede aplicarse solo a hombres mayores y con peor salud [...] También podemos enrolar a hombres más jóvenes con cáncer de próstata en la supervisión activa porque la evidencia demuestra que estos hombres progresan tan bien como en aquellos con cirugía o terapia de radiación iniciales porque vigilamos su cáncer de cerca y podemos intervenir en la ventana de cura, o el cáncer seguirá siendo de bajo riesgo toda su vida y nunca requerirá tratamiento.

42. Ehdaie recalcaba que el riesgo asociado a la supervisión activa no alcanza el 3 por ciento de mortalidad y que, de hecho, «hay estudios que demuestran que no hay diferencias de supervivencia entre el tratamiento inmediato y la supervisión activa para la enfermedad de bajo riesgo».

43. Según la Sociedad Estadounidense del Cáncer, hay unos 268.000 diagnósticos de cáncer de próstata al año, basándose en los datos más recientes. Si aproximadamente la mitad de estos casos son de bajo riesgo y el porcentaje de los que eligen la supervisión activa aproximadamente es del 60 por ciento (estimación proporcionada por el doctor Ehdaie), entonces alrededor de 53.000 hombres al año optan por cirugías que podrían no ser necesarias.

44. Matthew R. Cooperberg, William Meeks, Raymond Fang, Franklin D. Gaylis, William J. Catalona y Danil V. Makarov, «Time Trends and Variation in the Use of Active Surveillance for Management of Low-Risk Prostate Cancer in the US», *JAMA network open*, vol. 6, núm. 3 (2023), pp. e231439-e231439.

45. The Colombia Negotiations Initiative, Harvard Law School.

46. Deepak Malhotra y M.A.L.Y. Hout, «Negotiating on Thin Ice: The 2004-2005 NHL Dispute (A)», *Harvard Business School Cases* (2006), vol. 1.

47. En respuesta a las peticiones de verificación de datos, Malhotra declaró: «Llevo mucho tiempo trabajando en muchos tipos de negociaciones, no solo esas a las que tú te refieres como "formales"». Y: «La situación del doctor Ehdaie no era la primera vez que lidiaba con algo que la mayoría de la gente no contemplaría de inmediato como "negociación"».

48. «Ask Better Negotiation Questions: Use Negotiation Questions to Gather Information That Will Expand the Possibilities», Harvard Law School, 8 de agosto de 2022; Edward W. Miles, «Developing Strategies for Asking Questions in Negotiation», *Negotiation Journal*, vol. 29, núm. 4 (2013), pp. 383-412.

49. Con el fin de mantener la confidencialidad del paciente, este caso solo se me describió en líneas generales, y algunos detalles se han cambiado para proteger la privacidad del paciente.

50. Además de las intervenciones descritas en este capítulo, Ehdaie y Malhotra desarrollaron métodos adicionales para alentar estas conversaciones. Para más información, por favor, véanse «Negotiation Strategies for Doctors—and Hospitals»; «Bargaining Over How to Treat Cancer»; y *Negotiating the Impossible*, de Malhotra.

51. Ehdaie escribió que describiría su trabajo de la siguiente manera: «Creamos un enfoque sistemático utilizando todas las herramientas de comunicación adaptadas de la teoría de la negociación con el doctor Malhotra. La gente encuentra credibilidad en situaciones en las que alguien recomienda lo contrario a su sesgo percibido. En este caso, quería asegurarme de que los pacientes se dieran cuenta de que también soy cirujano (no solo trabajo en supervisión activa) y creo firmemente en la cirugía para los pacientes apropiados. Sin embargo, en pacientes con cáncer de próstata de bajo riesgo, creo que la supervisión activa es la opción preferida [...] Redujimos la cirugía en un 30 por ciento. Creemos que un enfoque sistemático utilizando estos métodos ayuda a comunicar mejor el riesgo a los pacientes y reforzar la autonomía de los pacientes en sus decisiones, y ayuda en la toma de decisiones médicas a través de distintas disciplinas.

52. En 2018 —el último año del que se disponen estadísticas fiables— solo el 14 por ciento de las personas que optaron por un juicio con jurado por delitos federales fueron declaradas inocentes. Leroy Reed estaba siendo juzgado en un tribunal estatal, no federal, pero la tendencia es similar. John Gramlich, «Only 2% of Federal Criminal Defendants Go to Trial, and Most Who Do Are Found Guilty», Pew Research Center, 11 de junio de 2019.

53. En algunos fragmentos, incluido este, la transcripción de las deliberaciones se ha editado y condensado en pro de una mayor claridad.

54. «History of the Harvard Negotiation Project», Harvard Law School.

55. Roger Fisher (1922-2012), Escuela de Derecho de Harvard, 27 de agosto de 2012.

56. En respuesta a un e-mail de verificación de datos, Sheila Heen, una profesora de la Facultad de Derecho de Harvard que trabajaba con Fisher, escribió: «Fisher señaló que cada parte necesita en realidad que se vele por sus intereses para decir sí a cualquier acuerdo, y esto significa que cada uno de nosotros debería preocuparse de encontrar formas de comprender y velar por los intereses de los demás, además de los nuestros, si queremos encontrar soluciones a nuestros retos compartidos».

57. También puede hacerse referencia a la «lógica de costes y beneficios» y la «lógica de similitudes» como la «lógica de consecuencias» y la «lógica de pertinencia». Para más información sobre estas formas de pensar, por favor, véase: Long Wang, Chen-Bo Zhong y J. Keith Murnighan, «The Social and Ethical Consequences of a Calculative Mindset», *Organizational Behavior and Human Decision Processes*, vol. 125, núm. 1 (2014), pp. 39-49; J. Mark Weber, Shirli Kopelman y David M. Messick, «A Conceptual Review of Decision Making in Social Dilemmas: Applying a Logic of Appropriateness», *Personality and Social Psychology Review*, vol. 8, núm. 3 (2004), pp. 281-307; Johan P. Olsen y James G. March, *The Logic of Appropriateness* (Norway: ARENA, 2004); Daniel A. Newark y Markus C. Becker, «Bringing the Logic of Appropriateness into the Lab: An Experimental Study of Behavior and Cognition», en: *Carnegie Goes to California: Advancing and Celebrating the Work of James G. March*, Bingley (Reino Unido), Emerald

Publishing, 2021; Jason C. Coronel *et al.*, «Evaluating Didactic and Exemplar Information: Noninvasive Brain Stimulation Reveals Message-Processing Mechanisms», *Communication Research*, vol. 49, núm. 2 (2022), pp. 268-295; Tim Althoff, Cristian Danescu-Niculescu-Mizil y Dan Jurafsky, «How to Ask for a Favor: A Case Study on the Success of Altruistic Requests», *Proceedings of the International AAAI Conference on Web and Social Media*, vol. 8, núm. 1 (2014), pp. 12-21.

58. Es posible que adviertas similitudes con los distintos tipos de cognición que Daniel Kahneman describe en su libro *Pensar rápido, pensar despacio*. Kahneman aduce que el cerebro contiene dos sistemas: el Sistema 1 es instintivo y puede provocar juicios instantáneos, como la lógica de similitudes. El Sistema 2 es más lento, más reflexivo y racional, como la lógica de costes y beneficios.

59. La transcripción resulta ligeramente ambigua en lo que se refiere a esta votación: una de las papeletas no se leyó en voz alta. No obstante, basándonos en el diálogo subsiguiente, parece que había tres votos de culpabilidad y nueve a favor de exculparlo.

60. Este comentario procede de una entrevista al miembro del jurado James Pepper, no de la transcripción de las deliberaciones.

Una guía para utilizar estas ideas. Segunda parte: formular preguntas y captar pistas

61. Michael Yeomans y Alison Wood Brooks, «Topic Preference Detection: A Novel Approach to Understand Perspective Taking in Conversation», Harvard Business School Working Paper núm. 20-077, febrero de 2020.

62. Este proyecto me lo describieron unos participantes con la condición de guardar la confidencialidad.

63. *Ibid.*; Anna Goldfarb, «Have an Upbeat Conversation», *New York Times*, 19 de mayo de 2020.

Capítulo 3. La cura de la escucha

64. Para más información acerca de la fascinante investigación de Nicholas Epley, por favor, permitidme que os recomiende su libro *Mindwise: Why We Misunderstand What Others Think, Believe, Feel, and Want*, Nueva York, Vintage, 2015.

65. Para más información acerca de la investigación sobre la formulación de preguntas, permitidme que os recomiende Alison Wood Brooks y Leslie K. John, «The Surprising Power of Questions», *Harvard Business Review*, vol. 96, núm. 3 (2018), pp. 60-67; Karen Huang *et al.*, «It Doesn't Hurt to Ask: Question-Asking Increases Liking», *Journal of Personality and Social Psychology*, vol. 113, núm. 3 (2017), p. 430; Einav Hart, Eric M. VanEpps

y Maurice E. Schweitzer, «The (Better Than Expected) Consequences of Asking Sensitive Questions», *Organizational Behavior and Human Decision Processes*, núm. 162 (2021), pp. 136-154.

66. Epley me escribió que algunas de las conversaciones más potentes tras el segundo incidente conduciendo bajo los efectos del alcohol también se produjeron con sus padres. «Por aquel entonces, la idea de que tenía la capacidad de echar mi vida a perder de verdad supuso un mazazo. Dejé de beber de inmediato [...] incluso durante toda la carrera universitaria [...] y no me emborrachado ni una sola vez desde entonces».

67. Rachel A. Ryskin *et al.*, «Perspective-Taking in Comprehension, Production, and Memory: An Individual Differences Approach», *Journal of Experimental Psychology: General*, vol. 144, núm. 5 (2015), p. 898.

68. Roderick M. Kramer y Todd L. Pittinsky, eds., *Restoring Trust in Organizations and Leaders: Enduring Challenges and Emerging Answers*, Nueva York, Oxford University Press, 2012.

69. Sandra Pineda De Forsberg y Roland Reichenbach, *Conflict, Negotiation and Perspective Taking*, Newcastle (RU), Cambridge Scholars Publishing, 2021.

70. Epley escribió que «yo no diría que ninguno de nosotros encontró nunca la "toma de perspectiva" especialmente perspicaz. Parecía ridículamente evidente».

71. Tal Eyal, Mary Steffel y Nicholas Epley, «Perspective Mistaking: Accurately Understanding the Mind of Another Requires Getting Perspective, Not Taking Perspective», *Journal of Personality and Social Psychology*, vol. 114, núm. 4 (2018), p. 547; Haotian Zhou, Elizabeth A. Majka y Nicholas Epley, «Inferring Perspective Versus Getting Perspective: Underestimating the Value of Being in Another Person's Shoe», *Psychological Science*, vol. 28, núm. 4 (2017), pp. 482-493. Epley declaró: «Al "tomar perspectiva", estás intentando imaginar qué hay en la mente otra persona, intentando ponerte en su lugar y ver las cosas desde su punto de vista. "Obtener perspectiva" es cuando realmente le preguntas qué pasa por su mente y cuál es su punto de vista y escuchas lo que tiene que decir. Cuando utilizo científicamente el término "toma de perspectiva", por lo general lo que quiero decir es lo que los psicólogos piden a la gente que haga en un experimento, tomar la perspectiva de alguien, imaginarse intentando ver las cosas desde su punto de vista. Es todo cuestión de gimnasia mental. La "obtención de perspectiva" es preguntarle qué piensa sobre X, Y o Z, y luego escuchar lo que tiene que decir. Estás obteniendo su perspectiva de ellos. Son cosas muy distintas».

72. Arthur Aron *et al.*, «The Experimental Generation of Interpersonal Closeness: A Procedure and Some Preliminary Findings», *Personality and Social Psychology Bulletin*, vol. 23, núm. 4 (1997), pp. 363-377. Como apuntó Arthur Aron en respuesta a una petición de verificación de datos, los estudiantes ayudaron a recabar información en este experimento.

73. La cita completa es «Nos hemos esforzado mucho en formar las parejas. Basándonos en nuestra experiencia en investigaciones previas, esperamos

que tu pareja y tú os gustéis, es decir, te hemos emparejado con alguien que esperamos que te guste y a quien esperamos que gustes tú».

74. Algunas preguntas del Procedimiento de Amistad Rápida se han editado con el fin de ganar brevedad. La lista completa de las treinta y seis preguntas es:

1. Si pudieses elegir a cualquier persona del mundo, ¿a quién invitarías a cenar a tu casa? 2. ¿Te gustaría ser famoso? ¿Cómo? 3. Antes de llamar por teléfono, ¿alguna vez ensayas lo que vas a decir? ¿Por qué? 4. ¿Qué constituiría un día «perfecto» para ti? 5. ¿Cuándo fue la última vez que cantaste para ti? ¿Y para otra persona? 6. Si fueses capaz de vivir hasta los noventa años y retener o la mente o el cuerpo de alguien de treinta durante los últimos sesenta, ¿qué escogerías? 7. ¿Tienes alguna corazonada secreta sobre cómo morirás? 8. Di tres cosas que parece que tienes en común con tu pareja. 9. ¿Por qué te sientes más agradecido en tu vida? 10. Si pudieses cambiar alguna cosa del modo en que te criaste, ¿qué sería? 11. Cuéntale en cuatro minutos a tu pareja la historia de tu vida con todo el detalle posible. 12. Si pudieses levantarte mañana habiendo ganado una cualidad o habilidad, ¿cuál sería? 13. Si una bola de cristal pudiese decirte la verdad acerca de ti mismo, tu vida, el futuro o cualquier otra cosa, ¿qué querrías saber? 14. ¿Hay algo que hayas soñado hacer durante mucho tiempo? ¿Por qué no lo has hecho? 15. ¿Cuál es el mayor logro de tu vida? 16. ¿Qué es lo que más valoras en una amistad? 17. ¿Cuál es tu recuerdo más valioso? 18. ¿Cuál es tu recuerdo más terrible? 19. Si supieras que vas a morir dentro de un año, ¿cambiarías algo del modo en que vives ahora? ¿Por qué? 20. ¿Qué significa la amistad para ti? 21. ¿Qué papeles juegan el amor y el afecto en tu vida? 22. Comparte por turnos algo que consideras una característica positiva de tu pareja. Que sean un total de cinco cosas. 23. ¿Cómo de cariñosa y cercana es tu familia? ¿Sientes que tu infancia fue más feliz que la de la mayoría de la gente? 24. ¿Qué sientes con respecto a la relación con tu madre? 25. Formad tres frases cada uno que empiecen con un «nosotros». Por ejemplo, «Estamos los dos en esta sala y sentimos...». 26. Completa esta frase: «Ojalá tuviera a alguien con quien compartir...». 27. Si fueses a convertirte en amigo íntimo de tu pareja, por favor, compartid qué sería importante que supierais. 28. Dile a tu pareja qué te gusta de ella; esta vez sé muy sincero, diciendo cosas que quizá no dirías a alguien a quien acabas de conocer. 29. Comparte con tu pareja un momento embarazoso de tu vida. 30. ¿Cuándo fue la última vez que lloraste delante de alguien? ¿Y a solas? 31. Dile a tu pareja algo que te gusta de ella [ya]. 32. Si hay algo que lo sea, ¿qué es demasiado serio para bromear al respecto? 33. Si fueras a morir esta noche sin ninguna oportunidad de comunicarte con nadie, ¿qué es lo que más lamentarías no haber dicho a alguien? ¿Por qué no se lo has dicho todavía? 34. Tu casa, que contiene todo lo que posees, se prende fuego. Tras salvar a tus seres queridos y a tus mascotas, tienes tiempo de hacer un último sprint para salvar un solo objeto. ¿Cuál sería? ¿Por qué? 35. De todos los miembros de tu familia, ¿la muerte de cuál encontrarías más perturbadora? ¿Por qué? 36. Comparte un problema personal con tu pareja y pídele consejo sobre cómo poder afrontarlo. Además,

solicítale que te escriba cómo pareces sentirte en cuanto al problema que has escogido.

75. Estas preguntas provienen del primer estudio sobre «The Experimental Generation of Interpersonal Closeness: A Procedure and Some Preliminary Findings», que se centró en establecer las condiciones para la charla intrascendente.

76. Cabe señalar que hay dos desventajas en el hecho de revelar vulnerabilidades. Como dijo Margaret Clark, profesora de Psicología en Yale: «En general, es del todo correcto que la gente no se muestre empática o te ofrezca el apoyo que te hace falta, a menos que seas vulnerable y reveles tus necesidades y sentimientos, etcétera. La gente necesita eso para prestar apoyo. Yo puedo mostrarme vulnerable con un amigo al que realmente le importo. Sin embargo, hay circunstancias en las que resulta muy poco aconsejable. La más evidente es si a la persona no le importas y podría utilizar esa información para aprovecharse de ti en lugar de apoyarte. Tienes que descubrir si a la otra persona le importas. En la primera etapa de una relación, la vulnerabilidad es buena, pero revelar demasiado puede salir mal. Hay un ritmo. Al desarrollar relaciones, quieres ser vulnerable al tiempo que te proteges a ti mismo».

77. Kavadi Teja Sree, «Emotional Contagion in Teenagers and Women», *International Journal of Scientific Research and Engineering Trends*, vol. 7, núm. 2 (2021), pp. 917-924.

78. Elaine Hatfield, John T. Cacioppo y Richard L. Rapson, «Primitive Emotional Contagion» en *Emotion and Social Behavior*, ed. M. S. Clark, Newbury Park (California), Sage, 1992, pp. 151-177.

79. El estudio mencionado en este apartado no fue realizado por los Aaron. Durante una conversación para la verificación de datos, Arthur Aron aclaró que experimentos subsiguientes han revelado dos cosas: primero, que uno de los factores más importantes que influyen en la intimidad interpersonal es si alguien cree que le gusta a la otra persona. Segundo, que la capacidad de respuesta y la reciprocidad —más que el hecho de sincerarse sin más— son el factor predominante a la hora de establecer una sensación de intimidad. «Sentir que la persona que te acompaña te responde es un factor crucial», me contó Aron.

80. Arthur Aron escribió: «Lo que sabemos hoy es que la clave está en que esto concede una oportunidad a cada parte de mostrar una capacidad de respuesta valiosa».

81. La profesora Clark, de Yale, explicó: «Cuando mi marido tuvo un problema médico, un primo mío nos prestó un apoyo inmenso y no habló de sus propios problemas en absoluto. Un par de años más tarde, su mujer enfermó y me llamó para revelarme lo que estaba ocurriendo y lo triste que se sentía. Y *entonces* yo proporcioné el apoyo recíproco, dos años más tarde. La regla no es reciprocidad al momento, es mostrar capacidad de respuesta ante las necesidades del otro, y esta va en ambas direcciones».

Jacqueline S. Smith, Victoria L. Brescoll y Erin L. Thomas, «Constrained by Emotion: Women, Leadership, and Expressing Emotion in the

Workplace», en *Handbook on Well-Being of Working Women*, Dordrecht, Springer, 2016, pp. 209-224.

82. Las inquietantes discrepancias en torno a quién tiene permitido mostrar vulnerabilidad en distintos escenarios tienen implicaciones importantes. Para más información, por favor, véanse el resto de las notas.

83. Huang *et al.*, «It Doesn't Hurt to Ask», p. 430. En respuesta a preguntas de verificación de datos, Michael Yeomans, uno de los investigadores en este estudio, dijo que «el trabajo trataba sobre preguntas de seguimiento que se basan en cuestiones más profundas». Para más información sobre temas para empezar, por favor, véase Hart, VanEpps y Schweitzer, «(Better Than Expected) Consequences of Asking Sensitive Questions», pp. 136-154.

84. Cabe señalar que, si bien las preguntas profundas pueden minar algunos estereotipos, librar de dobles raseros los lugares de trabajo requiere un esfuerzo sostenido y examinar las causas estructurales de los sesgos. Heilman destacó que no basta con limitarse a enseñar a la gente a formular un tipo determinado de pregunta. Para más información sobre cómo acabar con estos prejuicios y estereotipos, por favor, véanse los capítulos 6 y 7.

85. En la actualidad, Michael Yeomans está afiliado al Imperial College de Londres.

86. Estas preguntas se han editado en busca de brevedad. Puede encontrarse la lista completa en Michael Kardas, Amit Kumar y Nicholas Epley, «Overly Shallow?: Miscalibrated Expectations Create a Barrier to Deeper Conversation», *Journal of Personality and Social Psychology*, vol. 122, núm. 3 (2022), p. 367. Para esta versión del experimento, las preguntas incluían: 1. ¿Por qué te sientes más agradecido en tu vida? Habla de ello a los demás participantes. 2. Si una bola de cristal pudiese decirte la verdad acerca de ti mismo, tu vida, el futuro o cualquier otra cosa, ¿qué querrías saber? 3. ¿Puedes describir una vez en que lloraste delante de otra persona?

87. Epley explicó: «Creo que lo que sugieren nuestros datos es que el camino a las preguntas más significativas puede ser mucho más empinado de lo que imaginarías [...] Trata a alguien como un amigo íntimo, es el tipo de descubrimiento que hago a partir de nuestro trabajo».

88. Epley hizo hincapié en que «diseñamos experimentos para "poner a prueba" hipótesis, no para "mostrar" o "demostrar" nada. Diseñar experimentos para "mostrar" un resultado o "demostrar" una creencia se asemeja a la propaganda. Así pues, diría que quería poner a prueba nuestra teoría, con datos, de que conversaciones más profundas serían más positivas de lo que la gente esperaba». También escribió que, pese a que el contagio emocional es uno de los mecanismos que dotan de poder a las conversaciones profundas, hay otros que pueden tener un impacto aún mayor, «como la confianza recíproca, que se construye con el tiempo, así como también aprender cosas realmente relevantes acerca de la otra persona a través del contenido de la conversación. Eso es lo que realmente forja la conexión».

89. Kardas, Kumar y Epley, «Overly Shallow?», p. 367.

90. Huang *et al.*, «It Doesn't Hurt to Ask», p. 430; Nora Cate Schaeffer

y Stanley Presser, «The Science of Asking Questions», *Annual Review of Sociology*, vol. 29, núm. 1 (2003), pp. 65-88; Norbert Schwarz *et al.*, «The Psychology of Asking Questions», *International Handbook of Survey Methodology* (2012), pp. 18-34; Edward L. Baker y Roderick Gilkey, «Asking Better Questions—A Core Leadership Skill», *Journal of Public Health Management and Practice*, vol. 26, núm. 6 (2020), pp. 632-633; Patti Williams, Gavan J. Fitzsimons, y Lauren G. Block, «When Consumers Do Not Recognize "Benign" Intention Questions as Persuasion Attempts», *Journal of Consumer Research*, vol. 31, núm. 3 (2004), pp. 540-550; Richard E. Petty, John T. Cacioppo y Martin Heesacker, «Effects of Rhetorical Questions on Persuasion: A Cognitive Response Analysis», *Journal of Personality and Social Psychology*, vol. 40, núm. 3 (1981), p. 432.

91. «The Case for Asking Sensitive Questions», *Harvard Business Review*, 24 de noviembre, 2020.

Capítulo 4. ¿Cómo oyes emociones que nadie expresa en voz alta?

92. En un e-mail en respuesta a preguntas de verificación de datos, Prady dio más detalles: «En concreto, lo que ocurría era que, a pesar de su don para las matemáticas (era capaz de hacer cosas como convertir de decimales a hexadecimales en su cabeza), era incapaz de procesar la expresión "calidad del servicio". La fórmula habitual para una propina es del 15 o el 20 por ciento dependiendo de la "calidad del servicio". A pesar de su habilidad matemática, era incapaz de evaluar el factor *humano* presente en la "calidad del servicio". De hecho, en una ocasión le propusimos que dejase siempre una propina del 17,5 por ciento y él señaló que la probabilidad de que el servicio quedase justo en medio era infinitesimal, y que el 17,5 por ciento aseguraría que casi siempre dejase demasiada o demasiado poca propina».

93. En respuesta a una petición de verificación de datos, Prady explicó: «La decisión de no convertirlos en programadores informáticos tenía dos caras. Primero, en el tiempo que había pasado desde mi época en la industria del software, esta había evolucionado desde las start-ups de garaje hasta los grandes negocios del tamaño de Microsoft, y no queríamos a los personajes concentrados en los negocios. Segundo, el trabajo específico de programación, que implica mirar pantallas y teclear, es difícil de representar en televisión y podía resultar aburrido para el espectador». Prady sentía que había que enfatizar que la vocación de programar en sí no es aburrida: «Nada más lejos de la verdad, programar es estimulante».

94. Para la información de trasfondo de *The Big Bang Theory,* estoy en deuda con Jessica Radloff, *The Big Bang Theory: The Definitive, Inside Story of the Epic Hit Series,* Nueva York, Grand Central Publishing, 2022; «There's a Science to CBS' *Big Bang Theory*», *USA Today,* 11 de abril de 2007; «Why the *Big Bang Theory* Stars Took Surprising Pay Cuts», *Hollywood Reporter,* 29 de marzo de 2017; «TV Fact-Checker: Dropping

Science on *The Big Bang Theory*», *Wired*, 22 de septiembre de 2011; Dave Goetsch, «Collaboration —Lessons from *The Big Bang Theory*», *True WELLth*, pod-cast, 4 de junio de 2019; «*The Big Bang Theory:* "We Didn't Appreciate How Protective the Audience Would Feel About Our Guys"», *Variety*, 5 de mayo de 2009; «Yes, It's a *Big Bang*», *Deseret Morning News*, 22 de septiembre de 2007.

95. *The Big Bang Theory*, temporada 3, episodio 1, «La fluctuación del abrelatas eléctrico», emitido el 21 de septiembre de 2009.

96. Daniel Goleman, «Emotional Intelligence: Why It Can Matter More than IQ», *Learning*, vol. 24, núm. 6 (1996), pp. 49-50.

97. «*The Big Bang Theory* Creators Bill Prady and Chuck Lorre Discuss the Series —And the Pilot You Didn't See», *Entertainment Weekly*, 23 de septiembre de 2022.

98. Prady dijo: «Creo que la gente se mostraba protectora [hacia Sheldon y Leonard] y sentía que los personajes que les rodeaban, en especial Katie, representaban un peligro para ellos. Nos sorprendió lo protector que se mostró el público de prueba con Leonard y Sheldon».

99. Judith A. Hall, Terrence G. Horgan y Nora A. Murphy, «Nonverbal Communication», *Annual Review of Psychology*, vol. 70 (2019), pp. 271-294; Albert Mehrabian, *Nonverbal Communication*, Oxon, Routledge, 2017; Robert G. Harper, Arthur N. Wiens y Joseph D. Matarazzo, *Nonverbal Communication: The State of the Art*, Nueva York, John Wiley and Sons, 1978; Starkey Duncan, Jr., «Nonverbal Communication», *Psychological Bulletin*, vol. 72, núm. 2 (1969), p. 118; Michael Eaves y Dale G. Leathers, *Successful Nonverbal Communication: Principles and Applications*, Londres, Routledge, 2017; Martin S. Remland, *Nonverbal Communication in Everyday Life*, Los Ángeles, Sage, 2016; Jessica L. Tracy, Daniel Randles y Conor M. Steckler, «The Nonverbal Communication of Emotions», *Current Opinion in Behavioral Sciences*, vol. 3 (2015), pp. 25-30.

100. En respuesta a peticiones de verificación de datos, la profesora Judith Hall, de la Universidad Northeastern, declaró que este proceso de «pasar por alto» señales no verbales es complejo, «pues muchas señales no verbales y filtraciones penetran, inconscientemente, en nuestro cerebro. Podríamos escoger "ignorar" algo pese a que las pistas hayan quedado registradas a un nivel no consciente. Por supuesto, a veces también pasamos pistas por alto».

101. Entrevisté a Terence McGuire en 2017. Falleció en 2022, por lo que no pudo participar en la verificación de datos de este capítulo. A este propósito, el contenido de este capítulo, en lo que respecta a la NASA y a McGuire, se compartió con la NASA, que confirmó algunos detalles pero declinó hacer comentarios sobre datos concretos relativos a entrevistas a candidatos, y con la hija de McGuire, Bethany Sexton, que confirmó los detalles de este capítulo, incluidos los métodos que utilizaba McGuire para analizar a los candidatos. Asimismo, hablé con numerosas personas que trabajaron con él, además de con otras que han trabajado con la NASA en la selección de aspirantes a astronauta. También estoy en deuda con: «This Is How NASA Used

to Hire Its Astronauts 20 Years Ago —And It Still Works Today», Quartz, 27 de agosto de 2015; «The History of the Process Communication Model in Astronaut Selection», SSCA, diciembre de 2000; T. F. McGuire, *Astronauts: Reflections on Current Selection Methodology, Astronaut Personality, and the Space Station*, Houston, NASA, 1987; Terence McGuire, «PCM Under Cover», Kahler Communications Oceania.

102. Los cosmonautas soviéticos habían efectuado misiones mucho más largas.

103. «History and Timeline of the ISS», ISS National Laboratory.

104. McGuire, *Astronauts.*

105. Peter Salovey y John D. Mayer, «Emotional Intelligence», *Imagination, Cognition and Personality*, vol. 9, núm. 3 (1990), pp. 185-211.

106. «It's Not Rocket Science: The Importance of Psychology in Space Travel», *The Independent,* 17 de febrero de 2021.

107. Schirra había declarado, antes de esa misión, que tenía intención de retirarse. En respuesta a peticiones de verificación de datos, Andrew Chaikin, historiador de los vuelos espaciales, dijo: «El hecho básico es que Schirra creía firmemente que, durante un vuelo, el comandante de la misión, es decir, él mismo, era quien estaba al mando, no el centro de control».

108. Robert R. Provine, *Laughter: A Scientific Investigation,* Nueva York, Penguin, 2001; Chiara Mazzocconi, Ye Tian y Jonathan Ginzburg, «What's Your Laughter Doing There? A Taxonomy of the Pragmatic Functions of Laughter», *IEEE Transactions on Affective Computing*, vol. 13, núm. 3 (2020), pp. 1302-1321; Robert R. Provine, «Laughing, Tickling, and the Evolution of Speech and Self», *Current Directions in Psychological Science, vol.* 13, núm. 6 (2004), pp. 215-218; Christopher Oveis *et al.*, «Laughter Conveys Status», *Journal of Experimental Social Psychology*, vol. 65 (2016), pp. 109-115; Michael J. Owren y Jo-Anne Bachorowski, «Reconsidering the Evolution of Nonlinguistic Communication: The Case of Laughter», *Journal of Nonverbal Behavior*, vol. 27 (2003), pp. 183-200; Jo-Anne Bachorowski y Michael J. Owren, «Not All Laughs Are Alike: Voiced but Not Unvoiced Laughter Readily Elicits Positive Affect», *Psychological Science*, vol. 12, núm. 3 (2001), pp. 252-257; Robert R. Provine y Kenneth R. Fischer, «Laughing, Smiling, and Talking: Relation to Sleeping and Social Context in Humans», *Ethology*, vol. 83, núm. 4 (1989), pp. 295-305.

109. Robert R. Provine, «Laughter», *American Scientist*, vol. 84, núm. 1 (1996), pp. 38-45.

110. Provine, *Laughter: A Scientific Investigation.*

111. Gregory A. Bryant, «Evolution, Structure, and Functions of Human Laughter», en *The Handbook of Communication Science and Biology*, Londres, Routledge, 2020, pp. 63-77. En respuesta a peticiones de verificación de datos, Bryant declaró que «los oyentes distinguían entre amigos que reían juntos y desconocidos que reían juntos [...] Creo que es razonable suponer que la gente detecta un alineamiento de alguna clase, pero técnicamente la tarea consistía tan solo en detectar a amigos frente a desconocidos. Nuestra interpretación era más general: los amigos están más excitados en

una conversación, lo que se refleja en una risa auténtica, en contraste con la risa volitiva de menor excitación, más común entre desconocidos. Los oyentes son muy sensibles al respecto. Me gusta la idea de que la gente busque pruebas de intentos de conectar».

112. Este uso de las palabras «humor» y «energía» en este contexto, aunque se ajustan a las definiciones del diccionario, no encaja por completo con cómo utilizan los términos los psicólogos de investigación. Lisa Feldman Barrett, profesora de Psicología en la Universidad Northeastern, explicó que «"humor" se describe por dos propiedades, valencia y excitación. Humor no es sinónimo de valencia. Utilizamos "afecto" para referirnos a propiedades de consciencia, tanto si una persona es emotiva como si no. Usamos "afecto" como sinónimo de "humor". Algunos científicos emplean "humor" para referirse a momentos de sensaciones que no son emociones, las cuales definen como no vinculadas a acontecimientos del mundo. A mí me parece incorrecto, porque un cerebro siempre está procesando sensaciones internas, lo que da lugar a [...] tus sentimientos, en conjunción con datos sensoriales procedentes del mundo». Para más información acerca de estos temas, por favor, véase James A. Russell, «A Circumplex Model of Affect», *Journal of Personality and Social Psychology*, vol. 39, núm. 6 (1980), p. 1161; James A. Russell y Lisa Feldman Barrett, «Core Affect, Prototypical Emotional Episodes, and Other Things Called Emotion: Dissecting the Elephant», *Journal of Personality and Social Psychology*, vol. 76, núm. 5 (1999), p. 805; Elizabeth A. Kensinger, «Remembering Emotional Experiences: The Contribution of Valence and Arousal», *Reviews in the Neurosciences*, vol. 15, núm. 4 (2004), pp. 241-252; Elizabeth A. Kensinger y Suzanne Corkin, «Two Routes to Emotional Memory: Distinct Neural Processes for Valence and Arousal», *Proceedings of the National Academy of Sciences*, vol. 101, núm. 9 (2004), pp. 3310-3315.

113. Si bien algunos psicólogos utilizan las palabras «positivo» y «negativo» en este contexto, Barrett sostiene que un marco más apropiado «es "agradable-desagradable" [...] "Positivo" o "negativo" [...] pueden ser descriptivos (como "me encuentro bien") o evaluativos (como "es bueno que me encuentre así") [...] Así que en realidad es "agradable", "desagradable"».

114. Dacher Keltner *et al.*, «Emotional Expression: Advances in Basic Emotion Theory», *Journal of Nonverbal Behavior*, vol. 43 (2019), pp. 133-160; Alan S. Cowen *et al.*, «Mapping 24 Emotions Conveyed by Brief Human Vocalization», *American Psychologist*, vol. 74, núm. 6 (2019), p. 698; Emiliana R. Simon-Thomas *et al.*, «The Voice Conveys Specific Emotions: Evidence from Vocal Burst Displays», *Emotion*, vol. 9, núm. 6 (2009), p. 838; Ursula Hess y Agneta Fischer, «Emotional Mimicry as Social Regulation», *Personality and Social Psychology Review*, vol. 17, núm. 2 (2013), pp. 142-157; Jean-Julien Aucouturier *et al.*, «Covert Digital Manipulation of Vocal Emotion Alter Speakers' Emotional States in a Congruent Direction», *Proceedings of the National Academy of Sciences*, vol. 113, núm. 4 (2016), pp. 948-953.

115. Barrett declaró que reflejar puede ser contraproductivo si lo que tu

interlocutor necesita es «apoyo instrumental»: «Recibí formación de terapeuta hace como un millón de años. Pero lo que hace un buen comunicador es discernir si la persona quiere empatía o apoyo instrumental. Si es el primer caso, entonces actúas como un espejo. Si es el segundo, entonces intentas contrarrestar qué le ocurre [...] Si trato de calmar a mi hija cuando solo quiere que me muestre empática, será malo. Por otra parte, si soy empática con ella cuando necesita que sea instrumental, es posible que empeore las cosas [...] Así que un buen comunicador intenta discernir: ¿quieren empatía o quieren un apoyo instrumental? [...] En nuestra jerga, lo llamamos «marcar el ritmo y guiar». Cuando era terapeuta, primero marcaba el ritmo a la persona. Realmente me acoplaba a su respiración, y luego ralentizaba el aliento y hacía lo mismo con el de la otra persona. De modo que primero me acoplaba yo, y luego manipulaba mi propia señal o ella la suya también, porque ella ya estaba sincronizada conmigo».

116. Cabe destacar que el enfoque de McGuire era informado por su interés en el Process Communication Model, un sistema que procura identificar el tipo de personalidad de una persona examinando cómo se comunica. La hija de McGuire, Bethany Sexton, en repuesta a peticiones de verificación, escribió que el enfoque descrito en este capítulo «era algo que Terry empleaba no solo con los astronautas, sino durante décadas a lo largo de su carrera. Además formó una relación muy estrecha con un colega llamado Taibi Kahler, que era doctor. Por aquel entonces Taibi estaba estudiando análisis transaccional y había formulado un modelo psicológico y conductual llamado "process communication". Cuando Terry se enteró del trabajo del doctor Kahler, conectaron y enseguida se hicieron amigos. Terry utilizó el modelo de Taibi en el análisis de los astronautas [...] Terry sentía que el modelo era tan poderoso que le capacitaba para evaluar a los astronautas en cuestión de minutos basándose en su elección de palabras, gestos y formas de expresión». Cabe destacar también que algunos de los enfoques que utilizó McGuire al entrevistar a los candidatos no encajaban con los hechos de su vida. Por ejemplo, nunca tuvo una hermana.

117. «90-006: 1990 Astronaut Candidates Selected», NASA News; «Astronaut's Right Stuff Is Different Now», Associated Press, 13 de octubre de 1991.

118. Radloff, *Big Bang Theory.*

119. Parte del diálogo se ha excluido para ganar brevedad y pertinencia.

120. Radloff, *Big Bang Theory.*

121. «Emmy Watch: Critics' Picks», Associated Press, 22 de junio de 2009.

Capítulo 5. Conectar en pleno conflicto

122. Jeffcoat me dijo que el cierre se produjo por un altercado cerca del instituto, pero no en él.

123. Ese mismo año, en Aurora, Colorado, un hombre armado había abierto fuego en un cine y había matado a doce personas.

124. Jeffcoat prefiere el término «seguridad en las armas» a «control de armas».

125. La última temporada de *Perdidos*, por si te lo estabas preguntando, fue genial.

126. Charles Duhigg, «The Real Roots of American Rage», *The Atlantic,* enero/febrero de 2019; «Political Polarization», Pew Research Center, 2014.

127. «Political Polarization and Media Habits», Pew Re-search Center, 21 de octubre de 2014.

128. Jeff Hayes, «Workplace Conflict and How Businesses Can Harness It to Thrive», *CPP Global Human Capital Report,* 2008.

129. Esta cita también se ha atribuido a Gandhi. Su procedencia original, como muchas declaraciones citadas a menudo, es algo turbia.

130. Entre los organizadores de este proyecto se incluían Spaceship Media, Advance Local, Alabama Media Group, Essential Partners, periodistas de distintos periódicos y otras personas.

131. En respuesta a peticiones de verificación de datos, John Sarrouf, de Essential Partners, escribió: «Yo diría que la cuestión que nos ocupaba es si podíamos atraer a participantes a una experiencia de diálogo y adquisición de habilidades de dos días para que continuasen la conversación online durante un mes y mantener el mismo tipo de intercambio abierto y complejo que fuimos capaces de crear en persona».

132. «The Vast Majority of Americans Support Universal Background Checks. Why Doesn't Congress?», Harvard Kennedy School, 2016.

133. «Polling Is Clear: Americans Want Gun Control», *Vox,* 1 de junio de 2022.

134. Sarrouf aclaró que cree «que hay una falta de confianza mutua y [...] el lenguaje que tenemos para hablar de este tema aleja aún más a la gente». Su esperanza era «ilustrar el poder de la comunicación estructurada e intencional para reparar la confianza, basar relaciones en la comprensión mutua y generar la resiliencia que requiere la acción colectiva ante las fuerzas de la polarización».

135. Heen es coautora de uno de mis libros favoritos sobre comunicación: *Conversaciones difíciles: aprende a comunicarte en situaciones comprometidas,* Barcelona, Grijalbo, 1999.

136. Heen declaró que «el problema más profundo es de relaciones, acicateado por cómo se siente tratado cada uno por el otro. Esto implica sentimientos pero, lo que es más, estos son un síntoma, no un problema [...] El problema más profundo es cómo sentimos que nos trata la otra persona. Y eso produce frustración, sensación de soledad, de incomprensión y rechazo. Creo que la gente que tiende a decir "no deberías dejarte llevar por las emociones" pasa por alto que en realidad la cuestión es cómo tratas a la otra persona y que esto es probablemente una solución».

137. Heen añadió que no se trata solo de si la gente en conflicto reconoce o no sus emociones, sino también de cómo lo hacen. «También podría ser que los dos estén diciendo que están furiosos y sencillamente se culpan el

uno al otro. No llegan al "vale, te escucho, deja que entienda por qué estás tan enfadado"»

138. Sarrouf describió así sus objetivos: «Crear un espacio en el que lo que se solicita a la gente es su escucha atenta, su curiosidad, su deseo de comprender y ser comprendido, y experimentar un modo distinto de tratar este asunto, además de enseñar habilidades de comunicación a los participantes». Sarrouf también enfatizó que los objetivos de todos los organizadores se explicaban a los participantes antes de que empezase el evento.

139. Dotan R. Castro *et al.*, «Mere Listening Effect on Creativity and the Mediating Role of Psychological Safety», *Psychology of Aesthetics, Creativity, and the Arts*, vol. 12, núm. 4 (2018), p. 489.

140. Sarrouf explicó que, pese a que los sentimientos son parte de este diálogo, «mi intención es hacerles hablar de razones. Quiero oír sus historias. Quiero oír los valores subyacentes a sus creencias. Y quiero que hablen de la complejidad de estas últimas. Las emociones son solo parte de lo que sale cuando la gente habla de ellas [...] No quiero que nadie exponga una emoción que le incomoda exhibir. Lo que quiero que hagan es contarnos una historia sobre sí mismos en lugar de hacer que otras personas cuenten una historia sobre ellas, que es lo que nos hacemos el uno al otro cuando estamos en conflicto. Yo tengo una historia sobre ti, y tú tienes una historia sobre mí, y ambas suelen ser imprecisas. Y esto es una oportunidad para que reescribas tu propia historia».

141. Mi primera noción del «bucle de comprensión» provino de la periodista Amanda Ripley en su maravilloso libro *High Conflict: Why We Get Trapped and How We Get Out*, Nueva York, Simon and Schuster, 2021. Durante la formación en comunicación en Washington D. C., los organizadores no se refirieron a esta técnica como «bucle de comprensión» ni la enseñaron como tal, sino que lo hicieron a través de un enfoque más general. Sarrouf explicó que llama a su enfoque «escucha de amplio espectro» y que a menudo se utiliza en «un ejercicio en el que se reúnen cuatro personas [...] Tú cuentas una historia y tres personas te escuchan. Una de ellas presta atención a lo que ocurre, ya sabes, los hechos de lo que te ha ocurrido. La segunda persona se fija en tus valores y las cosas que más te importan en esa historia [...] Y la tercera presta atención [a] las emociones que estás reflejando [...] Y luego cada una de esas tres personas que escuchan cuenta lo que ha escuchado, y no solo si lo han oído bien o no (aunque sí, sin duda hay un poco de eso). Parte de lo que están haciendo es aprender de las tres personas que escuchaban sobre sí mismas: cosas que ni siquiera sabían que se les aplicaban, pero como la gente escuchaba tan atentamente en diferentes canales en busca de distintas cosas, obtenían visiones nuevas de su propia experiencia [...] Si puedes aprender a escuchar todos los mensajes distintos que comparten las personas cuando hablan, en realidad puedes aprender no solo los hechos de su vida, sino lo que les importa, por ejemplo en sus vidas, qué relaciones tienen, cómo ha sido su viaje emocional, sus compromisos, sus dilemas».

142. G. Itzchakov, H. T. Reis y N. Weinstein, «How to Foster Perceived Partner Responsiveness: High-Quality Listening Is Key», *Socialand*

Personality Psychology Compass, vol. 16, núm. 1 (2021); Brant R. Burleson, «What Counts as Effective Emotional Support», *Studies in Applied Interpersonal Communication* (2008), pp. 207-227.

143. Los investigadores de este estudio estaban analizando la receptividad conversacional, de la cual pueden considerarse un componente técnico como el bucle de comprensión, pero no la totalidad de su enfoque. La cita completa de este estudio dice: «Utilizando datos de campo de un escenario en el que la gestión del conflicto es endémica a la productividad, mostramos que la receptividad conversacional al principio de un diálogo previene la escalada del conflicto al final. En concreto, los editores de Wikipedia que escriben artículos más receptivos son menos dados a sufrir ataques personales de editores que discrepan». Michael Yeomans *et al.*, «Conversational Receptiveness: Improving Engagement with Opposing Views», *Organizational Behavior and Human Decision Processes*, vol. 160 (2020), pp. 131-148.

144. Heen escribió: «Creo que realmente hay tres propósitos para el bucle (o escucha activa y hábil). 1. Ayudar al hablante a comprenderse a sí mismo (!). En un conflicto complicado, yo te explico mi perspectiva, pero cuando tú me la resumes, a menudo pienso: "Bueno, sí, pero para mí contiene más... Para mí también...". Así que, como hablante, mi oyente me ayuda a retirar un puñado de capas de por qué me importa esto y cuáles son mis propios intereses y preocupaciones y sentimientos al respecto. 2. Ayudar al oyente a comprender mejor, de un modo más completo (a veces pregunto a cada lado: "¿Qué crees que el otro lado no 'entiende' de tu punto de vista?" y, una vez explicado, el oyente realmente dice: "Oh, dios, sí, esa parte no la había entendido"). 3. Hacer que el hablante sepa que el oyente le entiende de un modo más completo, lo cual también MUESTRA al hablante que al oyente le importan lo suficiente la cuestión y la relación, para trabajar arduamente con objeto de entender lo que más le importa. De modo que la técnica del bucle consiste en hacer todo este trabajo, de ahí que pueda cambiar de forma tan drástica cuando se ha hecho —y reciprocado— con sinceridad».

145. Sarrouf escribió: «Lo que se describe aquí es la primera de tres preguntas que se formularon y respondieron en la experiencia del diálogo: 1. ¿Podrías hablarnos de una experiencia vital tuya que haya moldeado tu perspectiva o creencias acerca de las armas de fuego? 2. ¿Qué hay en el centro del asunto cuando piensas en el papel de las armas de fuego en tu país? 3. ¿De qué formas experimentas sentimientos encontrados o te sientes arrastrado en distintas direcciones con respecto al problema? ¿Dónde encuentras que parte de tus valores chocan contra otros mientras piensas en ese asunto? Tenemos a personas que giran alrededor del círculo y van respondiendo a estas cuestiones y luego abrimos la conversación para que pregunten cosas a las personas con auténtica curiosidad. El propósito de estas últimas preguntas es profundizar en la comprensión, seguir la curiosidad, solicitar matices y complejidad, no solo claridad».

146. «How and Why Do American Couples Argue?», YouGovAmerica, 1 de junio de 2022.

147. En respuesta a preguntas de verificación de datos, Benjamin Karney

escribió que «es acertado que las asociaciones entre el conflicto marital, como se observó en el laboratorio, y la satisfacción marital concurrente, el cambio en la satisfacción marital, y el divorcio, es significativo pero no tan fuerte. Eso significa que, de media, las parejas que experimentan más conflicto corren un mayor riesgo de peores resultados maritales, pero eso no tiene en cuenta a multitud de parejas que se pelean mucho y están perfectamente durante largos periodos de tiempo. ¿Por qué? Porque la cualidad del conflicto de las parejas no es lo único que tiene importancia para sus sentimientos sobre la relación. Es solo un elemento en toda una gama de variables (entre ellas la personalidad, los antecedentes familiares, el estrés externo, el estatus financiero) que también contribuyen a comprender cómo triunfan y fracasan los matrimonios.

148. Aunque suele ser cierto que las parejas discuten por asuntos similares en todos los sectores demográficos, existen estudios que indican que las parejas pobres lo hacen más por aspectos estresantes que acompañan a la pobreza, y que aquellas con problemas concretos —incluidos los médicos o de adicción— discuten con mayor frecuencia sobre esos temas. Es más, Karney enfatizó que «gran parte de este trabajo temprano (prácticamente todo) se llevó a cabo con parejas blancas relativamente acaudaladas. Estamos aprendiendo mucho sobre el conflicto en los últimos años al expandir nuestro enfoque más allá de esas muestras y estudiar a parejas de barrios de ingresos más bajos. Un hallazgo: la forma en que las parejas gestionan el conflicto se ve fuertemente afectada por factores que los miembros de la pareja no pueden controlar. A menudo las parejas no pueden escoger las fuentes de sus discrepancias ni la gravedad de las mismas. Se necesitan muchos privilegios para ser capaz de elegir el momento para los conflictos y tener el tiempo de procesarlos. También hemos aprendido que enseñar a las parejas a tener mejores conflictos es muy difícil, y que mejorar [...] no siempre mejora las relaciones, en especial cuando estas se ven desafiadas de otros modos a los que no afectan las intervenciones. La sabiduría de la terapia conductual integrativa de pareja no se basa en que enseñe autocontrol, sino en que alienta aceptar a tu pareja como una persona completa con una historia y límites».

149. Karney escribió: «Lo que entiendo de esta literatura es que había diferencias significativas entre parejas satisfechas y en dificultades en cómo encaraban [conversaciones en torno a desacuerdos]. En primer lugar, las parejas en dificultades intercambiaban comportamientos más negativos que las satisfechas. En segundo lugar, algunas investigaciones que usan el enfoque informal que separaba el propósito de la conducta de cada miembro de la pareja de su impacto encontraron que las parejas satisfechas y aquellas en dificultades no se diferenciaban en el propósito tras su comportamiento, pero sí lo hacían mucho en el impacto de esta conducta. Es decir, en las parejas satisfechas, las intenciones encajaban con el impacto, pero en aquellas en dificultades, las intenciones no predecían el impacto.

150. Es importante destacar que el control es solo un factor que influye en el conflicto de pareja. Karney escribió: «Ocurren muchas cosas en los conflictos de pareja y las luchas por el control son solo un aspecto de ellas

[...] No está ocurriendo una sola cosa cuando las parejas discrepan [...] El conflicto surge cuando cada miembro de la pareja quiere algo distinto, así que siempre que hay conflicto, cada miembro está intentando hacer que la otra persona cambie o se comprometa. Puedes llamarlo "control" o "intentar conseguir lo que quieres"».

151. Me cedieron las transcripciones con la condición de mantener la confidencialidad de las identidades de los participantes, además de otros datos específicos que podrían revelar identidades, como la ubicación de las conversaciones.

152. Stanley escribió: «Si consigo que una pareja estructure un poco, desacelere y adopte turnos para hablar y escuchar (y deje de interrumpirse), la gente se calma rápido y sale lo bueno. Una pareja puede llegar a representar todo lo bueno».

153. Citas de la conversación por Facebook a lo largo de este capítulo incluyen ambos posts publicados en la página privada de Facebook dedicada a este grupo, además de mensajes directos que los participantes compartieron conmigo.

154. Sarrouf escribió: «Uno de los fallos del diseño era que introdujimos seis veces más gente en el grupo que no recibió verdadera formación u orientación en nuestro trabajo [...] Creo que se hizo más difícil cuando entró gente sin experiencia. La gente a la que sí que habíamos formado utilizó parte de sus habilidades para ayudar a los demás, pero no fue lo mismo».

155. «Dialogue Journalism: The Method», Spaceship Media; «Dialogue Journalism Toolkit», Spaceship Media.

156. Sarrouf escribió que los moderadores también trabajaron para «volver a enfatizar el propósito del compromiso. Así que el propósito es muy importante para nosotros. Recordábamos a la gente que este consiste en ayudar a entendernos el uno al otro, y aprender mutuamente, en lugar de intentar convencernos el uno al otro. Ese es un elemento enorme del trabajo, de manera que entrabas en volver a enfatizar el propósito. Pasabas a enfatizar de nuevo algunos de los acuerdos de comunicación que se exponían y que también están ahí para apoyar a la gente y su propósito. Y tal vez algunas de las habilidades que aprendemos, como, ya sabes, escuchar para comprender, hablar para que te comprendan, hacer una pregunta auténticamente curiosa. Recordemos plantear este tipo de cuestiones, en lugar de preguntas de "te pillé" o de carácter retórico».

157. Como apunta este capítulo, hay múltiples dinámicas, más allá de las luchas por el control, que alteran las conversaciones online. Como escribió Sarrouf en respuesta a peticiones de verificación de datos, estos otros factores incluían la marginalización de algunos participantes; ejemplos en los que estos no cumplían con los acuerdos de comunicación que había adoptado el grupo, y otros patrones que impedían una conversación abierta y diversa. Escribió: «El propósito es crear una igualdad en el discurso, invitar a las personas a ir al grano, ayudar a la gente que escucha a que siga prestando atención».

158. Heen añadió que este proceso puede llevar mucho tiempo, porque «nuestras propias perspectivas cambian con el tiempo y, mientras integramos

el punto de vista de la otra persona en nuestra propia perspectiva, esta última también cambia».

159. Esta es una versión editada de la cita completa, que dice, en su totalidad: «Estoy empezando a perder interés en este grupo. No hay nada de que hablar. A nadie le interesa cambiar de opinión. O crees en el derecho humano más fundamental que existe (el derecho a defenderse a uno mismo, su familia, la comunidad y el país) o crees en la negación de ese derecho más fundamental y la concentración de armas y monopolización de fuerza en manos de la élite política y sus secuaces. Sé que estoy centrada en este grupo y tú probablemente también. Está bien. Agradezco la cordialidad, pero supongo que al final nos veremos en las urnas».

160. Estas citas provienen de múltiples encuestas realizadas por Essential Partners.

161. Sarrouf escribió: «Creo que lo que hay que entender aquí es que esto trata menos sobre algunas personas que se elevan por encima y otras que no, y más sobre crear patrones y tendencias que hacen más probable elegir escuchar abiertamente y plantear preguntas sinceras que no lo contrario [...] Creo que sabemos y hemos sabido durante mucho tiempo que tenemos herramientas y estructuras para ayudar a la gente a hablar de temas muy difíciles [...] Hemos aprendido que cuando la gente se traslada a un espacio online con una buena formación y consciencia, acuerdos de comunicación, buena moderación, periodistas de apoyo que contribuyen a una información equilibrada, [y] algunas personas como Melanie y Jon que están realmente implicadas, [luego] puedes crear una mejor conversación».

Una guía para utilizar estas ideas. Tercera parte: conversaciones emocionales, en la vida y en internet

162. Tim Althoff, Cristian Danescu-Niculescu-Mizil y Dan Jurafsky, «How to Ask for a Favor: A Case Study on the Success of Altruistic Requests», *Proceedings of the International AAAI Conference on Web and Social Media*, vol. 8, núm. 1 (2014), pp. 12-21; Cristian Danescu-Niculescu-Mizil *et al.*, «How Opinions Are Received by Online Communities: A Case Study on Amazon.com Helpfulness Votes», *Proceedings of the 18th International Conference on World Wide Web,* abril de 2009, pp. 141-150; Justine Zhang *et al.*, «Conversations Gone Awry: Detecting Early Signs of Conversational Failure», *Proceedings of the 56th Annual Meeting of the Association for Computational Linguistics* 1 (julio 2018), pp. 1350-1361.

163. Zhang *et al.*, «Conversations Gone Awry»; Justin Cheng, Cristian Danescu-Niculescu-Mizil y Jure Leskovec, «Antisocial Behavior in Online Discussion Communities», *Proceedings of the International AAAI Conference on Web and Social Media*, vol. 9, núm. 1 (2015), pp. 61-70; Justin Cheng, Cristian Danescu-Niculescu-Mizil y Jure Leskovec, «How Community Feedback Shapes User Behavior», *Proceedings of the International AAAI Conference on Web and Social Media*, vol. 8, núm. 1 (2014), pp. 41-50.

Capítulo 6. Nuestras identidades sociales modelan nuestros mundos. Vacunar a los antivacunas

164. Dewesh Kumar *et al.*, «Understanding the Phases of Vaccine Hesitancy During the COVID-19 Pandemic», *Israel Journal of Health Policy Research*, vol. 11, núm. 1 (2022), pp. 1-5; Robert M. Jacobson, Jennifer L. St. Sauver y Lila J. Finney Rutten, «Vaccine Hesitancy», *Mayo Clinic Proceedings*, vol. 90, núm. 11 (2015), pp. 1562-1568. Charles Shey Wiysonge *et al.*, «Vaccine Hesitancy in the Era of COVID-19: Could Lessons from the Past Help in Divining the Future?» *Human Vaccines and Immunotherapeutics*, vol. 18, núm. 1 (2022), pp. 1-3; Pru Hobson-West, «Understanding Vaccination Resistance: Moving Beyond Risk», *Health, Risk and Society, vol.* 5, núm. 3 (2003), pp. 273-283; Jacquelyn H. Flaskerud, «Vaccine Hesitancy and Intransigence», *Issues in Mental Health Nursing*, vol. 42, núm. 12 (2021), pp. 1147-1150; Daniel L. Rosenfeld y A. Janet Tomiyama, «Jab My Arm, Not My Morality: Perceived Moral Reproach as a Barrier to COVID-19 Vaccine Uptake», *Social Science and Medicine*, vol. 294 (2022), p. 114699.

165. Las referencias a la «identidad social» como un concepto monolítico pasan por alto el impacto que pueden tener varias identidades. Por ejemplo, la raza de alguien podría tener un impacto mucho mayor en su vida que su sexo, de modo que es importante reconocer que, mientras la «identidad social» es un término útil para capturar este concepto, por sí solo no es suficiente. De un modo similar, el concepto de interseccionalidad, o «la naturaleza interconectada de categorizaciones sociales como la raza, la clase y el sexo tal como se aplican a un individuo o grupo dados, que crean sistemas superpuestos e interdependientes de discriminación y desventaja», es un componente importante de comprensión de identidades sociales, como explican posteriores notas al pie. Por su ayuda para comprender estos conceptos, estoy en deuda con Kali D. Cyrus, psiquiatra certificada por el American Board of Psychiatry and Neurology de Estados Unidos y profesor asistente en John Hopkins Medicine, quien revisó estos capítulos y ofreció sugerencias para hacerlos más sólidos e inclusivos.

166. Joshua L. Miller y Ann Marie Garran, *Racism in the United States: Implications for the Helping Professions,* Nueva York, Springer Publishing, 2017.

167. Michael Kalin y Nicholas Sambanis, «How to Think About Social Identity», *Annual Review of Political Science*, vol. 21 (2018), pp. 239-257; Russell Spears, «Social Influence and Group Identity», *Annual Review of Psychology*, vol. 72 (2021), pp. 367-390.

168. Jim A. C. Everett, Nadira S. Faber y Molly Crockett, «Preferences and Beliefs in Ingroup Favoritism», *Frontiers in Behavioral Neuroscience*, vol. 9 (2015), p. 15; Matthew D. Lieberman, «Birds of a Feather Synchronize Together», *Trends in Cognitive Sciences*, vol. 22, núm. 5 (2018), pp. 371-372; Mina Cikara y Jay J. Van Bavel, «The Neuroscience of Intergroup Relations: An Integrative Review», *Perspectives on Psychological Science*, vol. 9, núm. 3

(2014), pp. 245-274; Thomas Mussweiler y Galen V. Bodenhausen, «I Know You Are, but What Am I? Self-Evaluative Consequences of Judging In-Group and Out-Group Members», *Journal of Personality and Social Psychology*, vol. 82, núm. 1 (2002), p. 19.

169. Muzafer Sherif, University of Oklahoma e Institute of Group Relations, *Intergroup Conflict and Cooperation: The Robbers Cave Experiment*, vol. 10, Norman (Oklahoma), University Book Exchange, 1961.

170. Jellie Sierksma, Mandy Spaltman y Tessa A. M. Lansu, «Children Tell More Prosocial Lies in Favor of In-Group Than Out-Group Peers», *Developmental Psychology*, vol. 55, núm. 7 (2019), p. 1428; Sima Jannati *et al.*, «In-Group Bias in Financial Markets» (2023), disponible en https://ssrn.com/abstract=2884218; David M. Bersoff, «Why Good People Sometimes Do Bad Things: Motivated Reasoning and Unethical Behavior», *Personality and Social Psychology Bulletin*, vol. 25, núm. 1 (1999), pp. 28-39; Alexis C. Carpenter y Anne C. Krendl, «Are Eyewitness Accounts Biased? Evaluating False Memories for Crimes Involving In-Group or Out-Group Conflict», *Social Neuroscience*, vol. 13, núm. 1 (2018), pp. 74-93; Torun Lindholm y Sven-Åke Christianson, «Intergroup Biases and Eye-witness Testimony», *The Journal of Social Psychology*, vol. 138, núm. 6 (1998), pp. 710-723.

171. Es importante advertir que la interseccionalidad —cómo alguien se ve impactado por numerosas identidades que trascienden las parejas binarias y cómo esas identidades que se cruzan puede exponer a las personas a mayor discriminación y desventaja— es un componente importante en la comprensión del poder de las identidades sociales. Para más información al respecto, por favor véase el trabajo de Kimberlé Williams Crenshaw, Patricia Hill Collins, Sirma Bilge, Arica L. Coleman, Lisa Bowleg, Nira Yuval-Davis, Devon Carbado, y otros académicos. En particular, yo sugeriría las siguientes obras, que he encontrado útiles: Sumi Cho, Kimberlé Williams Crenshaw y Leslie McCall, «Toward a Field of Intersectionality Studies: Theory, Applications, and Praxis», *Signs: Journal of Women in Culture and Society*, vol. 38, núm. 4 (2013), pp. 785-810; Ange-Marie Hancock, *Intersectionality: An Intellectual History,* Nueva York, Oxford University Press, 2016; Edna A. Viruell-Fuentes, Patricia Y. Miranda, y Sawsan Abdulrahim, «More Than Culture: Structural Racism, Intersectionality Theory, and Immigrant Health», *Social Science and Medicine*, vol. 75, núm. 12 (2012), pp. 2099-2106; Devon W. Carbado *et al.*, «Intersectionality: Mapping the Movements of a Theory», *Du Bois Review: Social Science Research on Race*, vol. 10, núm. 2 (2013), pp. 303-312.

172. Saul Mcleod, «Social Identity Theory: Definition, History, Examples, and Facts», Simply Psychology, 14 de abril de 2023.

173. Matthew D. Lieberman, «Social Cognitive Neuroscience: A Review of Core Processes», *Annual Review of Psychology* 58 (2007), pp. 259-289; Carolyn Parkinson y Thalia Wheatley, «The Repurposed Social Brain», *Trends in Cognitive Sciences*, vol. 19, núm. 3 (2015), pp. 133-141; William Hirst y Gerald Echterhoff, «Remembering in Conversations: The Social

Sharing and Reshaping of Memories», *Annual Review of Psychology*, vol. 63 (2012), pp. 55-79; Katherine D. Kinzler, «Language as a Social Cue», *Annual Review of Psychology*, vol. 72 (2021), pp. 241-264; Gregory M. Walton *et al.*, «Mere Belonging: the Power of Social Connections», *Journal of Personality and Social Psychology*, vol. 102, núm. 3 (2012), p. 513.

174. Resulta útil advertir cómo el poder otorgado a algunas identidades por la sociedad —lo que a veces se refiere como privilegio— puede impactar en las vidas en gran medida. Para más información sobre este tema, dejad que os recomiende a Allan G. Johnson, *Privilege, Power, and Difference*, Boston: McGraw-Hill, 2006; Devon W. Carbado, «Privilege», en Ann Braithwaite y Catherine Orr, *Everyday Women's and Gender Studies,* Nueva York, Routledge, 2016, pp. 141-146; Linda L. Black y David Stone, «Expanding the Definition of Privilege: the Concept of Social Privilege», *Journal of Multicultural Counseling and Development*, vol. 33, núm. 4 (2005), pp. 243-255; y Kim Case, *Deconstructing Privilege,* Nueva York, Routledge, 2013.

175. Matt Motta *et al.*, «Identifying the Prevalence, Correlates, and Policy Consequences of Anti-Vaccine Social Identity», *Politics, Groups, and Identities* (2021), pp. 1-15.

176. «CDC Museum COVID-19 Timeline», Centers for Disease Control and Prevention, https://www.cdc.gov/museum/timeline/covid19 .html.

177. James E. K. Hildreth y Donald J. Alcendor, «Targeting COVID-19 Vaccine Hesitancy in Minority Populations in the US: Implications for Herd Immunity», *Vaccines*, vol. 9, núm. 5 (2021), p. 489; Lea Skak Filtenborg Frederiksen *et al.*, «The Long Road Toward COVID-19 Herd Immunity: Vaccine Platform Technologies and Mass Immunization Strategies», *Frontiers in Immunology*, vol. 11 (2020), p. 1817.

178. Claude M. Steele, *Whistling Vivaldi: How Stereotypes Affect Us and What We Can Do*, Nueva York, W. W. Norton, 2011.

179. *Ibid.*

180. En respuesta a un email de verificación de datos, Steele escribió que con el tiempo determinó que esta discrepancia no se debía a un sesgo implícito porque «1) el rendimiento era bajo en nuestros estudios de laboratorio cuando no había posibilidad de sesgo implícito, dado que los participantes hacían las pruebas solos en un laboratorio y 2) cuando eliminas la amenaza del estereotipo, como hicimos en las condiciones críticas de estos experimentos, el bajo rendimiento se desvaneció por completo, dejando claro que en estos experimentos, al menos, solo [la amenaza del estereotipo] podría haber causado el bajo rendimiento, pues eliminar la amenaza eliminaba por completo el bajo rendimiento».

181. Steele escribió: «No están tan preocupados por sus verdaderas habilidades como por la manera en que se les juzgará y verá y por lo que eso implicará para su futuro».

182. Steven J. Spencer, Claude M. Steele y Diane M. Quinn, «Stereotype Threat and Women's Math Performance», *Journal of Experimental Social Psychology*, vol. 35, núm. 1 (1999), pp. 4-28.

183. Steele escribió: «Ahora sabemos que no presentan un bajo rendimiento porque se ven abrumadas, sino porque se esfuerzan demasiado, hacen varias cosas al mismo tiempo, se esfuerzan mucho para hacerlo bien al tiempo que vigilan constantemente cómo les va y se preocupan por cómo afectará a su rendimiento y los resultados vinculados a este último».

184. Claude M. Steele y Joshua Aronson, «Stereotype Threat and the Intellectual Test Performance of African Americans», *Journal of Personality and Social Psychology*, vol. 69, núm. 5 (1995), p. 797.

185. En respuesta a una petición de verificación de datos, Aronson, el coautor de este estudio, declaró: «Los estudiantes negros obtenían resultados mucho mejores cuando no sentían que les estaban evaluado el examen, mientras que para los estudiantes blancos esto no importaba y se supone que se debe a que no hay un estereotipo en juego». Aronson advirtió sobre comparar las calificaciones de los estudiantes blancos y negros que se presentaban al examen, y enfatizó que «los estudiantes negros eran susceptibles de verse confrontados con una situación estereotipadora: les iba peor cuando se les recordaba el estereotipo de alguna forma o cuando pensaban que el test estaba diagnosticando sus habilidades».

186. Charlotte R. Pennington *et al.*, «Twenty Years of Stereotype Threat Research: A Review of Psychological Mediators», *PLOS One*, vol. 11, núm. 1 (2016), p. e0146487. Hoy, Steele es profesor emérito Lucius Sterns de Ciencias Sociales en la Universidad de Stanford. Antes había sido decano tanto en la Universidad de Columbia como en la de Berkeley.

187. Steele escribió: «No es que las mujeres o los negros piensen que otras personas les han asignado a su grupo. Como los hombres o los blancos, saben sin más que ese es su grupo. No tienen que asumir nada sobre gente intolerante que les haya asignado a ellos. Simplemente conocen que hay estereotipos sobre su grupo en la sociedad. Es lo único que necesitan para sentir la amenaza de la posibilidad de que les juzguen o traten en términos de esos estereotipos cuando están en una situación o experimentando algo consistente con el estereotipo».

188. Se ha llevado a cabo una enorme cantidad de investigaciones sobre cómo luchar contra la amenaza del estereotipo, con muchas soluciones propuestas y probadas. Para más detalles, recomendaría el capítulo 9 del libro *Whistling Vivaldi*, de Claude Steele.

189. Dana M. Gresky, «Effects of Salient Multiple Identities on Women's Performance Under Mathematics Stereotype Threat», *Sex Roles*, vol. 53 (2005).

190. Salma Mousa, «Building Social Cohesion Between Christians and Muslims Through Soccer in Post-ISIS Iraq», *Science*, vol. 369, núm. 6505 (2020), pp. 866-870.

191. Richard Hall, «Iraqi Christians Are Slowly Returning to Their Homes, Wary of Their Neighbors», Public Radio International (2017).

192. «For Persecuted Christian Women, Violence Is Compounded by "Shaming"», World Watch Monitor, 8 de marzo de 2019.

193. Hall, «Iraqi Christians Are Slowly Returning», *op. cit.*

194. En respuesta a un email de verificación de datos, Mousa aclaró que, si bien era preciso que los tres jugadores adicionales fueran musulmanes, en la reunión solo se dijo a la gente que «con el interés de asegurar que participen miembros de todas las comunidades en las ligas, añadiremos a vuestros equipos futbolistas al azar, que pueden ser cristianos o no». Los presentes, sin embargo, fueron conscientes de que era probable que eso significase que los jugadores adicionales iban a ser musulmanes.

195. Mousa recibió la ayuda de una colaboración estrecha con líderes de la comunidad en Qaraqosh y un director de investigación, Rabie Zakaria. Mousa era estudiante de doctorado cuando se llevó a cabo este trabajo. Ahora es profesora asistente de Ciencias Políticas en Yale.

196. Thomas F. Pettigrew y Linda R. Tropp, «Allport's Inter-group Contact Hypothesis: Its History and Influence», en John F. Dovidio, Peter Samuel Glick y Laurie A. Rudman, *On the Nature of Prejudice: Fifty Years After Allport,* Malden (Massachussets), Blackwell, 2005, pp. 262-277; Marilynn B. Brewer y N. Miller, «Beyond the Contact Hypothesis: Theoretical», *Groups in Contact: The Psychology of Desegregation*, Orlando (Florida), Academic Press, 1984, p. 281; Yehuda Amir, «Contact Hypothesis in Ethnic Relations», *Psychological Bulletin*, vol. 71, núm. 5 (1969), p. 319; Elizabeth Levy Paluck, Seth A. Green y Donald P. Green, «The Contact Hypothesis Re-Evaluated», *Behavioural Public Policy*, vol. 3, núm. 2 (2019), pp. 129-158.

197. Mousa, «Building Social Cohesion», pp. 866-870.

198. Salma Mousa, «Contact, Conflict, and Social Cohesion» (tesis, Stanford University, 2020).

199. Mousa añadió otro contexto que ayudaba a asegurar una situación en pie de igualdad: todos los jugadores de los equipos, tanto musulmanes como cristianos, se habían visto afectados por los milicianos de Estado Islámico. «Los musulmanes del estudio eran sobre todo chabaquíes, quienes se veían perseguidos como herejes por Estado Islámico [...] De modo que esto no era una dinámica "perpetrador contra víctima" per se, sino más bien un caso de profunda desconfianza y prejuicio hacia los musulmanes, de los que se creía que diluían el carácter cristiano de Qaraqosh mudándose poco a poco a la ciudad y siento estereotípicamente menos educados, más pobres y más conservadores. La experiencia de desplazamiento compartido no sirvió de mucho para unir a los dos grupos. En lugar de eso, la ocupación endureció las identidades de grupo, la desconfianza y la segregación».

200. «COVID-19 Weekly Epidemiological Update», World Health Organization, 23 de febrero de 2021.

201. En respuesta a peticiones de verificación de datos, Rosenbloom dijo que «el objetivo de Boost Oregon no es convencer a la gente de que se vacune. Es ayudar a educarles para tomar una decisión informada. Sí, estamos enseñando a la gente sobre por qué están bien y a salvo, pero [...] lo que necesitamos hacer es ayudarles a obtener respuestas a sus preguntas, sin una agenda, o de otra forma nos condenamos antes de empezar».

202. Jennifer Hettema, Julie Steele y William R. Miller, «Motivational

Interviewing», *Annual Review of Clinical Psychology* 1 (2005), pp. 91-111; William R. Miller y Gary S. Rose, «Toward a Theory of Motivational Interviewing», *American Psychologist*, vol. 64, núm. 6 (2009), p. 527; William R. Miller, «Motivational Interviewing: Research, Practice, and Puzzles», *Addictive Behaviors*, vol. 21, núm. 6 (1996), pp. 835-842; W. R. Miller y S. Rollnick, *Motivational Interviewing: Helping People Change*, Nueva York, Guilford Press, 2013.

203. Resulta tentador sugerir que simplemente «encontrar cosas en común basta para ayudarnos a comunicarnos». Pero, como explora el próximo capítulo, la conexión a menudo también viene de comprender cómo nos «modelan» las diferencias.

Ken Resnicow y Fiona McMaster, «Motivational Interviewing: Moving from Why to How with Autonomy Support», *International Journal of Behavioral Nutrition and Physical Activity*, vol. 9, núm. 1 (2012), pp. 1-9.

Capítulo 7. ¿Cómo hacemos más seguras las conversaciones más difíciles?

204. Son numerosos los errores que pueden cometerse al escribir sobre raza y etnia, sobre todo cuando el autor es, como yo mismo, un hombre blanco heterosexual que ha disfrutado de numerosas ventajas y privilegios. Corro el riesgo de no ver las perspectivas que resultarían obvias a otros escritores. Con ese objeto, al escribir este capítulo hablé con expertos en racismo, prejuicios y comunicación interracial que se mostraron generosos con su tiempo, muchos de ellos pensadores con experiencias de exclusión. Les agradecí sus perspectivas y pedí a algunos de ellos que revisaran este capítulo y me dieran sus ideas y sugerencias. En algunos casos, sus contribuciones se incluyen en el texto o se detallan en estas notas. También cabe destacar que, pese a que a menudo distintos tipos de prejuicios tienen cosas en común, no deberían meterse en el mismo saco. El racismo es diferente del sexismo y de la homofobia. Todos los prejuicios —y cada ejemplo de injusticia— es, a su propio modo, único. Finalmente, al escoger cómo referirme a etnias concretas, he intentado seguir el libro de estilo de Associated Press.

205. «At Netflix, Radical Transparency and Blunt Firings Unsettle the Ranks», *The Wall Street Journal*, 25 de octubre de 2018.

206. Cabe destacar que las declaraciones ofensivas pueden ser descaradas —como hacer un comentario racista—, pero también mucho más sutiles, y a ellas algunos expertos se refieren como «microagresiones». Para más información acerca del tema, por favor, véase Derald Wing Sue y Lisa Spanierman, *Microaggressions in Everyday Life*, Hoboken (Nueva Jersey), John Wiley and Sons, 2020; Derald Wing Sue *et al.*, «Racial Microaggressions in Everyday Life: Implications for Clinical Practice», *American Psychologist*, vol. 62, núm. 4 (2007), p. 271; Derald Wing Sue, «Microaggressions: More Than Just Race», *Psychology Today*, vol. 17 (2010); Anthony D. Ong y Anthony L. Burrow, «Microaggressions and Daily Experience: Depicting

Life as It Is Lived», *Perspectives on Psychological Science*, vol. 12, núm. 1 (2017).

207. Reed Hastings cofundó Netflix con Marc Randolph.

208. En lo relativo a mi comprensión de Netflix, estoy en deuda con numerosas fuentes en lo relativo a comprender, incluido el libro de Reed Hastings, escrito con Erin Meyer: *Aquí no hay reglas: Netflix y la cultura de la reinvención*, Barcelona, Conecta, 2020; Corinne Grinapol, *Reed Hastings and Netflix*, Nueva York: Rosen, 2013; Patty McCord, «How Netflix Reinvented HR», *Harvard Business Review*, vol. 92, núm. 1 (2014): 71-76; James Morgan, «Netflix: Reed Hastings», *Media Company Leader Presentations*, vol. 12 (2018); Bill Taylor, «How Coca-Cola, Netflix, and Amazon Learn from Failure», *Harvard Business Review*, vol. 10 (2017); Kai-Ingo Voigt *et al.*, «Entertainment on Demand: The Case of Netflix», en *Business Model Pioneers: How Innovators Successfully Implement New Business Models, Cham* (Suiza), Springer International Publishing, 2017, pp. 127-41; Patty McCord, *Powerful: Building a Culture of Freedom and Responsibility*, San Francisco, Silicon Guild, 2018.

209. En respuesta a preguntas de verificación de datos, un representante de Netflix declaró que esta práctica no es tan frecuente en la actualidad, y que la empresa ha crecido y se ha vuelto más sofisticada, de manera que la firma establece mejor los salarios según la norma del sector sin que los trabajadores tengan que solicitar ofertas externas.

210. En respuesta a preguntas de verificación de datos, un representante de la empresa dijo que esto ocurre con menor frecuencia en la actualidad.

211. Este premio se le concedió en 2010.

212. Evelyn R. Carter, Ivuoma N. Onyeador y Neil A. Lewis, Jr., «Developing and Delivering Effective Anti-bias Training: Challenges and Recommendations», *Behavioral Science and Policy*, vol. 6, núm. 1 (2020), pp. 57-70; Joanne Lipman, «How Diversity Training Infuriates Men and Fails Women», *Time*, vol. 191, núm. 4 (2018), pp. 17-19; Peter Bregman, «Diversity Training Doesn't Work», *Harvard Business Review*, vol. 12 (2012); Frank Dobbin y Alexandra Kalev, «Why Doesn't Diversity Training Work? The Challenge for Industry and Academia», *Anthropology Now*, vol. 10, núm. 2 (2018), pp. 48-55; Hussain Alhejji *et al.*, «Diversity Training Programme Outcomes: A Systematic Review», *Human Resource Development Quarterly*, vol. 27, núm. 1 (2016), pp. 95-149; Gwendolyn M. Combs y Fred Luthans, «Diversity Training: Analysis of the Impact of Self-Efficacy», *Human Resource Development Quarterly*, vol. 18, núm. 1 (2007), pp. 91-120; J. Belluz, «Companies Like Starbucks Love Anti-bias Training but It Doesn't Work —And May Backfire», *Vox* (2018); Dobin y Kalev, «Why Doesn't Diversity Training Work?», pp. 48-55; Edward H. Chang *et al.*, «The Mixed Effects of Online Diversity Training», *Proceedings of the National Academy of Sciences*, vol. 116, núm. 16 (2019), pp. 7778-7783.

213. Elizabeth Levy Paluck *et al.*, «Prejudice Reduction: Progress and Challenges», *Annual Review of Psychology*, vol. 72 (2021), pp. 533-560.

214. Francesca Gino y Katherine Coffman, «Unconscious Bias Training

That Works», *Harvard Business Review*, vol. 99, núm. 5 (2021), pp. 114-123.

215. Frank Dobbin y Alexandra Kalev, «Why Diversity Programs Fail», *Harvard Business Review*, vol. 94, núm. 7 (2016), p. 14.

216. Esta cita proviene de «Unconscious Bias Training That Works», y es un resumen de otro estudio: Alexandra Kalev, Frank Dobbin y Erin Kelly, «Best Practices or Best Guesses? Assessing the Efficacy of Corporate Affirmative Action and Diversity Policies», *American Sociological Review*, vol. 71, núm. 4 (2006): 589-617.

217. Elizabeth Levy Paluck *et al.*, «Prejudice Reduction: Progress and Challenges», *Annual Review of Psychology*, vol. 72 (2021), pp. 533-560. Cabe destacar que entre los métodos que parecen efectivos habitualmente a la hora de reducir incidentes de prejuicios y actitudes sesgadas está el «contacto intergrupo cara a cara» y alentar «las conversaciones interpersonales a lo largo del tiempo», como escribieron algunos investigadores en la Annual Review of Psychology de 2021.

218. En respuesta a peticiones de verificación de datos, Netflix declaró que no todos y cada uno de los trabajadores de la empresa se habían enterado del incidente y se habían formado una opinión.

219. Una gran cantidad de investigaciones apuntan a que este tipo de patrones, ya sea formal o informalmente aplicados a través de normas y comentarios de empleados, puede perjudicar de manera desproporcionada a trabajadores de entornos minorizados. Para más información al respecto, por favor, véase James R. Elliott y Ryan A. Smith, «Race, Gender, and Workplace Power», *American Sociological Review*, vol. 69, núm. 3 (2004), pp. 365-386; Ashleigh Shelby Rosette, Geoffrey J. Leonardelli y Katherine W. Phillips, «The White Standard: Racial Bias in Leader Categorization», *Journal of Applied Psychology*, vol. 93, núm. 4 (2008), p. 758; Victor Ray, «A Theory of Racialized Organizations», *American Sociological Review*, vol. 84, núm. 1 (2019), pp. 26-53; Alice Hendrickson Eagly y Linda Lorene Carli, *Through the Labyrinth: The Truth About How Women Become Leaders*, Boston, Harvard Business Press, 2007.

220. Friedland, que desarrolló una larga carrera antes de incorporarse a Netflix, expresó su contrición cuando lo entrevisté: «Comprendo por qué me despidieron. ¿Acaso no tenía tacto alguno? Sí, no entendía cómo se escuchaba esa palabra y no debería haberla pronunciado. Pero lo que resulta doloroso es que este un pequeño instante en una larga carrera y no estoy seguro de que sea justo juzga a alguien por un solo error».

221. Michael L. Slepian y Drew S. Jacoby-Senghor, «Identity Threats in Everyday Life: Distinguishing Belonging from Inclusion», *Social Psychological and Personality Science*, vol. 12, núm. 3 (2021), pp. 392-406. En respuesta a peticiones de verificación de datos, Slepian aclaró que la cuestión de las conversaciones difíciles «era solo una situación de unas veintinueve más de las que hablamos».

222. Slepian señaló que estos resultados provienen de numerosos estudios y trabajos.

223. Sarah Townsend *et al.*, «From "in the Air" to "Under the Skin": Cortisol Responses to Social Identity Threat», *Personality and Social Psychology Bulletin*, vol. 37, núm. 2 (2011), pp. 151-164; Todd Lucas *et al.*, «Perceived Discrimination, Racial Identity, and Multisystem Stress Response to Social Evaluative Threat Among African American Men and Women», *Psychosomatic Medicine*, vol. 79, núm. 3 (2017): 293; Daan Scheepers, Naomi Ellemers y Nieska Sintemaartensdijk, «Suffering from the Possibility of Status Loss: Physiological Responses to Social Identity Threat in High Status Groups», *European Journal of Social Psychology*, vol. 39, núm. 6 (2009), pp. 1075-1092; Alyssa K. McGonagle y Janet L. Barnes-Farrell, «Chronic Illness in the Workplace: Stigma, Identity Threat and Atrain», *Stress and Health*, vol. 30, núm. 4 (2014), pp. 310-321; Sally S. Dickerson, «Emotional and Physiological Responses to Social-Evaluative Threat», *Social and Personality Psychology Compass*, vol. 2, núm. 3 (2008), pp. 1362-1378.

224. Slepian señaló que los anuncios para reclutar a participantes para este estudio buscaban en concreto a personas a las que habían hecho sentir que no pertenecían debido a un grupo social, lo cual era probable que resultase en una muestra con una experiencia muy grande de amenaza de la identidad. Por lo tanto, se infiere que, para la mayor parte de la población, la frecuencia de la amenaza de la identidad es probablemente menor.

225. Nyla R. Branscombe *et al.*, «The Context and Content of Social Identity Threat», *Social Identity: Context, Commitment, Content* (1999), pp. 35-58; Claude M. Steele, Steven J. Spencer y Joshua Aronson, «Contending with Group Image: The Psychology of Stereotype and Social Identity Threat», en *Advances in Experimental Social Psychology*, Cambridge (Massachussets), Academic Press, 2002, vol. 34, pp. 379-440; Katherine T. U. Emerson y Mary C. Murphy, «Identity Threat at Work: How Social Identity Threat and Situational Cues Contribute to Racial and Ethnic Disparities in the Workplace», *Cultural Diversity and Ethnic Minority Psychology*, vol. 20, núm. 4 (2014), p. 508; Joshua Aronson y Matthew S. McGlone, «Stereotype and Social Identity Threat», en *Handbook of Prejudice, Stereotyping, and Discrimination*, Nueva York, Psychology Press, 2009; Naomi Ellemers, Russell Spears y Bertjan Doosje, «Self and Social Identity», *Annual Review of Psychology*, vol. 53, núm. 1 (2002), pp. 161-186.

226. En respuesta a una petición de verificación de datos, Sanchez se extendió en sus comentarios para señalar que, en su estudio, entre el 80 y el 90 por ciento de los participantes también dijeron que esperaban beneficios importantes de estas conversaciones. Kiara Lynn Sanchez, «A Threatening Opportunity: Conversations About Race-Related Experiences Between Black and White Friends» (tesis de doctorado, Universidad de Stanford, 2022).

227. Robert Livingston, *The Conversation: How Seeking and Speaking the Truth About Racism Can Radically Transform Individuals and Organizations*, Nueva York, Currency, 2021.

228. Debido a la pandemia, la mayoría de estas conversaciones se produjeron por videoconferencia.

229. Resulta útil señalar que, en entornos menos formales, pedir a un amigo negro que hable primero de sus experiencias con el racismo podría crear barreras para la conexión. Como escribió la doctora Kali Cyrus, al revisar este capítulo, a veces se pide a una persona negra que comparta su trauma y sus «experiencias se exponen para comentarlas, disculparse por ellas o se utilizan de algún modo como experiencia que es distinta comparada con la de la gente blanca [...] ¡[Es importante reconocer] que no es responsabilidad de la persona negra o menos privilegiada meterse a sí misma en conversaciones difíciles por el bien de la unidad! Porque, por lo general, deben hacer esto en el punto de partida para tener éxito en un trabajo o entorno predominantemente blanco. SIN EMBARGO, hay algunas personas racializadas (como yo), que están dispuestas y son emocionalmente capaces de participar».

230. Esta es una versión editada de las instrucciones. La versión completa dice: «Un poco más tarde, tendrás la oportunidad de hablar con [tu amigo]. Pero primero queremos tomarnos un tiempo para compartir algunas cosas que hemos descubierto. Preguntamos a otras personas acerca de sus conversaciones sobre raza con amigos de distintos grupos raciales. Vamos a compartir esto tanto contigo como con [nombre de tu amigo]».

231. Sanchez dijo que el objetivo era «dar a la gente un marco para perseverar [...] La teoría subyacente es que la incomodidad puede resultar útil. Así que nuestro objetivo no es librarnos de ella, sino más bien ayudar a la gente a ver que no tiene que ser una barrera para las conversaciones o las relaciones significativas».

232. Sanchez constató que, para el grupo experimental frente al grupo de control, «no había diferencia estadística entre las condiciones en la duración de la conversación. Tampoco tenemos pruebas todavía de que el contenido de la conversación fuera más profundo o más vulnerable. En general, lo que fuimos descubriendo es que la conversación iba bastante bien en ambas condiciones. Ambos amigos declararon tener una experiencia positiva, sentirse comprometidos y auténticos en el diálogo. Y aún no hemos detectado diferencias significativas en el contenido de la conversación».

233. En respuesta a peticiones de verificación de datos, Sanchez escribió que lo que este participante negro está «tratando es su conflicto interno acerca de ser un hombre negro en un lugar blanco y por un lado olvidarlo a veces, pero que se lo recuerden a menudo y encontrar el equilibrio entre esas dos experiencias. [Tal complejidad] ilustra la naturaleza de estas conversaciones y de las relaciones interraciales en general».

234. Kiara Lynn Sanchez, «A Threatening Opportunity: Conversations About Race-Related Experiences Between Black and White Friends» (tesis de doctorado, Universidad de Stanford, 2022).

235. Sanchez escribió que los resultados más fuertes se producían inmediatamente después de las conversaciones, cuando «ambos amigos experimentaban un impulso en los sentimientos de intimidad (desde antes de la conversación hasta inmediatamente después) Además, unos meses más tarde, los amigos negros se sentían más cómodos hablando con sus amigos

blancos acerca de la raza, y más auténticos en esa relación». En respuesta a nuevas peticiones de verificación de datos, continuó: «Los resultados inmediatos se mostraban en ambas condiciones, sin importar si llegaban a eso con instrucción, pero esta última tenía un beneficio único en la "autenticidad" y la "intimidad" con el tiempo en los amigos negros: este es el beneficio a largo plazo. De inmediato todo el mundo incrementó la "autenticidad" y la "cercanía". A largo plazo, los amigos negros con la condición de instrucción incrementaron la "cercanía" y la "autenticidad". Así que mantener la conversación sin más fue útil, pero para ver beneficios a largo plazo, la instrucción fue realmente de ayuda para los amigos negros».

236. Es importante advertir la diferencia entre prepararse para la incomodidad y obsesionarse con ella. Como advirtió la doctora Kali Cyrus, la fijación puede contribuir al sesgo de confirmación.

237. En respuesta a peticiones de verificación de datos, Sanchez escribió que «la amenaza de la identidad a menudo surge sin que nadie "haga" nada. Sencillamente hablar con alguien de un grupo diferente puede despertar preocupaciones de que esa persona podría verte a través de la lente de un estereotipo (¡antes de que digan nada!) [...] Hay algo que decir acerca del poder de compartir perspectivas y experiencias personales, pero yo no diría que evitar las generalizaciones sea un modo seguro de reducir la amenaza de la identidad de otra persona».

238. En respuesta a peticiones de verificación de datos, Myers se extendió: «Uno debe ser activamente antirracista, lo que significa que como individuos y como compañía primero tenemos que reconocer y comprender nuestros propios sesgos inconscientes y su impacto no intencionado en nuestros colegas y el negocio».

239. Netflix aclaró que, en la oficina del fiscal general, el cometido de Myers era «incrementar la diversidad y la retención en la oficina del fiscal general, la formación sobre acoso sexual y antidiscriminación y la mejora del compromiso con comunidades de la Commonwealth, además de aconsejar al fiscal general y a su personal de dirección».

240. Hastings y Meyer, *Aquí no hay reglas*.

241. Myers advirtió que su equipo «entró para crear un proceso de cambio estratégico a largo plazo, lo que significaba que trabajábamos con nuestros compañeros de Recursos Humanos y los líderes en unidades de negocio para dar forma a estas estrategias. Llevar a cabo talleres y conversaciones era solo parte de la estrategia».

242. En Netflix, como en la sociedad en general, hay algunos límites a las preguntas. «Esto ocurre mucho con personas trans y no binarias —me explicó Myers—. La gente les pregunta por su cuerpo, y eso es inapropiado. Nunca haríamos esta clase de preguntas a personas cisgénero. De manera que decimos a la gente que compruebe cuál es su motivación. ¿Preguntas por mera curiosidad personal o porque sabes que la respuesta ayudará a todo el mundo a tener éxito?».

243. Myers dijo que «la mayor parte del trabajo está relacionado con la consciencia de ti mismo, tu cultura y la de los demás, y comprender cómo tu

identidad, experiencia y cultura modelan tu visión del mundo, tus relaciones y comportamiento y tus juicios. También aprender a reconocer tus sesgos y cómo comprobarlos, advertir cómo podríamos excluir o incluir (consciente e inconscientemente) y por qué, para que cada uno pueda hacer su trabajo de crear un entorno inclusivo y respetuoso».

244. Merece la pena advertir que aunque todos podemos reconocer el aguijonazo de la exclusión, eso no significa que todos la hayamos experimentado del mismo modo. Hay exclusiones que duelen más que otras, y algunas personas, debido a sus identidades sociales, experimentan esto más a menudo, y de modos distintos, que otras.

245. Myers escribió que «era importante que la gente viera que no solo las personas negras o las mujeres tienen identidades, sino que todo el mundo las tiene, y esa diversidad es algo que existe dentro de todos nosotros, dado que todos poseemos identidades múltiples y experiencias que nos hacen únicos como individuos. Sin embargo, en muchos espacios corporativos, existe un dominio de ciertas identidades debido a la exclusión social y el racismo y el sexismo, y se convierten en la norma por la que todo se modela y juzga [...] No basta con traer a personas que se salen de la norma, tenemos que crear un entorno en el que se las respete y se reflejen en nuestros equipos, formas de trabajar, lenguaje, políticas, etcétera [...] En todo momento, el trabajo es multifacético para crear cambio a cuatro niveles: el personal (cómo piensa, cree y siente la gente), el interpersonal (el comportamiento y las relaciones de la gente), el organizativo (políticas y prácticas) y el cultural (lo que se ve como correcto, bonito, cierto)».

246. Myers escribió que estas conversaciones estaban diseñadas para extraer comentarios «no solo sobre la raza; normalmente era acerca de la diferencia, de cualquier tipo, y cómo reaccionaban a ella. La raza surgía mucho, pero podría haber sido el sexo, la discapacidad, los ingresos, la orientación sexual, el acento, el lenguaje, etcétera».

247. Estos talleres son solo una faceta del trabajo que Myers y su equipo han realizado en Netflix. Para obtener detalles sobre otros aspectos, por favor, véanse las otras notas.

248. Myers escribió que «para algunas personas estas conversaciones son difíciles y nunca les proporcionarán una sensación de seguridad. En algunos casos, cambiamos el contenido para abordar preocupaciones». No todo el mundo, advirtió, se sentía cómodo y a salvo.

249. Este tipo de preguntas pueden ser incómodas, de modo que la empresa tenía normas para cuando la incomodidad se hacía excesiva. «Cuando alguien no se siente cómodo hablando algo sobre sí mismo o sobre un tema relacionado con una o más de sus identidades, le animamos a que comunique a su colega que no quiere mantener esa conversación —dijo Toni Harris Quinerly, el director de estrategia de inclusión de Netflix—. Como equipo de inclusión, trabajamos arduamente para normalizar este tipo de establecimiento de límites, de forma que la gente se sienta más cómoda comunicándose cuando quiera y no quiera tratar de algo, quienquiera que esté en el lado receptor sea más probable que honre y respete esos límites. Esto incluye

hacer saber a la gente que existen numerosas formas de aprender sobre experiencias que no entiendes del todo (por ejemplo, encontrar artículos/libros o buscar percepciones de otras personas o aliados que puedan tener conocimientos o perspectivas sobre ese tema)».

Es importante advertir que, junto a alentar tales cuestiones, las pautas deben permitir a la gente rechazar responder. Esto es un punto crítico porque, históricamente, a los individuos de comunidades marginalizadas se les ha pedido desarrollar un desmesurado trabajo a la hora de describir su vida. Para más sobre este tema, por favor véase el resto de las notas.

250. Greg Walton, en respuesta a peticiones de verificación de datos, especificó que el objetivo de un ejercicio como este no es crear comodidad para la gente que ya tiene poder, sino más bien crear atmósferas en las que la gente puede reflexionar acerca de sí misma y la sociedad, y escuchar las perspectivas de los demás. El foco está en hallar «formaciones [que] puedan facilitar un comportamiento más positivo y menos sesgado». Walton, en una entrevista, me dijo que «tenemos que crear espacio en la cultura para gente que es imperfecta. No podemos reducir nuestra cultura "te pillé". El objetivo es tomar a personas que son imperfectas y convertirlas en aliadas en lugar de enemigas».

251. Vernā Myers, «Inclusion Takes Root at Netflix: Our First Report», Netflix.com, 13 de enero de 2021.

252. Vernā Myers, «Our Progress on Inclusion: 2021 Up-date», Netflix.com, 10 de febrero de 2022.

253. Estas cifras reflejan la demografía de 2022.

254. Stacy L. Smith *et al.*, «Inclusion in Netflix Original U.S. Scripted Series and Films», *Indicator*, vol. 46 (2021), pp. 50-56.

255. No está claro exactamente cuántos trabajadores participaron en estas manifestaciones. Los reporteros calcularon menos de dos decenas. Algunos empleados también dejaron de trabajar al mediodía para protestar por el especial de Chappelle.

256. En respuesta a un e-mail de verificación de datos, Netflix dijo: «Netflix está intentando entretener al mundo y cree que DEI puede ayudar a alcanzar ese objetivo; de modo que no es solo sobre el bien social y el hecho de que cada uno de nosotros aprenda a trabajar de forma respetuosa con los demás y aprovechar nuestras diferencias, sino como nos permitirá a todos nosotros y al negocio prosperar». Myers añadió: «Incrementar la representación y aplicar una lente de inclusión a todo lo que hacemos nos ayuda a innovar y ser creativos. También nos ayuda a contar historias auténticas y nuevas que no se han contado antes, [y] a ver y dar una plataforma para el talento que se ha excluido en el pasado [...] Esto es bueno para el negocio, y es bueno de verdad para nuestros miembros y futuros miembros».

257. Myers dejó su puesto en Netflix en septiembre de 2023, tras cinco años con la compañía. Sigue siendo asesora de Netflix y la sucedió Wade Davis.

258. Por mi comprensión de este estudio, estoy en deuda con: Robert Waldinger y Marc M. D. Schulz, *The Good Life*, Nueva York, Simon and Schuster, 2023; George E. Vaillant, *Triumphs of Experience*, Cambridge (Massachussets), Harvard University Press, 2012; George E. Vaillant, *Adaptation to Life*, Cambridge (Massachussets), Harvard University Press, 1995; John F. Mitchell, «Aging Well: Surprising Guideposts to a Happier Life from the Landmark Harvard Study of Adult Development», *American Journal of Psychiatry*, vol. 161, núm. 1 (2004), pp. 178-179; Christopher Peterson, Martin E. Seligman y George E. Vaillant, «Pessimistic Explanatory Style Is a Risk Factor for Physical Illness: A Thirty-Five-Year Longitudinal Study», *Journal of Personality and Social Psychology*, vol. 55, núm. 1 (1988), p. 23; Clark Wright Heath, *What People Are; a Study of Normal Young Men*, Cambridge (Massachussets), Harvard University Press, 1945; Robert C. Intrieri, «Through the Lens of Time: Eight Decades of the Harvard Grant Study», *PsycCRITIQUES*, vol. 58 (2013); Robert Waldinger, «Harvard Study of Adult Development» (2017).

259. Los investigadores de este proyecto, cuando han publicado casos prácticos, siempre se han referido a los participantes con seudónimos y han alterado detalles biográficos para preservar la confidencialidad. La información que aparece aquí se apoya en esos informes publicados, e incluye nombres y detalles alterados por los investigadores. Sin embargo, siempre que es posible, he complementado mi comprensión entrevistando a estos y otros investigadores, y consultando trabajos, tanto publicados como sin publicar, para asegurar la precisión.

260. La formulación de la pregunta era: «Por favor, utiliza la(s) última(s) páginas(s) para responder a todas las cuestiones que deberíamos haber planteado, si hubiésemos preguntado por las cosas que más te importan».

261. Julianne Holt-Lunstad, «Why Social Relationships Are Important for Physical Health: A Systems Approach to Understanding and Modifying Risk and Protection», *Annual Review of Psychology*, vol. 69 (2018), pp. 437-458.

262. Yang Claire Yang *et al.*, «Social Relationships and Physiological Determinants of Longevity Across the Human Life Span», *Proceedings of the National Academy of Sciences*, vol. 113, núm. 3 (2016), pp. 578-583.